O PROBLEMA

DOS TRÊS

CORPOS

CIXIN LIU

O PROBLEMA DOS TRÊS CORPOS

TRADUÇÃO
Leonardo Alves

2ª reimpressão

Copyright © 2006 by 刘慈欣 (Liu Cixin)

Publicado mediante acordo com China Educational Publications Import & Export Corporation Ltd.
Todos os direitos reservados.

Traduzido da edição americana (The Three-Body Problem)

Grafia atualizada segundo o Acordo Ortográfico da Língua Portuguesa de 1990, que entrou em vigor no Brasil em 2009.

Título original
三体

Capa
Rodrigo Maroja

Foto de capa
gkuna/ Shutterstock

Preparação
Gustavo de Azambuja Feix

Revisão
Ana Barbosa
Jane Pessoa

Dados Internacionais de Catalogação na Publicação (CIP)
(Câmara Brasileira do Livro, SP, Brasil)

> Liu, Cixin
> O problema dos três corpos / Cixin Liu ; tradução Leonardo Alves. – 1ª ed. – Rio de Janeiro : Suma, 2016.
>
> Título original: The three-body problem.
> ISBN 978-85-5651-020-4
>
> 1. Ficção chinesa 2. Ficção científica I. Título.

16-05658	CDD–895.13

Índice para catálogo sistemático:
1. Ficção : Literatura chinesa   895.13

[2021]
Todos os direitos desta edição reservados à
EDITORA SCHWARCZ S.A.
Praça Floriano, 19, sala 3001 — Cinelândia
20031-050 — Rio de Janeiro — RJ
Telefone: (21) 3993-7510
www.companhiadasletras.com.br
www.blogdacompanhia.com.br
facebook.com/editorasuma
instagram.com/editorasuma
twitter.com/Suma_BR

LISTA DE PERSONAGENS

Os nomes chineses são escritos com o sobrenome na frente.

A família Ye

Ye Zhetai	Físico, professor na Universidade Tsinghua
Shao Lin	Física, esposa de Ye Zhetai
Ye Wenjie	Astrofísica, filha de Ye Zhetai
Ye Wenxue	Irmã de Ye Wenjie, integrante da Guarda Vermelha

Base Costa Vermelha

Lei Zhicheng	Comissário político da Base Costa Vermelha
Yang Weining	Engenheiro-chefe da Base Costa Vermelha, ex-aluno de Ye Zhetai

Dias atuais

Yang Dong	Pesquisadora da teoria das cordas e filha de Ye Wenjie e Yang Weining
Ding Yi	Pesquisador de física teórica, namorado de Yang Dong
Wang Miao	Pesquisador de nanomateriais
Shi Qiang	Detetive da polícia, também chamado Da Shi
Chang Weisi	General de brigada do Exército da Libertação Popular
Shen Yufei	Física japonesa e integrante da Fronteiras da Ciência
Wei Cheng	Prodígio da matemática e recluso, marido de Shen Yufei

Pan Han	Biólogo, amigo/conhecido de Shen Yufei e Wei Cheng e integrante da Fronteiras da Ciência
Sha Ruishan	Astrônomo, um dos alunos de Ye Wenjie
Mike Evans	Filho de um magnata do petróleo
Coronel Stanton	Corpo de Fuzileiros Navais dos Estados Unidos, comandante da Operação Guzheng

PARTE I

Primavera silenciosa

1. OS ANOS DE LOUCURA

China, 1967

Já fazia dois dias que a União Vermelha vinha atacando o quartel-general da Brigada 28 de Abril. As bandeiras vermelhas tremulavam sem parar em volta do prédio, como labaredas de fogo sedentas.

O comandante da União Vermelha estava ansioso, mas não por causa dos defensores à sua frente: comparados aos guardas-vermelhos veteranos da União Vermelha, formada nos primórdios da Grande Revolução Cultural Proletária no início de 1966, os mais de duzentos guardas-vermelhos da Brigada 28 de Abril não passavam de soldados rasos. A União Vermelha havia sido forjada pela experiência tumultuosa das marchas revolucionárias pelo país e pela visão do presidente Mao nos grandes comícios na Praça da Paz Celestial.

Mas o comandante *tinha* medo das cerca de doze fornalhas dentro do edifício, cheias de explosivos e interligadas por detonadores elétricos. Embora não pudesse vê-las, conseguia sentir sua presença, como o ferro sente a atração de um ímã. Se um defensor apertasse o botão, revolucionários e contrarrevolucionários morreriam todos em uma gigantesca bola de fogo.

E os jovens guardas-vermelhos da Brigada 28 de Abril eram realmente capazes de uma loucura dessas. Em comparação com os homens e as mulheres experientes da primeira geração, os novos rebeldes eram uma matilha de lobos andando sobre carvão em brasa, mais insanos que a insanidade.

No topo do edifício surgiu a figura esbelta de uma linda jovem, agitando o imenso estandarte vermelho da Brigada 28 de Abril. Essa aparição foi imediatamente saudada por uma cacofonia de tiros, efetuados por diferentes tipos de arma: peças antigas, como carabinas americanas, metralhadoras tchecas e fuzis japoneses calibre .38; armas mais novas, como fuzis e submetralhadoras-padrão do Exército da Libertação Popular, roubadas do ELP após a publicação do "Editorial de Agosto";*

---

* Referência ao editorial de agosto de 1967 da revista *Hongqi* (uma fonte importante de propaganda durante a Revolução Cultural), que defendia a "remoção do punhado de [contrarrevolu-

e até mesmo algumas lanças e espadas *dadao* chinesas — o conjunto formava uma versão condensada da história moderna.

Vários integrantes da Brigada 28 de Abril já haviam realizado demonstrações semelhantes. Eles subiam ao topo de um edifício, agitavam uma bandeira, gritavam palavras de ordem com um megafone e jogavam panfletos em quem estava atacando da rua. Em todas as vezes, a pessoa corajosa conseguira escapar em segurança da saraivada de balas e conquistar a glória por sua valentia.

Evidentemente, a jovem achava que teria a mesma sorte. Ela tremulou o estandarte de guerra como se estivesse brandindo sua juventude flamejante, certa de que o inimigo seria incinerado pelas chamas revolucionárias, imaginando que o mundo ideal nasceria no dia seguinte a partir do fervor e da confiança que corriam em suas veias... Estava embriagada pelo brilhante sonho rubro até uma bala atravessar seu peito.

O corpo de quinze anos era tão franzino que a bala quase não perdeu velocidade ao atravessá-lo e seguir sua trajetória. A jovem rebelde da Guarda Vermelha oscilou com sua bandeira, e seu corpo delicado veio abaixo ainda mais devagar que o pedaço de pano vermelho, como um passarinho que não queria abandonar o céu.

Os guerreiros da União Vermelha gritaram de alegria. Alguns correram até a base do edifício, arrancaram o estandarte de guerra da Brigada 28 de Abril e se apropriaram do corpo esguio e sem vida. Alçaram e ostentaram o troféu por um tempo, antes de jogá-lo em cima do portão metálico do complexo.

A maioria das barras de metal do portão, de pontas afiadas, fora arrancada no começo das guerras civis entre as facções para servir de lanças, mas ainda havia duas. Quando as pontas afiadas cravaram o corpo, por um instante a vida pareceu voltar à garota.

Os guardas-vermelhos recuaram um pouco e começaram a usar o corpo empalado como alvo para treinar tiros. Para a jovem, a tormenta intensa de balas agora não passava de uma garoa suave, já que não sentia mais nada. De vez em quando, os bracinhos finos se debatiam com delicadeza na frente do corpo, como que repelindo gotas de chuva.

E então metade de sua cabeça estourou, e restou apenas um único e belo olho para encarar o céu azul de 1967. Não havia dor naquele olhar, só uma expressão petrificada de devoção e sonhos.

---

cionários] que estava no Exército". Muitas pessoas acharam que o editorial dava um incentivo tácito para que os guardas-vermelhos atacassem arsenais militares e roubassem armas do ELP, inflamando ainda mais as guerras civis localizadas, que foram deflagradas por facções da Guarda Vermelha. (As notas de rodapé do autor estão indicadas com N. A., as demais são de Ken Liu, tradutor da obra para a língua inglesa.)

Contudo, em comparação com alguns outros, ela teve sorte. Pelo menos sua morte foi um sacrifício fervoroso por um ideal.

Batalhas como aquela estouraram por Beijing como uma infinidade de computadores trabalhando em paralelo: o esforço mútuo produziria a Revolução Cultural. Uma enxurrada de loucura inundou a cidade e tomou todos os espaços.

Na periferia, nos campos de exercício da Universidade Tsinghua, uma "sessão de luta" coletiva frequentada por milhares de pessoas vinha acontecendo havia quase duas horas. Era um evento público criado para humilhar e dobrar os inimigos da revolução, por meio de ataques verbais e físicos, até que eles confessassem seus crimes diante da multidão.

Com a fragmentação dos revolucionários em diversas facções, havia forças de oposição envolvidas em manobras e disputas complexas por todos os cantos. Na universidade, conflitos intensos irromperam entre a Guarda Vermelha, o Grupo de Trabalho da Revolução Cultural, o Time de Propaganda dos Operários e o Time de Propaganda Militar. Além disso, de tempos em tempos, cada facção se dividia em novos grupos rebeldes, com inspirações, motivações e formações diferentes, o que levava a embates ainda mais brutais.

Mas, para *aquela* sessão de luta coletiva, as vítimas eram as autoridades acadêmicas burguesas reacionárias. Elas eram inimigas de todas as facções, obrigadas a suportar ataques cruéis de todos os lados.

Em comparação com outros "monstros e demônios",* as autoridades acadêmicas reacionárias tinham algo especial: durante as primeiras sessões de luta, elas haviam se portado com arrogância e teimosia. Naquela mesma fase, morreram em maior número: ao longo de um período de quarenta dias, só em Beijing, mais de setecentas vítimas das sessões de luta foram espancadas até a morte. Muitas outras optaram por um caminho mais fácil a fim de evitar a loucura: Lao She, Wu Han, Jian Bozan, Fu Lei, Zhao Jiuzhang, Yi Qun, Wen Jie, Hai Mo e outros intelectuais, antes respeitados, decidiram tirar a própria vida.**

Aos poucos, conforme as sessões de luta implacáveis continuavam, os sobreviventes daquele período inicial se tornavam letárgicos. A carapaça mental ajudava a evitar o colapso completo. Muitas vezes, eles pareciam meio adormecidos durante

---

* Expressão oriunda do budismo, "monstros e demônios" foi usada durante a Revolução Cultural para se referir a todos os inimigos da revolução.
** Esses foram alguns dos intelectuais mais famosos que se suicidaram durante a Revolução Cultural. Lao She: escritor; Wu Han e Jian Bozan: historiadores; Fu Lei: tradutor e crítico; Zhao Jiuzhang: meteorologista e geofísico; Yi Qun: escritor; Wen Jie: poeta; Hai Mo: dramaturgo e romancista.

as sessões e só despertavam com um susto, quando alguém gritava e os obrigava aos berros a recitar de maneira mecânica a confissão, já repetida tantas vezes.

Depois, alguns entraram em uma terceira fase. As sessões de luta constantes e incessantes injetaram na consciência daquelas pessoas imagens políticas vívidas, como se fosse mercúrio, até que a mente, estabelecida sobre uma fundação de conhecimento e racionalidade, desabou sob os ataques. As vítimas começaram a acreditar que eram culpadas, a imaginar que haviam ferido a grande causa da revolução, e seu remorso era muito mais intenso e sincero que o dos monstros e demônios que não eram intelectuais.

Para os guardas-vermelhos, impor castigos a pessoas que se encontravam nessas duas últimas fases era muito tedioso. Apenas os monstros e demônios ainda na fase inicial podiam proporcionar àqueles cérebros superestimulados a emoção desejada, como a capa vermelha do toureiro. Mas as vítimas cobiçadas estavam se tornando escassas. Em Tsinghua, provavelmente só restava uma. E, como ele era extremamente raro, foi reservado para o final da sessão de luta.

Até aquele momento, Ye Zhetai havia sobrevivido à Revolução Cultural, mas continuava na primeira fase mental. Ele se recusava a se arrepender, a se matar ou a se deixar entorpecer. Quando esse professor de física subiu ao palco na frente da multidão, sua expressão dizia com clareza: *Que a cruz que eu carrego seja ainda mais pesada.*

Os guardas-vermelhos realmente o obrigaram a carregar um fardo, mas não uma cruz. Outras vítimas usaram chapéus altos feitos de armação de bambu, mas o dele era de barras espessas de aço, soldadas uma na outra. E a placa que pendia em seu pescoço não era de madeira, como a dos demais, e sim uma porta de ferro tirada de um forno de laboratório. O nome do professor estava escrito na porta com caracteres pretos, e duas linhas diagonais vermelhas estavam riscadas por cima em um grande X.

Ye foi escoltado ao palco pelo dobro de guardas-vermelhos que haviam sido utilizados com as outras vítimas: dois homens e quatro mulheres. Os rapazes caminhavam com determinação e confiança, a imagem perfeita de jovens bolcheviques experientes. Os dois eram alunos do quarto ano de física teórica, e Ye era seu professor. Já as mulheres, na verdade meninas, eram muito mais novas, alunas do segundo ano do colégio de ensino fundamental ligado à universidade.*

---

* No sistema educacional chinês, os seis anos do ensino básico costumam ser seguidos por três anos correspondentes ao segundo ciclo do ensino fundamental e outros três de ensino médio. Durante a Revolução Cultural, esse sistema de doze anos foi abreviado para um de nove ou dez anos, dependendo da província ou do município. No caso em questão, as meninas da Guarda Vermelha tinham catorze anos.

De farda militar e equipadas com bandoleiras, elas exalavam o vigor da juventude e cercavam Ye Zhetai como quatro labaredas verdes.

A aparição dele empolgou a multidão. Os brados de palavras de ordem, que haviam amainado um pouco, voltaram com novo ímpeto e abafaram tudo o mais como uma onda.

Após esperar com paciência até o barulho diminuir, um dos rapazes se virou para a vítima.

— Ye Zhetai, você é especialista em mecânica. Deve perceber que está resistindo a uma força intensa demais. Insistir nessa teimosia conduzirá apenas à sua morte! Hoje, retomamos o assunto da última sessão. Nem perca tempo desperdiçando palavras. Responda à seguinte pergunta sem a malícia habitual: entre os anos de 1962 e 1965, você não decidiu por conta própria acrescentar a relatividade à disciplina de introdução à física?

— A relatividade faz parte das teorias fundamentais da física — respondeu Ye. — Como uma disciplina introdutória poderia não ensinar o tema?

— Você está mentindo! — gritou uma guarda-vermelha a seu lado. — Einstein não passa de uma autoridade acadêmica reacionária, que serviria a qualquer mestre que balançasse um maço de dinheiro na sua frente. Até ajudou os imperialistas americanos a construir a bomba atômica! Para desenvolver uma ciência revolucionária, precisamos derrotar o estandarte negro do capitalismo representado pela teoria da relatividade!

Ye ficou em silêncio. Como precisava suportar a dor do pesado chapéu de metal e da placa de ferro no pescoço, não lhe restava energia para rebater perguntas que não mereciam resposta. Atrás dele, um de seus alunos também franziu o cenho. A menina que acabara de falar era a mais inteligente das quatro guardas-vermelhas, e era nítido que havia se preparado, pois fora vista decorando o roteiro da sessão de luta antes de subir ao palco.

Porém, contra Ye Zhetai, bordões como aquele não bastariam. Os guardas-vermelhos decidiram apresentar a nova arma reservada para o professor. Um deles acenou para alguém que estava fora do palco: Shao Lin, professora de física e esposa de Ye, se levantou na primeira fileira da multidão e subiu ao palco com um traje verde que não lhe caía bem, tentativa óbvia de imitar a farda militar dos guardas-vermelhos. As pessoas que a conheciam sabiam que, em muitas de suas aulas, ela havia usado um elegante *qipao*, e seu aspecto naquele momento parecia estranho e forçado.

— Ye Zhetai! — Dava para ver que ela não estava acostumada àquela teatralidade e, embora tentasse falar mais alto, o esforço ampliou o tremor em sua voz. — Você por acaso achou que eu não me ergueria, que não faria denúncias nem críticas? É verdade que no passado me deixei enganar por você, que cobriu meus olhos com sua visão reacionária do mundo e da ciência! Mas agora estou desperta e atenta. Com a ajuda dos jovens revolucionários, quero estar do lado da revolução, do lado do povo!

Ela se virou para a multidão.

— Camaradas, jovens, professores e funcionários revolucionários, devemos compreender claramente a natureza reacionária da teoria da relatividade de Einstein. É algo óbvio demais na relatividade geral: o modelo estático do universo nega a natureza dinâmica da matéria. É antidialético! Trata o universo como algo limitado, o que é definitivamente uma forma de idealismo reacionário...

Enquanto escutava o discurso da esposa, Ye não pôde evitar um sorriso amargurado. *Lin, enganei você? De fato, em meu coração, você sempre foi um mistério. Certa vez, exaltei sua genialidade em uma conversa com seu pai — sorte dele ter morrido cedo e evitado essa catástrofe —, que balançou a cabeça e comentou que não achava que você realizaria muitas façanhas acadêmicas. O que ele disse depois acabou se tornando muito importante para a segunda metade de minha vida: "Lin Lin é inteligente demais. Para trabalhar com teorias de base, é preciso ser idiota".*

Anos depois, passei a compreender cada vez mais aquelas palavras. Lin, você é mesmo inteligente demais. Alguns anos atrás você já pressentiu a mudança nos ventos da política no mundo acadêmico e se preparou. Por exemplo, em suas aulas, você mudou o nome de muitas leis e constantes da física: a lei de Ohm você chamou de lei da resistência, as equações de Maxwell você chamou de equações eletromagnéticas, a constante de Planck você chamou de constante quântica... Explicou aos seus alunos que todas as realizações científicas resultaram da sabedoria da massa proletária e que as autoridades acadêmicas capitalistas apenas roubaram esses frutos e puseram seus nomes.

Apesar disso, você nunca foi aceita pelo núcleo revolucionário. Veja só agora: você não tem permissão para usar a braçadeira vermelha dos "professores e funcionários revolucionários", e precisou subir aqui de mãos vazias, sem status para portar o Pequeno Livro Vermelho... Não tem como superar o defeito de ter nascido em uma família proeminente da China pré-revolução nem de ser filha de acadêmicos tão famosos.

Porém, na verdade, você tem mais a confessar em relação a Einstein do que eu. No inverno de 1922, Einstein visitou Shanghai. Como seu pai falava fluentemente alemão, pediram que acompanhasse Einstein no passeio. Você me disse diversas vezes que seu pai começou a estudar física por incentivo de Einstein e que você escolheu a física por influência de seu pai. Então, de certa forma, é possível dizer que Einstein foi seu professor indireto. E você tinha muito orgulho e se achava sortuda por ter esse tipo de ligação.

Mais tarde, descobri que seu pai contara uma mentirinha para você. Ele só havia conversado com Einstein uma vez, por um breve instante. Na manhã de 13 de novembro de 1922, ele acompanhou Einstein em uma caminhada pela rua Nanjing. O grupo também contava com Yu Youren, reitor da Universidade de Shanghai, e Cao Gubing, editor-geral do jornal Ta Kung Pao. *Quando passaram por um canteiro de obras no acostamento, Einstein parou perto de um trabalhador que estava quebrando pedras e ficou observando em silêncio aquele menino de rosto sujo, mãos imundas e roupa esfarrapada. Ele perguntou a seu pai quanto o menino recebia por dia. Depois de perguntar ao menino, seu pai respondeu a Einstein: cinco centavos.*

Essa foi a única vez que ele trocou palavras com o grande cientista que mudou o mundo. Não houve conversas sobre física nem sobre relatividade, apenas a realidade nua e crua. Segundo seu pai, Einstein ficou parado por um bom tempo depois de ouvir a resposta, observando os movimentos mecânicos do menino, sem nem se dar ao trabalho de fumar o cachimbo, deixando a brasa se apagar. Assim que seu pai relatou essa lembrança para mim, ele suspirou e disse: "Na China, qualquer ideia que se atrevesse a alçar voo logo voltaria a cair no chão. A gravidade da realidade é forte demais".

— Abaixe a cabeça! — gritou um dos jovens da Guarda Vermelha. Isso talvez até fosse um gesto de misericórdia do ex-aluno. Como se esperava que todas as vítimas submetidas à luta abaixassem a cabeça, se Ye abaixasse a sua, o chapéu alto e pesado de metal cairia. Caso continuasse de cabeça baixa, não haveria motivo para colocarem o objeto de novo. Mas Ye se recusou e manteve a cabeça erguida, sustentando todo o peso com o pescoço fino.

— Abaixe a cabeça, seu reacionário teimoso!

Uma das meninas da Guarda Vermelha tirou o cinto e açoitou Ye. A fivela de cobre acertou-o na testa e deixou uma marca nítida, logo coberta pelo sangue que começou a escorrer. Ele cambaleou por alguns instantes e, depois, voltou a se endireitar e ficar firme.

Um dos rapazes disse:

— Quando você ensinava mecânica quântica, também enchia a matéria de muitas ideias reacionárias.

Em seguida, fez um gesto para que Shao Lin continuasse.

Shao atendeu na hora. Ela precisava continuar falando, caso contrário sua mente frágil, já sustentada por um fio tênue, se arruinaria de vez.

— Ye Zhetai, você não pode negar esta acusação! Já deu muitas aulas sobre a interpretação de Copenhague da mecânica quântica.

— Claro, essa explicação é reconhecida como a mais condizente com resultados experimentais.

Aquele tom calmo e equilibrado surpreendeu e assustou Shao Lin.

— Essa explicação postula que a observação a partir do exterior leva ao colapso da função de onda quântica. Nada mais é do que outra expressão de idealismo reacionário e, para ser sincera, a mais escandalosa expressão.

— A filosofia deve orientar experimentos, ou os experimentos devem orientar a filosofia?

O contra-ataque repentino de Ye chocou as pessoas que estavam conduzindo a sessão de luta. Por um instante, eles não souberam o que fazer.

— É claro que os experimentos científicos devem ser orientados pela filosofia correta do marxismo! — disse enfim um dos guardas-vermelhos.

— Isso é o mesmo que dizer que a filosofia correta cai do céu. Vai contra a ideia de que a verdade surge a partir da experiência. Contraria os princípios pelos quais o marxismo tenta entender a natureza.

Shao Lin e os dois guardas-vermelhos universitários não tinham como rebater aquilo. Ao contrário das meninas, ainda no colégio, eles não podiam ignorar completamente a lógica.

Só que as quatro adolescentes tinham seus próprios métodos revolucionários, que achavam invencíveis. A menina que açoitara Ye antes puxou e estalou o cinto no ar de novo. As outras três imitaram o gesto: diante de tamanha exibição de fervor revolucionário pela companheira, elas precisavam demonstrar no mínimo a mesma medida ou, de preferência, ainda mais. Os dois rapazes não interferiram. Se tentassem intervir, levantariam suspeitas de que não eram revolucionários o bastante.

— Você também ensinava a teoria do Big Bang. Essa é a teoria mais reacionária de todas — apontou um dos guardas-vermelhos, tentando mudar de assunto.

— Talvez no futuro a teoria venha a ser refutada. Mas duas grandes descobertas cosmológicas deste século, a lei de Hubble e a observação da radiação cósmica de fundo em micro-ondas, mostram que a teoria do Big Bang é hoje a explicação mais plausível para a origem do universo.

— Mentira! — berrou Shao Lin.

Ela então começou um longo discurso sobre a teoria do Big Bang, lembrando-se de inserir comentários astutos sobre a natureza extremamente reacionária. No entanto, o ineditismo da teoria atraiu a menina mais inteligente das quatro, que não resistiu e perguntou:

— O tempo começou com a singularidade? Então o que havia antes da singularidade?

— Nada — disse Ye, da mesma maneira como responderia à pergunta de um curioso. Ele se virou para lançar um olhar bondoso à menina. Com os ferimentos e o chapéu alto de aço, o movimento foi muito difícil.

— Não... nada? Isso é reacionário! Completamente reacionário! — gritou a menina, assustada. Ela se voltou para Shao Lin, que sem titubear ofereceu ajuda.

— A teoria deixa espaço para a existência de Deus. — Shao fez um gesto com a cabeça para a menina.

Confusa com aqueles pensamentos novos, a jovem guarda-vermelha acabou achando um ponto de apoio. Ela ergueu a mão, ainda segurando o cinto, e apontou para Ye.

— Você: está tentando dizer que Deus existe?

— Não sei.

— O quê?

— Estou dizendo que não sei. Se por "Deus" você entende alguma espécie de superconsciência externa ao universo, não sei se isso existe. A ciência nunca forneceu provas em nenhum sentido.

Na verdade, no meio daquele pesadelo, Ye estava inclinado a acreditar que Deus não existia.

A afirmação extremamente reacionária provocou uma comoção na multidão. No palco, um dos guardas-vermelhos puxou mais uma onda de brados de ordem.

— Abaixo a autoridade acadêmica reacionária de Ye Zhetai!

— Abaixo todas as autoridades acadêmicas reacionárias!

— Abaixo todas as doutrinas reacionárias!

Quando os bordões cessaram, a menina gritou:

— Deus não existe. Todas as religiões são instrumentos maquinados pela classe dominante com o propósito de paralisar o espírito do povo!

— Essa é uma perspectiva muito limitada — disse Ye, com calma.

Constrangida e furiosa, a menina da Guarda Vermelha chegou à conclusão de que nenhuma conversa adiantaria contra aquele inimigo perigoso. Ela pegou o cinto e avançou contra Ye, seguida pelas três companheiras. Como Ye era alto, as quatro adolescentes de catorze anos precisaram apontar os cintos para cima a fim de acertá-lo na cabeça, ainda erguida. Após alguns golpes, o grande chapéu de aço, que dava uma proteção mínima, caiu. A sucessão contínua de golpes de fivelas metálicas enfim derrubou Ye.

As jovens da Guarda Vermelha, estimuladas pelo êxito, se dedicaram com ainda mais afinco à luta gloriosa. Combatiam pela fé, por ideais. Estavam extasiadas com a luz resplandecente que a história lançaria sobre seus nomes, cheias de orgulho da própria bravura...

Os dois alunos de Ye enfim deram um basta.

— O presidente nos instruiu a "contar com eloquência, em vez de violência"!

Os dois se apressaram a tirar as quatro meninas ensandecidas de cima de Ye.

Mas já era tarde demais. O físico estava caído inerte no chão, de olhos ainda abertos, sangue escorrendo da cabeça. A turba enlouquecida ficou em silêncio. O único movimento era feito por um pequeno fio de sangue: como uma serpente vermelha, avançou devagar pelo palco, chegou à beirada e gotejou em um baú que estava ali embaixo. O som ritmado das gotas de sangue parecia os passos de alguém que ia embora.

Uma risada aguda rompeu o silêncio. O barulho vinha de Shao Lin, cuja mente enfim se desfazia. A risada assustou os presentes, que começaram a sair da sessão de luta, primeiro aos poucos, como um córrego, depois como uma inundação. Os campos de exercício logo ficaram desertos, exceto por uma jovem de frente para o palco.

Era Ye Wenjie, a filha de Ye Zhetai.

Enquanto as quatro meninas estavam tirando a vida de seu pai, ela tentara correr para cima do palco. Porém, dois faxineiros idosos da universidade a contiveram e sussurraram ao pé do ouvido que ela morreria se subisse ali. A sessão de luta coletiva havia se transformado em uma cena de loucura, e a intromissão dela apenas provocaria mais violência. Wenjie havia gritado sem parar, mas fora abafada pelas ondas ensandecidas de brados de ordem e vivas.

Quando o silêncio voltou, ela já não era mais capaz de emitir nenhum som. Ficou olhando para o corpo inerte do pai, e os pensamentos que ela não podia expressar e carregaria pelo resto da vida se dissolveram em seu próprio sangue. Depois que a multidão se dispersou, ela permaneceu como uma estátua de pedra, corpo e membros na mesma posição em que estavam quando foi contida pelos dois faxineiros idosos.

Passado muito tempo, ela enfim abaixou os braços, subiu devagar até o palco, sentou-se ao lado do corpo do pai e pegou uma das mãos já frias, sondando o nada com um olhar vazio. Quando o corpo enfim foi levado, ela retirou algo do bolso e colocou na mão do pai: o cachimbo dele.

Em silêncio, Wenjie saiu dos campos de exercício, onde só restava o lixo que a multidão havia deixado, e foi para casa. Assim que chegou ao bloco do edifício residencial dos professores, ouviu o tinido de uma risada enlouquecida pela janela do segundo andar de sua casa. Era a mulher que ela havia chamado de mãe.

Wenjie deu meia-volta, sem querer saber para onde seus pés a levariam.

Por fim, viu-se à porta da professora Ruan Wen. Ao longo dos quatro anos da vida universitária de Wenjie, a professora Ruan havia sido sua orientadora e sua melhor amiga. Dois anos depois, quando Wenjie ingressou na pós-graduação do Departamento de Astrofísica, e durante o caos subsequente da Revolução Cultural, a professora Ruan continuava sendo sua maior confidente, sem contar o pai.

Ruan havia estudado na Universidade de Cambridge, e Wenjie achava sua casa fascinante: livros, pinturas e discos sofisticados trazidos da Europa; um piano; um conjunto de cachimbos europeus dispostos em um suporte de madeira delicado, alguns feitos de urze do Mediterrâneo, outros de sepiolita turca. Todos pareciam embebidos da sabedoria do homem que segurara o fornilho ou pusera a piteira nos lábios, perdido em pensamentos, embora Ruan jamais tivesse mencionado o nome do dono. Até mesmo o cachimbo do pai de Wenjie fora um presente de Ruan.

No passado, aquele lar elegante e acolhedor fora um porto seguro para Wenjie quando ela precisava escapar das tormentas do mundo mais vasto, mas aquilo tinha sido antes de os guardas-vermelhos vasculharem a casa de Ruan e confiscarem seus bens. Como o pai de Wenjie, Ruan sofrera muito durante a Revolução Cultural. Em suas sessões de luta, os guardas-vermelhos haviam pendurado um par de sapatos de salto alto em seu pescoço e riscado o rosto dela com batom, para evidenciar o estilo de vida capitalista corrupto que ela seguia.

Wenjie abriu a porta da casa de Ruan e constatou que o caos deixado pela Guarda Vermelha fora arrumado: as pinturas a óleo rasgadas estavam remendadas e de volta nas paredes; o piano caído estava outra vez em pé, limpo, embora tivesse sido quebrado e não funcionasse mais; os poucos livros que sobraram haviam sido recolocados com cuidado na estante.

Ruan estava sentada na cadeira diante da escrivaninha, de olhos fechados. Wenjie parou ao seu lado e tocou com delicadeza a testa, o rosto e as mãos da professora — tudo frio. Wenjie havia percebido o vidro vazio de comprimidos para dormir em cima da escrivaninha assim que entrou na casa.

Continuou ali por algum tempo, sem falar nada. Então se virou e se afastou. Já não sentia mais tristeza. Era agora como um contador Geiger submetido à radiação demais, incapaz de apresentar qualquer reação, exibindo um silencioso zero.

Ainda assim, quando estava prestes a sair da casa de Ruan, Wenjie se voltou para um último olhar. Percebeu que a professora Ruan havia passado maquiagem. Estava com um toque suave de batom e sapatos de salto.

2. PRIMAVERA SILENCIOSA

Dois anos depois, cordilheira Grande Khingan

— Ma-dei-ra...

Depois do brado alto, um cedro enorme, grosso como as colunas do Partenon, caiu com um baque, e Ye Wenjie sentiu a terra tremer.

Ela pegou o machado e a serra e começou a cortar os galhos do tronco. Sempre que fazia isso, tinha a sensação de estar limpando o cadáver de um gigante. Às vezes, imaginava que o gigante era seu pai. As emoções daquela noite terrível dois anos atrás, quando limpou o corpo do pai no necrotério, voltavam à tona, e as rachaduras na casca do cedro pareciam se transformar nas cicatrizes antigas e nos ferimentos novos que cobriam seu pai.

Havia mais de cem mil pessoas — de seis divisões e quarenta e um regimentos do Corpo de Produção e Construção da Mongólia Interior — espalhadas pelas vastas florestas e pradarias. Quando saíram de suas cidades e chegaram àquela região selvagem e desconhecida, muitos dos "jovens instruídos" do Corpo — jovens universitários que já não tinham escolas para frequentar — acalentavam um desejo romântico: assim que os tanques dos imperialistas revisionistas soviéticos cruzassem a fronteira entre a Mongólia e a China, eles se armariam e fariam do próprio corpo a primeira barreira da defesa da República. De fato, essa expectativa era uma das considerações ideológicas que motivaram a criação do Corpo de Produção e Construção.

Mas a guerra pela qual eles ansiavam era como uma montanha ao final da pradaria: perfeitamente visível, mas tão distante como uma miragem. Então eles precisaram se contentar em abrir campos, pastorear animais e derrubar árvores.

Em pouco tempo, os jovens homens e mulheres que gastaram a energia da juventude em peregrinações aos locais sagrados da Revolução Chinesa descobriram que, comparadas ao céu gigantesco e ao espaço aberto da Mongólia Interior, as maiores cidades da zona rural chinesa não passavam de currais de ovelhas. Ali, no meio da imensidão fria e infindável de florestas e pradarias, a motivação flamejante deles não significava nada. Mesmo que despejassem todo o seu sangue, ele resfriaria mais rápido que um monte de esterco e não seria tão útil. Porém as chamas eram seu destino: faziam parte da geração que devia ser consumida pelo fogo. E assim, sob a fúria das motosserras, vastos oceanos de floresta se transformaram em penhascos estéreis e colinas desmatadas. Sob o ronco dos tratores e das colheitadeiras, amplos hectares de pradaria se transformaram em campos de cultivo de grãos e depois em desertos.

Ye Wenjie só conseguia classificar como loucura o desmatamento que estava presenciando. O cedro alto, o pinheiro-silvestre centenário, a bétula esbelta e reta, o choupo coreano que atravessava as nuvens, o abeto aromático, e também vidoeiros-pretos, carvalhos, olmos-montanheses, salgueiros — tudo o que vissem era derrubado. A companhia de Ye brandia centenas de motosserras como uma infestação de lagartas de aço, deixando apenas tocos para trás.

O cedro derrubado, agora sem galhos, estava pronto para ser levado pelo trator. Ye Wenjie acariciou com delicadeza o miolo recém-exposto do tronco caído. Fazia isso com frequência, como se as superfícies fossem ferimentos gigantescos, como se ela fosse capaz de sentir a dor da árvore. De repente, viu outra mão acariciar o toco da árvore a alguns metros de distância. Os tremores naquela mão revelavam um coração em sintonia com o dela. Embora a mão fosse pálida, Ye percebeu que era de um homem.

Ela levantou o olhar. Era Bai Mulin. Um homem magro e delicado, que usava óculos e era repórter do *Diário da Grande Produção*, o jornal do Corpo. Ele tinha chegado havia dois dias para buscar notícias sobre a companhia dela. Ye se lembrava de ler as matérias de Bai, escritas com um estilo belo, sensível e elegante, inadequado para aquele ambiente grosseiro.

— Ma Gang, venha cá — disse Bai para um rapaz que estava um pouco afastado. Ma era musculoso e alto, como o cedro que ele havia acabado de derrubar. O jovem se aproximou, e Bai perguntou: — Você sabe qual era a idade desta árvore?

— Dá para contar pelos anéis.

Ma apontou para o toco.

— Já contei. Mais de trezentos e trinta anos. Você se lembra de quanto tempo levou para serrar o tronco?

— Nem dez minutos. Olha, eu sou o operador de motosserra mais rápido da companhia. Qualquer que seja a unidade onde eu estou, a bandeira vermelha dos operários-modelo vem atrás.

A empolgação de Ma Gang era comum na maioria das pessoas em quem Bai prestava atenção. Sair no *Diário da Grande Produção* era considerado uma honra.

— Mais de trezentos anos! Umas doze gerações. Quando esta árvore não passava de um arbusto, ainda estávamos na dinastia Ming. Ao longo desses anos todos, você consegue imaginar a quantas tempestades ela resistiu, quantos acontecimentos presenciou? Mas você a derrubou em poucos minutos. Não sentiu nada mesmo?

— O que eu deveria sentir? — Ma Gang o encarou com uma expressão vazia. — É só uma árvore. A única coisa que a gente tem de sobra por aqui é árvore. Tem muitas outras árvores aqui, e muito mais velhas que esta.

— Tudo bem. Volte ao trabalho. — Bai sacudiu a cabeça, sentou-se no toco e suspirou.

Ma Gang também balançou a cabeça, decepcionado porque o repórter não estava interessado em fazer uma entrevista.

— Intelectuais sempre fazem drama a troco de nada — murmurou. Quando falou, deu uma olhada para Ye Wenjie, aparentemente a incluindo na crítica.

O tronco foi levado. Pedras e tocos no chão abriram novas ranhuras na casca, ferindo ainda mais o corpo do gigante. No lugar que havia ocupado antes, o peso da árvore derrubada e arrastada cavou uma vala profunda nas camadas de folhas em decomposição acumuladas ao longo dos anos, que logo se cobriu de água. As folhas podres fizeram a água parecer vermelha, como sangue.

— Wenjie, venha descansar um pouco.

Bai apontou para a metade livre do toco em que estava sentado. Ye estava mesmo cansada. Ela soltou as ferramentas, se aproximou e foi se sentar com Bai, apoiando as costas nas dele.

Depois de um silêncio demorado, Bai desabafou:

— Eu sei o que você está sentindo. Nós dois somos os únicos que se sentem assim.

Ye continuou em silêncio. Bai sabia que ela provavelmente não ia responder. Era uma mulher de poucas palavras, que raramente conversava. Alguns recém-chegados até pensavam que ela fosse muda.

Bai continuou falando.

— Visitei esta região há um ano. Lembro que cheguei por volta de meio-dia, e meus anfitriões disseram que íamos almoçar peixe. Dei uma olhada no barraco de madeira e só vi uma panela com água no fogo. Nada de peixe. Aí, assim que a água começou a ferver, o cozinheiro saiu com um rolo de massa, parou na margem do riacho que corria perto do barraco, bateu na água com o rolo algumas vezes e conseguiu apanhar alguns peixes grandes... Que lugar fértil! Só que agora, se você for ver aquele riacho, ele está morto, uma vala de água lamacenta. Não sei dizer ao certo se o Corpo está trabalhando com construção ou destruição.

— Onde você arrumou esse tipo de pensamento? — perguntou Ye em voz baixa.

Ela não mostrou sinal algum de aprovação ou desaprovação, mas Bai ficou feliz de ouvir aquela voz falar qualquer coisa.

— Só li um livro, e ele mexeu bastante comigo. Você sabe ler em inglês?

Ye fez que sim.

Bai retirou um livro de capa azul da bolsa. Deu uma olhada para os lados para conferir que ninguém estava vendo e o entregou a ela.

— Essa obra foi publicada em 1962 e teve muita influência no Ocidente.

Wenjie se virou no toco para pegar o livro. *Primavera silenciosa*, dizia a capa, de Rachel Carson.

— Onde você achou isto?

— O livro chamou a atenção do alto escalão. Os figurões querem distribuí-lo para quadros* selecionados, para fins de referência interna. Sou o encarregado de traduzir a parte que tem a ver com florestas.

Wenjie abriu o livro e mergulhou na leitura. Em um breve capítulo introdutório, a autora descrevia uma cidade tranquila que morria em silêncio devido ao uso de pesticidas. As frases simples e diretas estavam impregnadas da inquietação profunda de Carson.

— Pretendo escrever para a liderança em Beijing e informar sobre a postura irresponsável do Corpo de Construção — disse Bai.

Ye tirou os olhos do livro. Ela levou um tempo para processar as palavras de Bai. Permaneceu em silêncio e voltou a olhar a página.

— Fique com ele um pouco, se quiser. Mas na hora da leitura é melhor tomar cuidado e não deixar ninguém ver. Você sabe o que eles acham desse tipo de livro...

Bai se levantou, lançou mais um olhar cuidadoso ao redor e foi embora.

Mais de quatro décadas depois, em seus últimos suspiros, Ye Wenjie relembraria a influência de *Primavera silenciosa* em sua vida.

O livro tratava apenas de um assunto limitado: os nocivos efeitos ambientais do uso excessivo de pesticidas. Ainda assim, a perspectiva apresentada pela autora teve grande repercussão em Ye. Ela havia imaginado que o uso de pesticidas fosse algo normal, adequado — ou pelo menos neutro —, mas o livro de Carson permitiu que ela visse que, pela perspectiva da natureza, o uso dessas substâncias era equivalente à Revolução Cultural e igualmente destrutivo para o mundo. Se isso fosse verdade, então quantos outros atos da humanidade que pareciam normais ou até corretos eram, na realidade, prejudiciais?

---

* "Quadro", quando usado no contexto do comunismo chinês, não se refere a um grupo, mas a um indivíduo que integra o Partido ou o governo.

À medida que avançava em suas reflexões, uma dedução lhe deu calafrios: *É possível que a relação entre a humanidade e o mal seja semelhante à relação entre o oceano e um iceberg que flutua em sua superfície? Tanto o oceano quanto o iceberg são feitos do mesmo material. O iceberg só parece diferente porque tem outra forma. Na realidade, é apenas uma parte do vasto oceano...*

Era impossível esperar um despertar moral da humanidade assim como era impossível esperar que os humanos movessem a Terra com seus próprios cabelos. O despertar moral exigia uma força externa à raça humana.

Esse pensamento determinou o rumo da vida de Ye.

Quatro dias depois de receber o livro, Ye entrou no alojamento da companhia, onde Bai estava morando, para devolver o exemplar. Ela abriu a porta e viu Bai deitado na cama, exausto e coberto de serragem e lama. Quando viu Ye, ele se levantou com esforço.

— Você trabalhou hoje? — perguntou Ye.

— Já faz muito tempo que estou aqui com a companhia. Não posso ficar circulando o dia inteiro sem fazer nada. Preciso participar do trabalho. Esse é o espírito da revolução, não é? Ah, trabalhei perto do pico do Radar. A floresta lá estava muito fechada. Afundei até o joelho em folhas apodrecidas. Acho que vou ficar doente por causa daquele lugar.

— Pico do Radar?

Ye ficou chocada.

— Isso. O regimento recebeu uma missão de emergência: derrubar árvores para abrir uma zona de advertência em volta do pico.

O pico do Radar era um lugar misterioso. O monte íngreme não tinha nome, mas foi batizado em homenagem à enorme antena parabólica que havia no cume. Na verdade, qualquer pessoa com um mínimo de bom senso sabia que aquilo não era uma antena de radar: embora estivesse virada para um lugar diferente todo dia, a antena nunca se mexia em um ritmo constante. Quando o vento soprava, a parabólica produzia um uivo que dava para ser ouvido de longe.

As pessoas da companhia de Ye só sabiam que o pico do Radar era uma base militar. Segundo os moradores da região, quando a base foi construída, há três anos, as Forças Armadas mobilizaram muita gente para abrir uma estrada até o cume e instalar uma linha de transmissão de energia elétrica. Uma quantidade imensa de equipamentos foi transportada montanha acima. No entanto, depois que a base foi concluída, destruíram a estrada, e só restou uma trilha sinuosa e difícil que se embrenhava por entre as árvores. Era comum ver helicópteros pousando e decolando do cume.

Nem sempre dava para ver a antena. Quando o vento soprava forte demais, ela era recolhida.

Mas, quando estava aberta, coisas estranhas aconteciam: os animais da floresta ficavam barulhentos e agitados, bandos de pássaros surgiam do meio das copas, e as pessoas sentiam náusea e tontura. Além disso, quem morava perto do pico do Radar tinha tendência a perder cabelo. Segundo os habitantes locais, esses fenômenos só começaram depois que a antena foi construída.

Havia muitas histórias estranhas associadas ao pico do Radar. Certa vez, em uma nevasca, a antena foi aberta e, na mesma hora, a neve virou chuva. Como a temperatura perto do solo ainda estava abaixo do ponto de congelamento, a chuva virou gelo nas árvores. Imensos cristais de gelo ficaram pendurados nos galhos, e a floresta se transformou em um palácio de vidro. De tempos em tempos, um galho se partia com o peso do gelo, e os cristais caíam no chão com um baque alto. Às vezes, quando a antena era aberta em um dia sem nuvens, começava a relampejar e cair raios, e o céu noturno se enchia com umas luzes estranhas.

Logo após a chegada da companhia do Corpo de Construção, o comandante ordenou que todos evitassem se aproximar do pico do Radar. Havia vigilância intensa no local, e as patrulhas tinham permissão para disparar sem aviso.

Na semana anterior, dois homens tinham saído para caçar e perseguido um cervo até a base do pico do Radar, sem se dar conta de onde estavam colocando os pés, e as sentinelas posicionadas no meio da encosta começaram a atirar. Por sorte, a mata era tão fechada que os dois escaparam ilesos, embora um dos homens tivesse urinado nas calças. Na reunião da companhia do dia seguinte, os dois foram repreendidos. Talvez em virtude desse incidente a base tivesse instruído o Corpo a criar uma zona de advertência em volta do pico. O fato de que a base podia designar missões de trabalho para o Corpo de Construção era um sinal de seu poder político.

Bai Mulin pegou o livro das mãos de Ye e escondeu com cuidado debaixo do travesseiro. Do mesmo lugar, retirou algumas folhas de papel cheias de linhas escritas e entregou a Ye.

— Este é o rascunho da minha carta. Será que você poderia ler?

— Carta?

— Eu falei para você que pretendia escrever para a liderança central em Beijing.

A caligrafia era muito desajeitada, e Ye precisou ler devagar. Apesar disso, o conteúdo era informativo e tinha sólida base argumentativa. A carta começava com uma descrição de como a cordilheira Taihang, antes um lugar historicamente fértil, tinha se transformado em um deserto vazio em resultado do desmatamento. Em seguida, mencionava o acúmulo recente e acelerado de sedimentos no rio

Amarelo. Por fim, concluía que as ações do Corpo de Produção e Construção da Mongólia Interior teriam consequências ecológicas devastadoras. Ela percebeu que o estilo de Bai era semelhante ao de *Primavera silenciosa*: preciso e direto, mas também poético. Embora Ye tivesse formação em disciplinas técnicas, apreciava textos literários.

— É linda — disse ela, com franqueza.

Bai assentiu com a cabeça.

— Então vou enviá-la.

Ele pegou algumas folhas novas de papel para passar a limpo, mas suas mãos tremiam tanto que não conseguiu traçar nenhum caractere. Aquela era uma reação comum depois de se usar uma motosserra pela primeira vez. As mãos trêmulas eram incapazes de segurar com firmeza um pote de arroz, que dirá escrever algo legível.

— Que tal se eu passar a limpo para você? — perguntou Ye. Ela pegou a caneta de Bai.

— Sua caligrafia é muito bonita — disse Bai ao ver a primeira linha de caracteres de Ye na folha. Ele serviu um copo d'água para ela. Suas mãos tremiam tanto que um pouco da água entornou. Ye afastou a carta.

— Você estudava física? — perguntou Bai.

— Astrofísica. Não serve para nada agora. — Ye nem sequer levantou a cabeça.

— Você estuda as estrelas! Como que isso não serve para nada? As faculdades voltaram a abrir as portas recentemente, mas não estão aceitando alunos de pós-graduação. Para uma pessoa tão instruída e capacitada como você, ser enviada para um lugar destes...

Ye não disse nada e continuou escrevendo. Não queria revelar a Bai que, para alguém como ela, ter a possibilidade de entrar para o Corpo de Construção era tirar a sorte grande. Não queria comentar como as coisas funcionavam... não havia nada a ser dito.

Reinou o silêncio na cabana, interrompido apenas pelo som da ponta da caneta riscando o papel. Ye sentia a fragrância da serragem no corpo de Bai. Pela primeira vez desde que o pai havia morrido, ela sentiu um pouco de carinho no coração e conseguiu relaxar, baixando a guarda contra o mundo por um instante.

Depois de mais de meia hora, ela terminou de passar a carta a limpo. Registrou no envelope o endereço que Bai lhe disse e se levantou para se despedir.

Na porta, ela se virou.

— Posso pegar seu casaco? Vou lavar para você.

Ela ficou surpresa pela própria ousadia.

— Não! Como é que eu permitiria isso? — Bai balançou a cabeça. — As mulheres batalhadoras do Corpo de Construção trabalham tanto quanto os homens todos os dias. Você precisa voltar e descansar um pouco. Amanhã vai ter que se levantar às seis para trabalhar na montanha. Ah, Wenjie, vou retornar à sede da Divisão depois de amanhã. Vou explicar sua situação aos meus superiores. Talvez ajude.

— Obrigada. Mas eu gosto daqui. É tranquilo.

Ye olhou para o contorno apagado da floresta escura ao luar.

— Você está tentando fugir de algo?

— Estou indo — disse Ye com um tom delicado. E foi.

Bai viu sua silhueta esbelta desaparecer sob a lua. Depois, levantou os olhos para a floresta escura que ela havia acabado de contemplar.

Ao longe, a antena gigantesca no topo do pico do Radar se ergueu mais uma vez, refletindo um brilho frio e metálico.

Numa tarde, três semanas depois, Ye Wenjie recebeu no acampamento uma convocatória para comparecer à sede da companhia. Assim que entrou no gabinete, sentiu que o clima não era dos melhores. O comandante da companhia e o instrutor político estavam presentes, assim como um homem desconhecido com uma expressão séria no rosto. Diante do desconhecido, na mesa, havia uma valise preta e, ao lado, um envelope e um livro. O envelope estava aberto, e o livro era o exemplar de *Primavera silenciosa* que ela havia lido.

Naqueles anos, todo mundo conseguia perceber qual era a própria situação política, e Ye Wenjie tinha uma sensibilidade especial para isso. Ela sentiu o mundo ao redor se fechar como o gargalo de uma garrafa, sentiu-se comprimida por todos os lados.

— Ye Wenjie, este é o diretor Zhang, do Departamento de Política da Divisão. Ele está aqui para investigar. — O instrutor político apontou para o desconhecido.

— Esperamos que você coopere plenamente e diga a verdade.

— Você escreveu esta carta? — perguntou o diretor Zhang, retirando a carta do envelope. Ye fez menção de pegá-la, mas Zhang segurou as folhas e mostrou para ela uma a uma, até a última, a que mais interessava.

A única assinatura era das "Massas revolucionárias".

— Não, não escrevi isso. — Ye balançou a cabeça, assustada.

— Mas a caligrafia é sua.

— Sim, mas eu só passei a limpo para outra pessoa.

— Quem?

Normalmente, sempre que sofria alguma injustiça na companhia, Ye se recusava a protestar abertamente. Ela apenas ficava ressentida em silêncio, sem jamais pensar em comprometer outras pessoas. Só que aquele momento era diferente. Ela compreendia muito bem o que aquilo significava.

— Ajudei um repórter do *Diário da Grande Produção*. Ele esteve no acampamento algumas semanas atrás. O nome dele é...

— Ye Wenjie! — Os olhos negros do diretor Zhang se fixaram nela como os canos de duas armas. — Estou avisando: incriminar outras pessoas só irá piorar sua situação. Já esclarecemos a questão com o camarada Bai Mulin. A única participação dele foi enviar a carta para Hohhot conforme instruções suas. Ele não fazia ideia do conteúdo da carta.

— Ele... ele disse isso?

Ye sentiu o mundo se apagar à sua volta.

Em vez de responder, o diretor Zhang pegou o livro.

— Sua carta foi claramente inspirada por este livro. — Ele mostrou o exemplar para o comandante da companhia e para o instrutor político. — *Primavera silenciosa* foi publicado nos Estados Unidos em 1962 e teve bastante influência no mundo capitalista.

Em seguida, retirou outro livro da valise. Tinha capa branca, com caracteres pretos.

— Esta é a tradução para o chinês. As autoridades competentes distribuíram a obra para quadros selecionados como referência interna, para uma avaliação. Agora, as autoridades competentes já apresentaram uma conclusão clara: o livro é material tóxico de propaganda reacionária. Assume uma perspectiva de puro idealismo histórico e defende uma teoria apocalíptica. Com a desculpa de abordar problemas ambientais, tenta justificar a corrupção definitiva do mundo capitalista. O conteúdo é extremamente reacionário.

— Mas esse livro... não é meu.

— O camarada Bai foi encarregado pelas autoridades competentes de ser o tradutor. Então era perfeitamente legítimo que tivesse um exemplar. Claro, ele é responsável pelo descuido e por ter permitido que você roubasse o livro enquanto ele participava das atividades do Corpo de Construção. Ao ler essa obra, você obteve armas intelectuais que poderiam ser usadas para atacar o socialismo.

Ye Wenjie permaneceu em silêncio. Ela sabia que já havia caído no fundo do poço. De nada adiantava lutar.

Ao contrário do que sugerem certos documentos históricos divulgados mais tarde, Bai Mulin não pretendia incriminar Ye Wenjie no início. A carta que ele escreveu para a liderança central em Beijing provavelmente fora inspirada por uma noção genuína de responsabilidade. Na época, muitas pessoas escreviam para a liderança central movidas por todo tipo de interesse. A maioria das cartas era ignorada, mas alguns correspondentes chegavam a ver a própria sorte política ir às alturas da noite para o dia, ao passo que outros sofriam duras retaliações. As correntes políticas daquele período eram extremamente complexas. Como repórter, Bai acreditava que era capaz de interpretar as correntes e evitar áreas perigosas, mas foi com confiança demais ao pote, e sua carta acertou um campo minado que ele não sabia que existia. Depois de descobrir como a carta fora recebida, o medo superou tudo o mais. Para se proteger, ele decidiu sacrificar Ye Wenjie.

Meio século depois, o consenso histórico aponta esse acontecimento de 1969 como o divisor de águas na trajetória da humanidade.

Sem querer, Bai se tornou uma figura histórica crucial, embora sem nunca saber disso. Historiadores ficaram decepcionados ao registrar o restante pacato de sua vida. Ele continuou trabalhando no *Diário da Grande Produção* até 1975, quando o Corpo de Produção e Construção da Mongólia Interior foi dissolvido. Em seguida, foi enviado para uma cidade na parte nordeste da China, a fim de trabalhar para a Associação de Ciências até o começo dos anos 1980. E então saiu do país e se mudou para o Canadá, onde lecionou em uma escola chinesa de Ottawa até 1991, quando morreu de câncer de pulmão. Até o fim da vida, nunca mencionou Ye Wenjie, e ninguém sabe se algum dia ele sentiu remorso ou arrependimento por suas ações.

— Você foi muito bem tratada pela companhia, Wenjie. — O comandante da companhia exalou uma nuvem densa de fumaça de seu cigarro enrolado à mão. Ele olhou para o chão e continuou: — Embora você fosse suspeita política por nascimento e pelo histórico familiar, sempre foi tratada como se fosse uma das nossas. O instrutor político e eu conversamos muitas vezes com você sobre sua tendência de se isolar das pessoas e sua falta de motivação para atingir o progresso. Nós queremos ajudá-la. Mas veja só a sua situação! Você cometeu um erro muito grave!

O instrutor político retomou o assunto.

— Sempre tive a impressão de que ela nutria um ressentimento profundo pela Revolução Cultural.

— Escoltem a traidora à sede da Divisão esta tarde, junto com as provas de seu crime — disse o diretor Zhang, com o rosto impassível.

As outras três prisioneiras na cela foram chamadas sucessivamente, até restar apenas Ye. O montinho de carvão no canto tinha se esgotado, e não apareceu ninguém para reabastecê-lo. O fogo da fornalha havia apagado já fazia algum tempo. Estava tão frio dentro da cela que Ye precisou se enrolar no cobertor.

Dois agentes vieram buscá-la antes do anoitecer. A mais velha, um quadro, foi apresentada pelo outro agente como a representante militar da Corte Intermediária Popular.*

— Meu nome é Cheng Lihua — disse o quadro, apresentando-se.

Tinha quarenta e poucos anos, usava uma casaca militar e óculos de armação grossa. Seu rosto era simpático, e com certeza ela fora muito bonita na juventude. Sorria ao falar e conquistava a simpatia imediata de todo mundo. Ye Wenjie sabia que não era comum um quadro de escalão tão alto visitar uma prisioneira prestes a ir a julgamento. Ela fez um gesto cauteloso com a cabeça para Cheng e se acomodou no colchão estreito, a fim de abrir espaço para a representante poder se sentar.

— Está muito frio aqui. O que aconteceu com a fornalha? — Cheng lançou um olhar de censura para o chefe do centro de detenção que estava parado na porta da cela e se virou para Ye. — Hum, você é muito jovem. Mais até do que eu tinha imaginado.

Ela se sentou no colchão ao lado de Ye e remexeu a valise, ainda murmurando.

— Wenjie, você está muito confusa. Jovens são todos iguais, quanto mais livros leem, mais confusos ficam. Ah, o que eu posso dizer...

Ela achou o que estava procurando e pegou um maço pequeno de folhas de papel. Ao encarar Ye, seus olhos se encheram de gentileza e carinho.

— Mas não é nenhum grande problema. Que jovem nunca cometeu erros? Até eu já cometi alguns. Na adolescência, fazia parte da trupe artística do IV Exército de Campanha e me especializei como cantora de músicas soviéticas. Certa vez, durante uma sessão de estudos políticos, anunciei que a China devia desistir de ser um país independente e se unir à URSS como república-membro. Assim, o comunismo internacional ficaria ainda mais forte. Como eu era ingênua! Mas quem já não foi ingênuo? O que está feito, feito está. Quando a gente comete um erro, o mais importante é admitir e corrigir. E aí a gente pode continuar a revolução.

As palavras de Cheng pareciam interessar Ye. Porém, depois de passar por tantos problemas, Ye havia aprendido a ter cautela. Ela não se atrevia a acreditar naquela gentileza, que quase parecia um luxo.

Cheng colocou a pilha de papéis na cama, na frente de Ye, e lhe entregou uma caneta.

---

* Durante essa fase da Revolução Cultural, a maioria das cortes populares intermediárias e superiores e das promotorias (responsáveis por investigar e processar crimes) se encontrava sob o controle de comissões militares. O representante militar tinha a palavra final em assuntos judiciais. (N. A.)

— Vamos, assine isto. Depois poderemos ter uma conversa bem franca e resolver suas dificuldades ideológicas. — O tom dela era o mesmo de uma mãe que tentava convencer a filha a comer.

Ye olhou para a pilha de papéis em silêncio e sem se mexer. Não pegou a caneta. Cheng abriu um sorriso compassivo.

— Pode confiar em mim, Wenjie. Eu garanto pessoalmente que esse documento não tem nada a ver com o seu caso. Vá em frente. Assine.

O outro agente, que permanecia afastado, acrescentou:

— Ye Wenjie, a representante Cheng só está tentando ajudar. Ela tem trabalhado muito por você.

Cheng fez um gesto para que ele se calasse.

— É compreensível. Coitadinha! Você está tão assustada. Alguns camaradas não têm uma percepção política tão elevada como deveriam. Alguns membros do Corpo de Construção e algumas pessoas na Corte Popular adotam métodos simplistas demais e se comportam de um jeito muito grosseiro. É completamente inadequado! Muito bem, Wenjie, que tal você ler o documento? Leia com cuidado.

Ye pegou e folheou o documento debaixo da fraca luz amarela da cela. A representante Cheng não havia mentido. O documento realmente não tinha nada a ver com seu caso.

Era sobre o pai de Wenjie. Descrevia um histórico das interações e conversas dele com certos indivíduos. A fonte era Wenxue, a irmã caçula de Wenjie. Uma das guardas-vermelhas mais radicais, Wenxue sempre mostrara iniciativa para denunciar o pai e redigira diversos relatórios para detalhar os supostos pecados dele. Parte do material fornecido por ela acabou por levá-lo à morte.

No entanto, Ye percebeu que aquele documento não havia saído das mãos de sua irmã. Wenxue tinha um estilo intenso, impaciente. Ao ler os relatórios dela, cada linha causava um impacto explosivo, como uma série de fogos de artifício. Só que aquele documento era composto com um estilo sereno, experiente, meticuloso. Quem falou com quem, quando, onde, o tema — cada detalhe fora registrado, incluindo a data exata. Para alguém sem experiência, o conteúdo parecia um diário tedioso, mas o propósito frio e calculista oculto naquelas palavras era muito diferente das calúnias infantis de Wenxue.

Ye não entendia muito bem qual era a intenção do documento, mas pressentia que tinha algo a ver com determinado projeto de defesa nacional importante. Como era filha de um físico, Ye imaginou que fizesse referência ao projeto bomba-dupla,* que havia chocado o mundo em 1964 e 1967.

---

* Esse é o nome chinês dado para os trabalhos relacionados a "596" e "Teste n. 6", os testes bem-sucedidos das primeiras bombas nucleares de fissão e de fusão da China, respectivamente.

Durante aquele período da Revolução Cultural, para derrotar algum indivíduo muito influente, era preciso reunir provas das deficiências dele em diversas áreas. No entanto, para quem tramava essas maquinações políticas, o projeto bomba-dupla impunha muitos obstáculos. Membros do escalão mais alto do governo protegiam esse projeto a fim de evitar interferência da Revolução Cultural. Era difícil para alguém com intenções nefastas espionar os mecanismos internos do processo.

Devido ao histórico familiar de Ye Zhetai, ele não atendia aos requisitos políticos e não trabalhou no projeto bomba-dupla. Fizera apenas um pouco de pesquisa teórica periférica relacionada ao plano. Mas era mais fácil usá-lo como isca do que alguém envolvido com o cerne do projeto. Ainda que Ye Wenjie não soubesse se o conteúdo daquele documento era verdadeiro ou falso, estava certa de que cada caractere e cada sinal de pontuação tinham potencial para representar um golpe político fatal. Além das pessoas envolvidas diretamente, muitas outras poderiam ver seu destino mudar em razão daquelas folhas.

No final do documento havia a assinatura de sua irmã, com caracteres grandes, e Ye deveria assinar como testemunha. Ela percebeu que outras três testemunhas já haviam assinado.

— Não sei de nada a respeito dessas conversas — disse ela, em voz baixa, voltando a baixar o documento.

— Como é que não sabe? Muitas dessas conversas aconteceram bem na sua casa. Se sua irmã sabia, você também deve saber.

— Não sei mesmo.

— Mas essas conversas aconteceram de verdade. Você precisa confiar em nós.

— Não falei que não era verdade. Só que realmente não sei de nada a respeito delas. Então não posso assinar.

— Ye Wenjie! — O outro agente fez menção de se aproximar, mas foi impedido outra vez por Cheng. Ela se mexeu no colchão para se sentar ainda mais perto de Ye e pegou uma de suas mãos frias.

— Wenjie, vou abrir o jogo com você. Seu caso envolve a boa vontade da promotoria. Por um lado, podemos tratá-lo como o mero caso de uma jovem instruída enganada por um livro reacionário. Não é nada de mais. Nem seria preciso passar pelo processo judicial. Você iria para uma aula de política, escreveria alguns artigos de autocrítica e depois poderia voltar ao Corpo de Construção. Por outro lado, podemos também processar seu caso com todo o rigor da lei. Wenjie, você precisa entender que pode ser declarada uma contrarrevolucionária ativa.

"Agora, diante de casos políticos como o seu, todas as instâncias da promotoria e todas as cortes preferem pecar pelo excesso de severidade, e não pelo de leniência. Um tratamento com muita severidade seria apenas um erro metodológico; já um tratamento com muita leniência seria um erro de direcionamento político.

Porém, em última instância, a decisão cabe ao comitê de controle militar. Claro, tudo isso que estou falando deve ficar entre nós."

O agente que acompanhava Cheng confirmou com a cabeça.

— A representante Cheng está tentando salvá-la. Três testemunhas já assinaram. Sua recusa não significa quase nada. Insisto para que você não se confunda, Ye Wenjie.

— É verdade, Wenjie — continuou Cheng. — Eu ficaria arrasada de ver uma jovem instruída como você se arruinar por uma ninharia dessas. Realmente quero salvá-la. Por favor, coopere. Olhe para mim. Você acha que eu seria capaz de machucá-la?

Mas Ye não olhou para a representante Cheng. A única coisa que viu foi o sangue do pai.

— Representante Cheng, não estou ciente dos acontecimentos descritos neste documento. Não posso assinar.

Cheng Lihua ficou quieta. Encarou Ye por um bom tempo, e o ar frio da cela pareceu se solidificar. Em seguida, voltou a guardar lentamente o documento na valise e se levantou. A expressão gentil não sumiu, mas parecia uma máscara de gesso em seu rosto. Ainda com semblante bondoso e caridoso, ela foi até o canto da cela, onde havia um balde para banho. Apanhou o recipiente e entornou metade da água no corpo de Ye e a outra metade no cobertor, sem que os movimentos jamais perdessem a calma metódica. Por fim, largou o balde e saiu da cela, parando apenas para murmurar:

— Sua vaquinha teimosa!

O chefe do centro de detenção saiu por último. Ele lançou um olhar glacial para Ye, que estava completamente encharcada, bateu e trancou a porta da cela.

Com as roupas molhadas, o frio do inverno na Mongólia Interior envolveu Ye como a mão de um gigante. Ela ouviu os dentes baterem, mas com o passar do tempo até esse som desapareceu. O frio penetrou em seus ossos, e o mundo diante de seus olhos deu lugar a um branco leitoso. Ye sentiu que o universo inteiro era um bloco gigantesco de gelo, e ela era a única fagulha de vida que existia. Era a menininha prestes a morrer congelada e não tinha nem sequer um punhado de fósforos, só ilusões...

O envolvente bloco de gelo aos poucos foi ficando transparente. À sua frente, ela viu um edifício alto. Lá em cima, uma menina agitava uma bandeira muito vermelha. Sua silhueta esbelta marcava um contraste agudo com a dimensão da bandeira: era sua irmã, Wenxue. Desde que a irmã rompera de vez com a família de autoridades acadêmicas reacionárias, Wenjie nunca mais tivera notícia da caçula. Só recentemente descobrira que Wenxue havia morrido dois anos antes, em uma das guerras entre facções da Guarda Vermelha.

Enquanto Ye observava, a figura que agitava a bandeira se transformou em Bai Mulin, e seus óculos refletiam as chamas que se espalhavam embaixo do edifício; depois, se tornou a representante Cheng; depois, sua mãe, Shao Lin; depois, seu pai. Embora o portador da bandeira mudasse, a bandeira tremulava sem parar, como um pêndulo sem fim, contando os instantes que restavam na breve vida de Ye.

Lentamente, a bandeira ficou embaçada. Tudo ficou embaçado. O gelo que envolveu o universo voltou a prender Ye em seu centro. Só que, desta vez, o gelo era preto.

3. COSTA VERMELHA I

Ye Wenjie ouviu um rugido alto e contínuo. Não sabia quanto tempo tinha passado.

Estava cercada por barulho de todos os lados. Em seu difuso estado de consciência, tinha impressão de que uma máquina gigantesca estava perfurando ou serrando o bloco de gelo que a envolvia. O mundo ainda era uma escuridão absoluta, mas o barulho foi se tornando cada vez mais real. Por fim, teve certeza de que a fonte do ruído não estava nem no céu, nem no inferno, e que ela continuava no reino dos vivos.

Ye percebeu que ainda estava de olhos fechados. Com esforço, abriu as pálpebras. A primeira coisa que viu foi uma luz incrustada profundamente no teto. Coberta por uma tela de arame que parecia ter o objetivo de protegê-la, a luz emitia um brilho fraco. O teto parecia feito de metal.

Ela ouviu a voz baixa de um homem chamar seu nome.

— Você está com febre alta — disse.

— Onde estou? — A voz de Wenjie estava tão fraca que ela não sabia ao certo se era mesmo sua.

— Em um helicóptero.

Ye se sentiu fraca. Adormeceu de novo. Teve a companhia do rugido durante o cochilo. Pouco tempo depois, acordou outra vez. Agora a sensação de dormência tinha passado, e a dor voltou com força: a cabeça e as articulações dos membros estavam doloridas, e o ar que saía de sua boca parecia escaldante. A garganta ardia tanto que o ato de engolir saliva parecia igual ao de engolir carvão em brasa.

Ela virou a cabeça e viu dois homens vestidos com casacas militares idênticas à da representante Cheng. Só que no quepe de algodão do ELP deles, ao contrário do dela, havia uma estrela vermelha bordada na frente. As casacas não estavam abotoadas, e Ye percebeu as divisas vermelhas no colarinho das fardas militares. Um dos homens usava óculos.

Ye descobriu que também estava coberta por uma casaca militar. Suas roupas estavam secas e eram quentes.

Ela tentou se sentar e, para sua surpresa, conseguiu. Olhou pela janela do outro lado. Viu nuvens redondas passando lentamente, refletindo a luz ofuscante do sol. Desviou o olhar. A cabine apertada estava cheia de baús de ferro pintados com o verde do Exército. Por outra janela, avistou as bruxuleantes sombras dos rotores. Estava mesmo em um helicóptero.

— É melhor você se deitar de novo — disse o homem de óculos, ajudando Ye a se abaixar e voltando a cobri-la.

— Ye Wenjie, você escreveu este artigo? — O outro homem pôs um periódico inglês aberto diante dos olhos dela. O título do artigo era "A possível existência de fronteiras entre fases na zona de radiação solar e suas características reflexivas". Ele mostrou a capa da publicação: um número de 1966 do *Journal of Astrophysics*.

— É claro que ela escreveu. Por que é que isso precisa de confirmação? — O homem de óculos pegou o periódico e cuidou das apresentações. — Este é o comissário político Lei Zhicheng, da Base Costa Vermelha. Já eu sou Yang Weining, engenheiro-chefe da base. Vamos pousar daqui a uma hora. Seria bom você descansar um pouco.

Você é Yang Weining? Ye não disse nada, mas estava atordoada. Percebeu que o homem manteve uma expressão tranquila, aparentemente sem querer dar mostras de que os dois se conheciam. Yang havia sido um dos alunos de pós-graduação de Zhetai. Ye ainda estava no primeiro ano da faculdade quando ele se formou.

Ye se lembrava com nitidez da primeira vez que Yang fora à casa de sua família. Ele tinha acabado de começar o programa de pós-graduação e precisava conversar sobre os rumos da pesquisa com o pai dela. Yang disse que pretendia se concentrar em problemas experimentais e aplicados e ficar longe da teoria.

Ye Wenjie se lembrava de ouvir o pai dizer:

— Não me oponho a essa ideia. Mas, afinal de contas, fazemos parte do Departamento de Física Teórica. Então, por que você quer evitar a teoria?

— Quero me dedicar aos nossos tempos — respondeu Yang —, quero dar contribuições para o mundo real.

— A teoria é a base da aplicação. Por acaso a maior contribuição para nossos tempos não é a descoberta de leis fundamentais? — perguntou o pai de Wenjie.

Yang hesitou até enfim revelar o verdadeiro motivo de sua preocupação:

— É fácil cometer equívocos ideológicos com a teoria.

O pai de Ye Wenjie não tinha como rebater esse argumento.

Yang era muito competente, com uma boa base de matemática e um pensamento ágil. Porém, durante o breve período como aluno de pós-graduação, sempre manteve uma distância respeitável de seu orientador. Embora Ye Wenjie tivesse visto Yang algumas vezes, talvez por influência do pai não reparara muito nele. Se a recíproca era verdadeira, Ye não fazia a menor ideia. Depois que recebeu o diploma, Yang logo interrompeu todo o contato com o orientador.

Sentindo-se fraca de novo, ela fechou os olhos. Os dois homens deixaram Ye e foram se acomodar atrás de um conjunto de baús para conversar em voz baixa. Mas a cabine era tão apertada que Ye conseguia ouvir o diálogo mesmo em meio ao barulho do motor.

— Ainda acho que não é uma boa ideia — disse o comissário Lei.

— Você pode providenciar a equipe de que preciso pelas vias oficiais? — perguntou Yang.

— Bem, já fiz tudo o que estava a meu alcance. Não tem ninguém no Exército com essa especialização, e procurar fora da força suscitaria perguntas demais. Você sabe muito bem que o nível de autorização necessário para esse projeto exige alguém disposto a entrar para o Exército. Mas o maior problema é que as normas de segurança obrigam que a pessoa permaneça confinada na base por longos períodos. O que fazer com quem tem família? Confinar todo mundo na base? Ninguém aceitaria isso. Cheguei a encontrar dois possíveis candidatos, mas ambos preferem ficar nas Escolas de Quadros Sete de Maio.* É claro que poderíamos trazê-los à força. Só que, considerando a natureza do trabalho, não podemos escolher alguém que não queira estar aqui.

— Então não resta escolha a não ser usar Ye.

— Mas isso não é nada ortodoxo.

— O projeto inteiro não é nada ortodoxo. Se algo der errado, eu assumo a responsabilidade.

— Chefe Yang, você acha mesmo que pode assumir a responsabilidade por algo assim? Você é um técnico, mas a Costa Vermelha não é como outros projetos de defesa nacional. A complexidade vai muito além das questões técnicas.

— Você tem razão, mas eu só sei resolver questões técnicas.

Quando eles aterrissaram, o céu já estava escurecendo.

Ye recusou a ajuda de Yang e Lei e saiu do helicóptero sozinha. Uma forte lufada de vento quase a derrubou. Os rotores ainda giravam contra a ventania, produzindo um chiado agudo. Ela reconhecia aquele cheiro de floresta no vento. Era o vento da cordilheira Grande Khingan.

* As Escolas de Quadros Sete de Maio eram campos de trabalho ativos durante a Revolução Cultural em que quadros e intelectuais eram "reeducados".

Ye logo ouviu outro som, um uivo baixo, grave e enfático, que parecia compor o pano de fundo do mundo: o vento na antena parabólica. Só naquele momento, ali tão perto, ela conseguiu sentir a imensidão. A vida de Ye dera uma grande volta naquele mês: ela estava no topo do pico do Radar.

Ela não resistiu ao impulso de lançar um olhar na direção do Corpo de Construção. Mas só conseguiu ver um mar enevoado de árvores ao anoitecer.

O helicóptero não tinha transportado apenas Ye. Soldados se aproximaram e começaram a descarregar os baús militares da cabine. Eles passaram sem olhar para Ye. Conforme seguia Yang e Lei, ela percebeu que o topo do pico do Radar era amplo. Havia um conjunto de edifícios brancos abrigados sob a gigantesca antena, como delicados blocos de brinquedo. Escoltado por dois guardas, o trio se dirigiu ao portão da base e parou na frente dele.

Lei se virou para ela e falou com solenidade:

— Ye Wenjie, as provas de seu crime contrarrevolucionário são inquestionáveis, e a corte teria dado uma sentença à altura da punição que você merece. Mas agora você tem a oportunidade de se redimir pelo trabalho. Pode aceitar ou recusar. — Ele apontou para a antena. — Este é um instituto de pesquisa em defesa. A pesquisa realizada aqui precisa de alguém como você e seus conhecimentos científicos especializados. O engenheiro-chefe Yang vai fornecer os detalhes, que você deve considerar com cuidado.

Ele fez um gesto para Yang e passou pelo portão, seguindo os soldados que carregavam os baús.

Yang esperou os outros se afastarem e indicou que Ye deveria acompanhá-lo para longe do portão, evidentemente tentando evitar que as sentinelas ouvissem a conversa.

Ele parou de fingir que não se conheciam.

— Wenjie, quero deixar claro, esta não é uma grande oportunidade. Descobri junto ao comitê de controle militar do tribunal que, embora Cheng Lihua recomende uma sentença severa para você, vai ser no máximo dez anos. Levando em conta circunstâncias atenuantes, você talvez cumpra seis ou sete. Já isto — ele fez um gesto com a cabeça para a base — é um projeto de pesquisa classificado com o grau máximo de segurança. Considerando sua situação, é possível que, se passar pelo portão... — Ele hesitou, como se quisesse deixar que o uivo grave da antena reforçasse o peso das palavras. — ... você fique aqui pelo resto da vida.

— Quero entrar.

Yang ficou surpreso com a rapidez da resposta.

— Não tenha pressa. Volte para o helicóptero. Ele vai decolar daqui a três horas e, se você recusar nossa proposta, será levada de volta.

— Não quero voltar. Vamos entrar.

Ye ainda mantinha a voz baixa, mas seu tom tinha uma determinação mais firme que o aço. Com exceção do território desconhecido do outro lado da morte de onde ninguém jamais voltou, aquele pico isolado do resto do mundo era o lugar onde ela mais queria estar. Ali, sentia uma segurança que por muito tempo escapara de suas mãos.

— Você devia refletir com cuidado. Pense no que essa decisão acarreta.

— Posso ficar aqui pelo resto da vida.

Yang abaixou a cabeça e não falou nada. Ficou olhando para o vazio, como se obrigasse Ye a organizar os próprios pensamentos. Ye também ficou em silêncio. Ela apertou a casaca em volta do corpo e sondou o cenário distante. A cordilheira Grande Khingan desaparecia no ocaso. Era impossível permanecer ali fora, no frio, por muito mais tempo.

Yang começou a caminhar na direção do portão. Ele andava rápido, como se tentasse deixar Ye para trás. Mas Ye o seguia de perto. Quando passaram pelo portão da Base Costa Vermelha, as duas sentinelas fecharam as pesadas portas de ferro.

Após avançarem um pouco, Yang parou e apontou para a antena.

— Este é um projeto de pesquisa de armamentos de grande escala. Se tivermos sucesso, o resultado será ainda mais impactante do que a bomba atômica e a bomba de hidrogênio.

Os dois chegaram ao maior edifício da base, e Yang abriu a porta. Ye viu as palavras SALA DE CONTROLE PRINCIPAL DE TRANSMISSÃO no alto. Do lado de dentro, foi recebida por um ar quente marcado pelo cheiro de combustível. Ela percebeu que o cômodo amplo estava cheio de todo tipo de instrumento e material. Lâmpadas de sinalização e telas de osciloscópios piscavam em sintonia. Havia mais ou menos uns dez operadores, que pareciam praticamente sepultados em suas fardas militares pelas fileiras de instrumentos, como se estivessem agachados em trincheiras de guerra. O fluxo incessante de comandos e respostas operacionais conferia à cena toda um tom tenso e confuso.

— Aqui dentro está mais quente — disse Yang. — Espere um pouco. Vou cuidar das suas acomodações e já volto.

Ele apontou para uma das cadeiras de uma mesa perto da porta.

Ye viu que já havia alguém sentado à mesa: um guarda armado com uma pistola.

— Prefiro esperar lá fora — respondeu Ye.

Yang esboçou um sorriso gentil.

— A partir de agora, você faz parte da equipe da base. Tirando algumas áreas restritas, você pode ir aonde quiser. — De repente, a expressão do rosto dele mudou ao perceber um segundo sentido subjacente àquelas palavras: *Você nunca mais vai sair daqui.*

— Prefiro esperar lá fora — insistiu Ye.

— Tudo bem. — Depois de lançar um olhar para o guarda na cadeira, que ignorava os dois completamente, Yang pareceu entender a preocupação de Ye e saiu da sala de controle principal junto com ela. — Fique em algum lugar abrigado do vento. Eu volto daqui a alguns minutos. Só preciso arrumar alguém para acender a lareira no seu quarto... as condições na base são um pouco precárias, e não temos sistema de calefação.

Ye ficou parada perto da porta da sala de controle principal. A antena imensa estava bem atrás dela e cobria metade do céu. De onde estava, Ye conseguia ouvir com clareza os sons que saíam da sala de controle principal. De repente, o caos de ordens e respostas parou, e a sala ficou em silêncio absoluto. Ela ouvia apenas um ou outro zumbido baixo de algum instrumento.

Então uma voz masculina alta rompeu o silêncio.

— Exército da Libertação Popular, 2º Corpo de Artilharia,* Projeto Costa Vermelha, transmissão número 147. Autorização confirmada. Começar contagem de trinta segundos.

— Classificação de Alvo: A-três. Número de série das coordenadas: BN20197F. Posição verificada e confirmada. Vinte e cinco segundos.

— Unidade de Energia relata: todos os sistemas operacionais.

— Unidade de Codificação relata: todos os sistemas operacionais.

— Unidade do Amplificador relata: todos os sistemas operacionais.

— Unidade de Monitoramento de Interferência relata: todos os sistemas operacionais.

— Alcançamos o ponto de não retorno. Quinze segundos.

Tudo voltou a ficar em silêncio. Quinze segundos depois, uma sirene soou e uma luz vermelha em cima da antena começou a piscar rapidamente.

— Começar transmissão! Todas as unidades continuem o monitoramento!

Ye sentiu que seu rosto começou a formigar de leve. Sabia que havia aparecido um campo elétrico enorme. Levantou a cabeça para olhar para onde a antena estava apontada e viu uma nuvem no céu noturno brilhar com uma luz azul fraca, tão fraca que a princípio Ye achou que fosse uma ilusão. No entanto, quando a nuvem se deslocou, o brilho desapareceu. Outra nuvem que flutuou para aquela posição começou a emitir o mesmo brilho.

Da sala de controle principal, ela passou a ouvir gritos.

— Falha na Unidade de Energia. Magnétron número três queimou.

— Unidade de Apoio está em atividade: todos os sistemas operacionais.

— Marco um atingido. Retomando transmissão.

---

* O 2º Corpo de Artilharia controla os mísseis nucleares da China.

Ye ouviu uma agitação. Através da neblina, avistou sombras se erguerem da floresta sob o pico e subirem em espiral para o céu escuro. Ela não sabia que era possível atiçar tantos pássaros das árvores no meio do inverno. Então presenciou uma cena apavorante: uma revoada de pássaros atravessou a região do ar para onde a antena estava apontada e, diante da nuvem vagamente iluminada, todos caíram do céu.

O processo continuou por cerca de quinze minutos. Foi quando a luz vermelha da antena se apagou, e o formigamento na pele de Ye parou. Na sala de controle, o murmúrio confuso de ordens e respostas foi retomado, enquanto a voz masculina alta continuava.

— Transmissão 147 de Costa Vermelha concluída. Sistemas de transmissão desativando. Costa Vermelha entrando agora em estado de monitoração. Controle de sistemas transferido a partir de agora para o Departamento de Monitoração. Favor carregar dados do marco.

— Todas as unidades devem preencher diários de transmissão. Todos os líderes de unidade devem comparecer à reunião pós-transmissão na sala de conferência. Sessão finalizada.

Tirando o uivo do vento na antena, o silêncio era total. Como Ye observou, o restante dos pássaros aos poucos voltava para a floresta. Ela olhou para a antena e pensou que parecia uma mão imensa aberta para o céu, com uma força etérea. Ao sondar o céu noturno, não viu nenhum alvo que na sua opinião pudesse ser o número de série BN20197F. Além das nuvens esparsas, via apenas as estrelas de uma noite fria de 1969.

PARTE II

Três Corpos

4. FRONTEIRAS DA CIÊNCIA

Mais de quarenta anos depois

Para Wang Miao, os quatro sujeitos que vieram procurá-lo pareciam uma combinação um tanto estranha: dois policiais e dois militares fardados. Se os militares fossem policiais armados, seria relativamente compreensível, mas na verdade eram oficiais do ELP.

Wang ficou irritado assim que viu os policiais. Não tinha problema com o mais jovem — pelo menos era educado. Mas o outro, vestido à paisana, lhe deu nos nervos na mesma hora. Era corpulento e tinha os músculos do rosto salientes. Usava um casaco de couro sujo, fedia a cigarro e falava alto: exatamente o tipo de pessoa que Wang desprezava.

— Wang Miao?

A maneira sem cerimônia com que o policial se dirigiu a ele, tão direto e mal-educado, incomodou Wang. Para piorar, o sujeito acendeu um cigarro, sem nem sequer pedir permissão. Antes que Wang pudesse responder, o homem fez um gesto com a cabeça para o policial mais novo, que mostrou o distintivo.

Após acender o cigarro, o policial mais velho fez menção de entrar no apartamento de Wang.

— Por favor, não fume na minha casa — disse Wang, impedindo a passagem.

— Ah, desculpe, professor Wang. — O policial jovem sorriu. — Este é o capitão Shi Qiang. — Ele olhou para Shi com uma expressão consternada.

— Tudo bem, podemos conversar no corredor — respondeu Shi, que deu uma longa tragada. Embora quase metade do cigarro tenha virado cinzas, ele não soprou muita fumaça. Inclinou a cabeça para o policial mais novo. — Você pergunta, então.

— Professor Wang, queremos saber se o senhor teve algum contato recente com membros da Fronteiras da Ciência — disse o policial jovem.

— A Fronteiras da Ciência está cheia de acadêmicos famosos e muito influentes. Por que não posso ter contato com um grupo acadêmico internacional legítimo?

— Preste atenção no jeito que fala! — respondeu Shi. — A gente disse alguma coisa sobre não ser legítimo? A gente disse que você não podia ter contato com eles? — Em seguida, soprou a nuvem de fumaça que havia tragado antes bem no rosto de Wang.

— Então está bem. Por favor, respeitem minha privacidade. Não preciso responder a suas perguntas.

— Sua *privacidade*? Você é um acadêmico famoso. Tem responsabilidade com o bem-estar da população. — Shi jogou fora a guimba do cigarro e pegou outro de um maço amassado.

— Eu tenho o direito de não responder. Por favor, se retirem. — Wang se virou para voltar para dentro.

— Espere! — gritou Shi. Ele fez um gesto para o policial jovem a seu lado. — Passe para ele o endereço e o telefone. Você pode vir à tarde.

— Afinal, o que vocês querem? — perguntou Wang, agora com uma ponta de raiva na voz. A discussão atraiu os vizinhos para o corredor, curiosos para ver o que estava acontecendo.

— Capitão Shi! O senhor disse que... — O policial jovem se afastou um pouco com Shi e continuou falando aos sussurros, em um tom insistente. Aparentemente, Wang não era o único incomodado com a postura grosseira daquele homem.

— Professor Wang, por favor, não nos entenda mal. — Um dos oficiais do Exército, um major, se adiantou. — Vai haver uma reunião importante na tarde de hoje, que contará com a presença de diversos acadêmicos e especialistas. O general nos enviou para fazer o convite ao senhor.

— Tenho um compromisso marcado para a tarde de hoje.

— Sabemos disso. O general já conversou com o diretor do Centro de Pesquisa em Nanotecnologia. Não podemos realizar essa reunião sem o senhor. Se não puder comparecer, precisaremos adiá-la.

Shi e o policial jovem não falaram nada, apenas se viraram e desceram a escada. Os dois oficiais do Exército viram a dupla ir embora e pareceram suspirar de alívio.

— Qual é o problema daquele cara? — murmurou o major para o outro oficial.

— Ele tem um péssimo histórico. Durante uma situação com reféns há alguns anos, ele agiu de maneira impulsiva, sem consideração pela vida dos demais. No final, três pessoas da mesma família morreram nas mãos dos bandidos. Dizem que ele também tem amigos no crime organizado e usa uma gangue para combater outra. No ano passado, praticou tortura para extrair confissões e deixou um dos suspeitos incapacitado para sempre. Foi por isso que ele foi suspenso da força...

Wang Miao desconfiava que os oficiais tinham a intenção de que ele entreouvisse a conversa. Talvez quisessem mostrar que eram diferentes daquele policial grosseiro, talvez quisessem deixá-lo curioso sobre a missão.

— Como é que um homem assim faz parte do Centro de Comando em Batalha? — perguntou o major.

— O general pediu especificamente para que ele participasse. Acho que deve ter algumas habilidades especiais. De qualquer forma, a função dele é bastante restrita. Além de questões de segurança pública, ele não tem permissão para fazer muita coisa.

Centro de Comando em Batalha? Wang olhou para os dois oficiais, perdido.

O carro enviado para buscar Wang Miao seguiu com o professor para um grande complexo na periferia da cidade. Como a porta só estava identificada por um número, sem letreiro, Wang deduziu que o edifício era das Forças Armadas, não da polícia.

Wang se surpreendeu com o caos que reinava na enorme sala de reuniões. Viu à sua volta muitos computadores em condições variadas de desordem. Como não havia mesas suficientes, algumas estações de trabalho estavam instaladas no chão mesmo, onde cabos de rede e fios formavam um emaranhado. Em vez de prateleiras, o monte de roteadores estava largado em cima dos servidores. Havia papel branco espalhado por todos os lados. Em alguns cantos da enorme sala, telões de projeção formavam ângulos estranhos, como se fossem barracas de ciganos. Havia uma nuvem de fumaça no ar... Wang Miao não sabia se aquilo era o Centro de Comando em Batalha, mas sabia de uma coisa: fosse lá qual fosse a situação, era importante demais para eles se preocuparem com as aparências.

A mesa de reunião, formada pela junção de várias mesas menores, estava coberta de documentos e objetos variados. Os presentes tinham a roupa amarrotada e pareciam exaustos. Quem estava de gravata havia afrouxado o nó. Parecia que todo mundo ali tinha passado a noite em claro.

Um general de brigada chamado Chang Weisi presidia a reunião, e metade dos presentes era composta por oficiais das Forças Armadas. Após uma breve apresentação, Wang descobriu que muitos eram da polícia. Os demais eram acadêmicos como ele, incluindo alguns cientistas proeminentes especializados em pesquisa de base.

Wang também percebeu quatro estrangeiros e ficou chocado ao descobrir quem eram: um coronel da Aeronáutica dos Estados Unidos e um coronel do Exército britânico, ambos adidos da Otan, além de dois agentes da CIA, aparentemente na condição de observadores.

No rosto de todos em volta da mesa, Wang percebeu um mesmo sentimento: *Fizemos tudo o que dava. Vamos acabar logo com esta merda.*

Wang Miao viu Shi Qiang sentado à mesa. Em contraste com a grosseria do dia anterior, Shi chamou Wang de "Professor" ao cumprimentá-lo. Mas o sorriso debochado irritou Wang. Ele não queria ficar sentado ao lado de Shi, porém não teve escolha, pois era a única cadeira sobrando. A nuvem já densa de fumaça aumentou.

Conforme os documentos eram distribuídos, Shi se aproximou de Wang.

— Professor Wang, pelo que entendi o senhor pesquisa alguma espécie de... material novo?

— Nanomaterial — respondeu Wang.

— Já ouvi falar. Esse negócio é muito forte, né? O senhor acha que pode ser usado para cometer crimes? — Como Shi continuava estampando um meio sorriso, Wang não sabia se ele estava brincando.

— Como assim?

— Pois é, ouvi falar que um fio feito com esse negócio poderia ser usado para erguer um caminhão. Se bandidos roubassem um pouco desse material e fizessem uma faca, por acaso não conseguiriam cortar um carro ao meio só com um golpe?

— Não é preciso fazer uma faca. Esse tipo de material pode ser montado em uma linha cem vezes mais fina que um fio de cabelo. Se você estendesse essa linha em uma rua, um carro que passasse seria cortado ao meio, como manteiga... Agora, o que não pode ser usado para cometer crimes? Até uma faca cega de escamar peixe!

Shi começou a tirar um documento do envelope à sua frente e voltou a guardá-lo, perdendo o interesse de repente.

— Tem razão. Até mesmo um peixe pode ser usado para cometer crimes. Já tive um caso assim de assassinato. Uma vez uma vadia capou o marido. Sabe o que ela usou? Uma tilápia congelada que estava no freezer! As barbatanas do bicho pareciam navalhas...

— Não quero saber. Você me chamou para esta reunião para falar disso?

— Peixe? Nanomateriais? Não, não, nada a ver com isso. — Shi se aproximou e sussurrou no ouvido de Wang. — Não seja legal com esses caras. Eles têm preconceito com a gente. Só querem tirar informação, mas nunca vão nos dizer nada. Olhe só para mim. Estou aqui há um mês e ainda não sei de nada, que nem você.

— Camaradas — disse o general Chang —, vamos começar. De todas as zonas de combate no mundo, esta se tornou o ponto de convergência. Precisamos deixar os camaradas presentes a par da atual situação.

Wang estranhou a expressão "zona de combate". Também percebeu que o general não parecia disposto a explicar em detalhes o contexto da situação para pessoas como ele, o que reforçava a sugestão de Shi. Além disso, o general Chang havia usado a palavra "camaradas" duas vezes em sua breve introdução. Wang olhou para os agentes da Otan e da CIA sentados à sua frente. O general não acrescentara "cavalheiros".

— Eles também são camaradas. Pelo menos é assim que todos se chamam por aqui — sussurrou Shi para Wang, apontando o cigarro para os quatro estrangeiros.

Wang ficou perplexo ao ver que Shi adivinhara seus pensamentos e achou impressionante o poder de observação dele.

— Da Shi, apague o cigarro. Já temos bastante fumaça aqui — disse o general Chang, enquanto folheava alguns documentos. Ele tratou Shi Qiang por um apelido, "Grande Shi".

Shi procurou um cinzeiro, mas não achou. Por fim, largou o cigarro em uma xícara. Levantou a mão e, antes que Chang tivesse tempo de perceber, falou alto:

— General, gostaria de fazer um pedido que já fiz em outras reuniões: quero paridade de informação.

O general Chang levantou a cabeça.

— Nenhuma operação militar jamais teve paridade de informação. Peço desculpas a todos os acadêmicos, mas não posso passar mais detalhes.

— Nós *não* somos como os cabeçudos — respondeu Shi. — A polícia tem sido parte do Centro de Comando em Batalha desde o começo. Mas, até agora, ainda não sabemos do que se trata. Vocês insistem em nos manter afastados. Aprendem o que precisam das nossas técnicas e depois vão nos expulsando, um de cada vez.

Outros policiais presentes murmuraram para que Shi calasse a boca. Wang ficou surpreso de ver que Shi se atrevia a falar daquele jeito com um homem da patente de Chang. Só que a resposta de Chang foi ainda mais surpreendente.

— Da Shi, parece que você continua com o mesmo problema de quando estava no Exército. Por acaso acha que está falando pela polícia? Em razão de seu péssimo histórico, você tinha sido suspenso por vários meses e estava prestes a ser expulso da força. Intercedi a seu favor porque reconheço sua experiência. Você deveria dar valor a esta oportunidade.

Shi continuou com um tom grosseiro.

— Então estou trabalhando na esperança de que, com bons serviços prestados, eu possa me redimir? Achei que você tinha falado que todas as minhas técnicas eram desonestas e corruptas.

— Mas são úteis. — Chang acenou com a cabeça para Shi. — A única coisa que nos importa é que elas sejam úteis. Em tempos de guerra, não podemos nos dar ao luxo de ter muitos escrúpulos.

— Não podemos ser meticulosos demais — disse um dos agentes da CIA, falando em perfeito mandarim padrão moderno. — Não podemos mais pensar de forma convencional.

O coronel britânico também parecia entender chinês. Ele assentiu com a cabeça.

— Ser ou não ser... — acrescentou ele, em inglês. — É uma questão de vida ou morte.

— O que ele está falando? — perguntou Shi a Wang.

— Nada — respondeu Wang de modo mecânico. A conversa ali parecia sair direto de um sonho. *Tempos de guerra? Cadê essa guerra?* Ele se virou para olhar por um dos janelões. Pelo vidro, vislumbrou Beijing ao longe: o sol da primavera iluminava os carros que enchiam as ruas como um rio denso; alguém passeava com um cachorro pela grama; crianças brincavam...

O que é mais real? O mundo lá fora ou aqui dentro destas paredes?

— O inimigo intensificou o padrão de ataques recentemente — disse o general Chang. — Os alvos ainda são cientistas de alto escalão. Por favor, passem os olhos pela lista de nomes no documento.

Wang tirou a primeira folha do documento, impressa com caracteres grandes. A lista parecia ter sido feita às pressas e continha nomes em chinês e inglês.

— Professor Wang, ao ver esses nomes, algum chama sua atenção? — perguntou o general Chang.

— Conheço três. Todos são pesquisadores famosos que atuam na vanguarda do estudo da física. — Wang estava um pouco distraído. Seus olhos se fixaram no último nome da lista. Em sua mente, os dois caracteres pareciam assumir uma cor diferente dos nomes anteriores. *Como é que o nome dela aparece aqui? O que aconteceu com ela?*

— Conhece ela? — Shi apontou para o nome com seu dedo grosso e amarelado de fumante. Wang não respondeu. — Rá. Não conhece. Mas *quer* conhecer?

Agora Wang Miao entendia por que o general Chang havia pedido para trabalhar com aquele homem. Shi, que parecia vulgar e descuidado, tinha olhos de águia. Talvez não fosse um policial *bom*, mas com certeza era temível.

Um ano antes, Wang Miao fora responsável pelos componentes de escala nano para o projeto de acelerador de partículas de alta energia "Sinotron II". Certa tarde, durante um rápido intervalo no canteiro de obras de Liangxiang, Wang ficou impressionado com o cenário. Como fotógrafo de paisagens amador, muitas vezes Wang via as cenas à sua volta como composições artísticas.

O principal elemento da composição era o solenoide do eletroímã supercondutor que eles ainda estavam instalando. Com cerca de dez metros de altura e apenas parcialmente construído, o eletroímã se projetava como um monstro feito de pedaços gigantescos de metal e de uma confusão de tubos de refrigeração criogênica. Como um monte de entulho da Revolução Industrial, a estrutura transpirava a frieza inumana tecnológica e a barbárie do aço.

Na frente desse monstro de metal estava a figura esbelta de uma jovem. A iluminação da composição também era fantástica: o monstro de metal se encontrava imerso na sombra de uma cobertura temporária para obras, o que enfatizava ainda mais o aspecto grave e duro. Apesar disso, um raio de sol vespertino passava pelo buraco no centro do abrigo, atingindo a mulher. O brilho suave iluminava os cabelos macios e dava destaque para o pescoço branco visível acima do colarinho do macacão, como se uma flor solitária desabrochasse em meio a uma ruína metálica após uma tempestade violenta...

— O que você está olhando? Volte ao trabalho!

Wang despertou do devaneio com um choque, mas logo percebeu que o diretor do Centro de Pesquisa em Nanotecnologia não estava falando com ele, e sim com um jovem engenheiro que também tinha ficado olhando para a mulher. Ao voltar da arte para a realidade da vida, Wang notou que a jovem não era uma operária comum — o engenheiro-chefe estava ao lado dela, explicando algo com um tom respeitoso.

— Quem é ela? — perguntou Wang ao diretor.

— Você devia saber — respondeu o diretor, traçando um círculo grande com a mão. — O primeiro experimento neste acelerador de vinte bilhões de yuans provavelmente vai ser um teste do modelo de supercordas dela. Acontece que tempo de experiência pesa no ramo da física teórica e, em outra situação, ela não seria vista como experiente o bastante para ser a primeira da fila. Só que, como aqueles acadêmicos com mais bagagem não se atreveram a aparecer antes, com medo de passar vergonha caso suas teorias fracassassem, ela ganhou a chance.

— O quê? Yang Dong é... uma mulher?

— Pois é — disse o diretor. — Só descobrimos quando finalmente a conhecemos, dois dias atrás.

— Ela tem algum problema psicológico? — perguntou o jovem engenheiro.
— Por que ela não quer conceder entrevistas para a mídia? Será que ela é como Qian Zhongshu,* que morreu sem nunca ter aparecido na tv? — As palavras de Wang estavam marcadas por uma ponta de autodepreciação. Ele ainda não era famoso o bastante para chamar a atenção da mídia, que dirá para recusar convites de entrevista.

---

* Qian Zhongshu (1910-98) foi uma das mentes literárias chinesas mais famosas do século xx. Erudito, mordaz e recluso, ele insistia em rejeitar convites para aparecer na mídia. Poderia ser considerado uma versão chinesa de Thomas Pynchon.

— Mas pelo menos nós sabíamos que Qian era homem. Aposto que Yang passou por algumas experiências estranhas na infância. Talvez tenha ficado um pouco autista por causa disso.

Yang se aproximou do engenheiro-chefe. Quando passaram, ela sorriu para Wang e os demais, fazendo um gesto sutil com a cabeça, sem falar nada. Wang se lembrava daqueles olhos límpidos.

À noite, sentado no escritório, Wang estava admirando as poucas fotografias de paisagem penduradas na parede: eram as criações de que ele mais se orgulhava. Fixou os olhos em uma cena de fronteira: um vale desolado que terminava em uma montanha coberta de neve. Na parte mais próxima do vale, metade de uma árvore morta, desgastada por muitos anos de exposição, ocupava um terço da foto. Em sua imaginação, Wang colocou a figura da mulher que não saía de seus pensamentos no fundo do vale. Ficou surpreso ao constatar que o cenário todo pareceu ganhar vida, como se o mundo da fotografia reconhecesse aquela figura minúscula e reagisse, como se o cenário todo existisse para ela.

Em seguida, Wang a imaginou em cada uma das outras fotografias, às vezes colando os olhos dela no céu vazio acima das paisagens. Essas imagens também ganharam vida, alcançando uma beleza que Wang jamais havia imaginado.

Wang sempre havia pensado que suas fotografias careciam de algum tipo de espírito. Agora entendia que o que faltava era *ela*.

— Todos os físicos nessa lista cometeram suicídio nos últimos dois meses — disse o general Chang.

Wang ficou chocado. Aos poucos, as paisagens em preto e branco se desvaneceram em sua mente. As fotografias já não possuíam a figura dela no primeiro plano, e seus olhos foram riscados do firmamento. Aqueles mundos estavam todos mortos.

— Quando... isso aconteceu? — perguntou Wang, em tom mecânico.

— Nos últimos dois meses — repetiu Chang.

— Você está se referindo ao último nome, não é? — indagou Shi, satisfeito.

— Ela foi a última a se suicidar. Na noite retrasada, uma overdose de remédios para dormir. A morte foi pacífica. Sem dor.

Por um instante, Wang sentiu-se grato a Shi.

— Por quê? — perguntou Wang. Os cenários mortos daquelas fotos de paisagem continuavam martelando em sua cabeça.

— Nossa única certeza — respondeu o general Chang — é a seguinte: todos cometeram suicídio pelo mesmo motivo. Mas é difícil levantar hipóteses. Talvez seja impossível para nós, que não somos especialistas, cogitar o motivo. O documento contém trechos das cartas de suicídio. Todos vocês podem examiná-los após a reunião.

Wang folheou as páginas das cartas: todas pareciam ensaios extensos.

— Dr. Ding, por favor, o senhor poderia mostrar a mensagem de Yang Dong ao professor Wang? A dela é a mais curta e, talvez, a mais representativa.

O homem em questão, Ding Yi, havia permanecido em silêncio até aquele momento. Após mais um instante, ele enfim pegou um envelope branco e entregou para Wang por cima da mesa.

— Ele era o namorado de Yang — sussurrou Shi. Wang se lembrava de ter visto Ding no canteiro de obras do acelerador de partículas em Liangxiang. Ele era um teórico que havia ficado famoso ao descobrir os macroátomos quando estava estudando relâmpagos globulares. Wang tirou do envelope uma folha fina e de formato irregular, com uma fragrância sutil... não de papel, mas de bétula. Havia uma única linha de caracteres escritos em uma caligrafia elegante:

Todas as provas apontam para uma única conclusão: a física nunca existiu nem jamais existirá. Sei que o que estou fazendo é irresponsável. Mas não tenho escolha.

O papel não estava nem assinado. Ela se fora.

— A física... não existe? — Wang não fazia ideia do que pensar.

O general Chang fechou a pasta.

— O arquivo também contém informações específicas relativas aos resultados experimentais obtidos após a finalização dos três aceleradores de partículas mais novos do mundo. Como é bastante técnico, não trataremos disso aqui. O primeiro objeto de nossa investigação é a Fronteiras da Ciência. A Unesco determinou que 2005 seria o Ano Mundial da Física, e essa organização se formou gradativamente, a partir dos diversos congressos e encontros acadêmicos realizados ao longo daquele ano por físicos do mundo inteiro. Dr. Ding, já que o senhor estuda física teórica, poderia nos dar mais informações sobre essa organização?

Ding confirmou com a cabeça.

— Não tenho nenhuma relação direta com a Fronteiras da Ciência, mas a organização é famosa no meio acadêmico. O objetivo central dela é ser uma resposta para o seguinte problema: desde a segunda metade do século xx, a física perdeu aos poucos a concisão e a simplicidade das teorias clássicas. Os modelos teóricos modernos se tornaram cada vez mais complexos, vagos e imprecisos. A verificação experimental se tornou mais difícil também. Isso tudo é um sinal de que a vanguarda da pesquisa em física parece estar chegando a um limite.

"Os membros da Fronteiras da Ciência querem experimentar uma nova forma de pensar. Para simplificar: eles querem usar os métodos científicos para descobrir os limites da ciência, para tentar descobrir se existe limite para a extensão e a precisão com que a ciência pode conhecer a natureza, um limite que a ciência não pode transpor. O desenvolvimento da física moderna parece sugerir que essa linha já foi alcançada."

— Muito bem — disse o general Chang. — De acordo com nossas investigações, a maioria dos pesquisadores que se suicidaram tem alguma ligação com a Fronteiras da Ciência, e alguns até faziam parte dela. Mas não encontramos indícios de drogas psicotrópicas nem de técnicas similares à manipulação ideológica presente em seitas religiosas. Em outras palavras, embora tenham sido influenciados pela Fronteiras da Ciência, isso ficou limitado a relações acadêmicas legítimas. Professor Wang, visto que a organização entrou em contato com o senhor recentemente, gostaríamos de pedir algumas informações.

— Incluindo o nome de seus contatos — acrescentou Shi de maneira grosseira —, o horário e o local dos encontros, o assunto das conversas e eventuais trocas de cartas ou e-mails...

— Cale-se, Da Shi! — disse o general Chang.

Outro policial se inclinou e sussurrou para Shi:

— Por acaso acha que vamos esquecer que você tem boca se não a mantiver aberta o tempo todo?

Shi pegou a xícara, viu a guimba de cigarro enfiada no chá e voltou a colocá-la na mesa.

As perguntas de Shi voltaram a deixar Wang irritado, a mesma sensação que um homem teria ao descobrir que engoliu uma mosca junto com a comida. A gratidão experimentada havia pouco desapareceu sem deixar vestígios. Mas ele se conteve e respondeu:

— Meu contato com a Fronteiras da Ciência começou com Shen Yufei, uma física japonesa descendente de chineses que trabalha atualmente para uma empresa japonesa aqui em Beijing. Ela já trabalhou em um laboratório da Mitsubishi com pesquisa sobre nanotecnologia. Nós nos conhecemos em um congresso no começo deste ano. Por intermédio dela, conheci alguns de seus amigos físicos, todos integrantes da Fronteiras da Ciência, alguns chineses, alguns estrangeiros. Em nossas conversas, todos os assuntos eram... como dizer? Bem radicais. Todos os temas estavam relacionados à pergunta que o dr. Ding acabou de mencionar: qual é o limite da ciência?

"A princípio, eu não tinha muito interesse nesses assuntos, que só encarava como um passatempo. Trabalho com pesquisa aplicada e não conheço muito dessas questões teóricas. Estava interessado principalmente em ouvir os debates e as discussões que eles travavam. Todos eram grandes pensadores, com pontos de vistas originais, e eu sentia que minha mente se expandia com as conversas. Com o tempo, fui ficando mais interessado. Mas os debates se limitavam à teoria pura e nada mais. Eles me convidaram uma vez a entrar para a Fronteiras da Ciência. Só que, caso eu tivesse aceitado, comparecer às discussões teria se transformado em obrigação. Como eu não tinha muito tempo livre nem energia de sobra, recusei."

— Professor Wang — disse o general Chang —, gostaríamos que o senhor aceitasse o convite e entrasse para a Fronteiras da Ciência. Esse é o principal motivo para termos insistido em sua presença na reunião de hoje. Por intermédio do senhor, gostaríamos de saber mais sobre as atividades internas da organização.

— Vocês querem que eu seja um espião? — Wang não estava à vontade.

— Um espião! — Shi riu.

Chang lançou um olhar de censura para Shi e se virou para Wang.

— Só queremos que o senhor nos passe algumas informações. Não temos nenhuma outra via de acesso.

Wang balançou a cabeça.

— Sinto muito, general. Não posso fazer isso.

— Professor Wang, a Fronteiras da Ciência é composta de pensadores internacionais de primeira linha. O trabalho de investigação é extremamente complexo e delicado. Para nós, seria como pisar em ovos. Sem a ajuda de alguém do meio acadêmico, não temos como fazer nenhum progresso. Por isso estamos fazendo esse pedido. Mas respeitaremos sua vontade. Se o senhor não aceitar, vamos entender.

— Eu ando... muito atarefado. Não tenho tempo para isso.

O general Chang assentiu com a cabeça.

— Tudo bem, professor Wang. Não vamos mais desperdiçar o seu tempo. Obrigado por vir a esta reunião.

Wang esperou mais alguns segundos até perceber que havia sido dispensado.

O general Chang o acompanhou gentilmente até a porta. Dava para ouvir a voz alta de Shi atrás deles.

— É melhor assim. Nem concordo com o plano mesmo. Muitos CDFs já se mataram. Mandar esse cara seria o mesmo que jogar um pedaço de carne dentro de um canil.

Wang se virou, foi até Shi, reprimiu a raiva e disse:

— O seu jeito de falar não é adequado para um bom policial.

— Quem disse que eu sou um *bom* policial?

— Não sei por que esses pesquisadores se mataram, mas você não devia falar deles com tanto desdém. A mente brilhante desses estudiosos trouxe contribuições inigualáveis para a humanidade.

— Você está dizendo que eles são melhores do que eu? — Ainda sentado, Shi ergueu os olhos para encarar Wang. — Eu pelo menos não me mataria só porque alguém me falou uma besteira.

— Você acha que eu me mataria?

— Tenho que me preocupar com a sua segurança.

Lá estava aquele sorrisinho debochado de novo.

— Acho que eu estaria muito mais seguro que você nesse tipo de situação. Você deve saber que a capacidade de uma pessoa de discernir a verdade é diretamente proporcional ao conhecimento que ela tem.

— Não sei, não. Digamos que alguém como você...

— Silêncio, Da Shi! — disse o general Chang. — Mais uma palavra e você será expulso!

— Não tem problema — respondeu Wang. — Deixe falar. — Ele se virou para o general Chang. — Mudei de ideia. Vou entrar para a Fronteiras da Ciência, como vocês querem.

— Ótimo! — Shi balançou a cabeça com força. — Fique atento depois de entrar. Obtenha informações sempre que for possível. Por exemplo, dê uma olhada na tela dos computadores deles, decore endereços de e-mail ou de sites...

— Basta! Você não entendeu. Não quero ser um espião. Só quero provar que você não passa de um idiota!

— Se você continuar vivo por algum tempo depois de entrar, já vai ser uma ótima prova. Mas eu temo por sua segurança... — Shi levantou o rosto, e a expressão debochada se transformou em um sorriso maldoso.

— É claro que vou continuar vivo! Mas nunca mais quero ver você.

Eles mantiveram Wang afastado enquanto os outros iam embora para que ele não topasse com Shi Qiang de novo. Depois, o general Chang acompanhou Wang até o pé da escada e chamou um carro para levá-lo de volta para casa.

— Não se preocupe com Shi Qiang — disse ele para Wang. — Ele é daquele jeito mesmo. Na verdade, Shi é um policial muito experiente e um especialista em antiterrorismo. Vinte anos atrás, era soldado da minha companhia.

Enquanto os dois se aproximavam do carro, Chang acrescentou:

— Professor Wang, o senhor deve ter muitas perguntas.

— O que aquilo tudo que vocês falaram lá dentro tem a ver com as Forças Armadas?

— A guerra tem tudo a ver com o Exército.

Sob o sol da primavera, Wang olhou ao redor, confuso.

— Mas onde é que está essa guerra? Este talvez seja o período mais pacífico da história.

Chang o encarou com um sorriso indecifrável.

— O senhor saberá em breve. Todo mundo saberá. Professor Wang, já aconteceu algo com o senhor que mudou a sua vida da noite para o dia? Alguma circunstância que tenha feito com que o mundo se tornasse um lugar totalmente diferente para o senhor?

— Não.

— Então o senhor teve sorte na vida. Mesmo que o mundo seja cheio de imprevistos, o senhor nunca se deparou com uma crise.

Wang revirou as palavras na cabeça, ainda sem entender.

— Acho que isso vale para a maioria das pessoas.

— Então a maioria das pessoas teve sorte na vida.

— Mas... muitas gerações viveram dessa forma simples.

— Todas tiveram sorte.

Wang riu, balançando a cabeça.

— Preciso confessar que não estou me sentindo muito esperto hoje. O senhor está sugerindo que...

— Sim, que a humanidade teve sorte ao longo de toda sua história. Desde a Idade da Pedra até hoje, nunca aconteceu nenhuma crise de verdade. Tivemos sorte, muita sorte. Agora, como tudo isso foi sorte, um dia teria que acabar. Vou mais longe: já acabou. Prepare-se para o pior.

Embora Wang quisesse saber mais, Chang balançou a cabeça e se despediu, evitando novas perguntas.

Depois de Wang entrar no carro, o motorista quis saber para onde deveria levar o passageiro. Wang informou o endereço e perguntou:

— Ah, não foi você que me trouxe aqui? Achei que fosse o mesmo carro.

— Não, não fui eu. Eu trouxe o dr. Ding.

Wang teve uma ideia nova. Pediu para o motorista levá-lo ao endereço de Ding.

5. UMA PARTIDA DE SINUCA

Assim que abriu a porta do apartamento de três quartos novinho em folha de Ding Yi, Wang sentiu cheiro de álcool. Ding estava sentado no sofá, com a TV ligada, olhando para o teto. O apartamento estava inacabado, só com alguns móveis e poucos itens de decoração, e a sala de estar imensa parecia muito vazia. O objeto que mais chamava a atenção era a mesa de sinuca no canto.

Ding não parecia contrariado com o fato de Wang ter entrado sem ser convidado. Era nítido que estava com vontade de conversar com alguém.

— Comprei o apartamento há uns três meses — comentou Ding. — Por quê? Será que achei mesmo que ela ia querer começar uma família? — Pela sua risada, parecia que estava bêbado.

— Vocês dois... — Wang queria saber os detalhes da vida de Yang Dong, mas não sabia como perguntar.

— Ela parecia uma estrela, sempre muito distante. Até a luz que ela lançava em mim era fria. — Ding foi até uma das janelas e olhou para o céu noturno.

Wang não falou nada. A única coisa que ele queria era ouvir a voz dela. Porém, um ano antes, enquanto o sol descia no oeste, no instante em que cruzaram os olhares, nenhum dos dois falou nada. Wang nunca escutara a voz dela.

Ding fez um gesto com a mão, como se tentasse espantar algo.

— Professor Wang, você tinha razão. Não se envolva com a polícia nem com os militares. São todos uns idiotas. A morte daqueles físicos não teve nada a ver com a Fronteiras da Ciência. Já expliquei para eles diversas vezes, mas não consegui fazê-los entender.

— Parece que eles realizaram uma investigação independente.

— Isso mesmo, e a abrangência dessa investigação foi global. Eles já deviam saber que dois dos mortos nunca tiveram contato com a Fronteiras da Ciência, incluindo... Yang Dong. — Parecia que Ding tinha dificuldade para pronunciar aquele nome.

— Ding Yi, você sabe que já estou envolvido. Então... gostaria de saber o motivo que levou Yang a fazer... aquela escolha. Acho que você sabe de alguma coisa. — Wang achou que devia ter soado muito estúpido enquanto se esforçava para disfarçar suas verdadeiras intenções.

— Se você souber mais, só vai se afundar nisso tudo. Por enquanto, seu envolvimento é superficial. Agora, com mais conhecimento, seu espírito também será sugado para dentro de um poço, e aí você estará em apuros.

— Eu trabalho com pesquisa aplicada. Não sou tão sensível como vocês, teóricos.

— Muito bem. Você joga sinuca? — Ding foi até a mesa de jogo.

— Arriscava umas tacadas na faculdade.

— Nós dois adorávamos jogar. Lembrava a colisão de partículas no acelerador. — Ding pegou duas bolas: uma preta e uma branca. Colocou a bola preta perto de uma das caçapas, e deixou a branca a cerca de dez centímetros. — Você consegue encaçapar a bola preta?

— Tão de perto assim? Todo mundo consegue.

— Tente.

Wang pegou o taco, deu um golpe de leve na bola branca e jogou a bola preta na caçapa.

— Ótima jogada. Venha, vamos colocar a mesa em um lugar diferente. — Ding orientou o confuso Wang a levantar a mesa pesada. Juntos, eles a arrastaram até outro canto da sala, perto de uma janela. Em seguida, Ding pegou e colocou a bola preta perto da caçapa e, mais uma vez, apanhou e posicionou a bola branca a cerca de dez centímetros de distância. — Você acha que consegue de novo?

— Claro.

— Vá em frente.

Mais uma vez, Wang acertou com facilidade.

Ding balançou as mãos.

— Vamos tentar em outro lugar. — Eles ergueram e levaram a mesa até um terceiro canto da sala. Ding dispôs as bolas como antes. — Pronto.

— Sabe de uma coisa, nós...

— Pronto!

Wang deu de ombros, impotente. Ele encaçapou a bola preta pela terceira vez.

Eles deslocaram a mesa mais duas vezes: uma para perto da porta da sala, outra de volta à posição original. Ding dispôs as bolas outras duas vezes, e Wang acertou outras duas vezes. A essa altura, os dois estavam ligeiramente sem fôlego.

— Bom, essa é a conclusão do nosso experimento. Vamos analisar os resultados. — Ding acendeu um cigarro antes de prosseguir. — Realizamos o mesmo experimento cinco vezes. Quatro dos experimentos diferiram em local e tempo.

Dois deles foram no mesmo local, mas em momentos diferentes. Você ficou chocado com os resultados? — Ele abriu os braços em um gesto exagerado. — Cinco vezes! Cada experimento de colisão rendeu exatamente o mesmo resultado!

— O que você está tentando dizer? — perguntou Wang, ainda sem ar.

— Você consegue explicar esse resultado incrível? Por favor, use a linguagem da física.

— Certo... Durante os cinco experimentos, a massa das duas bolas nunca se alterou. Em termos de localização, contanto que consideremos como referência a superfície da mesa, também não houve mudança. A velocidade da bola branca ao atingir a bola preta também permaneceu basicamente igual. Portanto, a transferência de energia entre as duas bolas não mudou. Logo, em todos os cinco experimentos, o resultado foi a bola preta cair na caçapa.

Ding pegou uma garrafa de conhaque e dois copos sujos no chão. Encheu os dois e entregou um para Wang. Ele recusou.

— Ora, vamos comemorar. Descobrimos um grande princípio da natureza: as leis da física não variam no tempo e no espaço. Todas as leis da física, em toda a história da humanidade, do princípio de Arquimedes até a teoria das cordas, todas as descobertas científicas, todos os frutos intelectuais da nossa espécie são subprodutos dessa grande lei. Comparados a nós, teóricos como Einstein e Hawking não passam de meros engenheiros práticos.

— Ainda não entendo o que você está querendo dizer.

— Imagine outro conjunto de resultados. Na primeira vez, a bola branca lança a preta para dentro da caçapa. Na segunda, a bola preta rebate para outra direção. Na terceira, a bola preta voa até o teto. Na quarta, a bola preta atravessa a sala como um pardal assustado e acaba se escondendo no bolso do seu paletó. Na quinta, a bola preta sai voando quase na velocidade da luz, quebra a borda da mesa de sinuca, atravessa a parede e abandona a Terra e o sistema solar, tal como Asimov descreveu certa vez.* O que você acharia nesse caso?

Ding encarou Wang. Após um longo silêncio, Wang por fim disse:

— Isso aconteceu mesmo. Não é verdade?

Ding esvaziou os dois copos em suas mãos. Ele ficou olhando para a mesa de sinuca como se estivesse vendo um demônio.

— Aconteceu. Nos últimos anos, finalmente obtivemos o equipamento necessário para conduzir experiências e testar teorias fundamentais. Três "mesas de sinuca" caras foram construídas: uma na América do Norte, outra na Europa, e a terceira em Liangxiang, como você sabe. Seu Centro de Pesquisa em Nanotecnologia recebeu muito dinheiro por causa dela.

* Ver o conto "The Billiard Ball", de Isaac Asimov. (N. A.)

"Esses aceleradores de partículas de alta energia aumentaram em uma ordem de magnitude a quantidade de energia disponível para a colisão de partículas, um nível inédito para a raça humana. Porém, com os equipamentos novos, as mesmas partículas, os mesmos níveis de energia e os mesmos parâmetros experimentais apresentavam resultados diferentes. Os resultados variavam não só com aceleradores diferentes, mas até quando os experimentos eram realizados em um mesmo acelerador em momentos diferentes. Os físicos entraram em pânico. Repetiram os experimentos de colisão com ultra-alta energia várias vezes, usando as mesmas condições, mas o resultado sempre era diferente e parecia não haver padrão nenhum."

— O que isso significa? — perguntou Wang. Quando percebeu que Ding o encarava sem falar nada, acrescentou: — Ah, eu sou de nanotecnologia, e também trabalho com estruturas em escala micro. Mas isso é muito maior, em ordens de magnitude, do que a escala em que você trabalha. Por favor, me explique.

— Significa que as leis da física não são invariáveis no tempo e no espaço.

— O que *isso* significa?

— Acho que você pode deduzir o resto. Até o general Chang entendeu. Ele é um homem muito esperto.

Wang olhou pela janela, pensativo. As luzes da cidade estavam tão claras que as estrelas no céu noturno tinham sumido.

— Significa que as leis da física que poderiam se aplicar em qualquer lugar do universo não existem, o que significa que a física... também não existe. — Wang se virou para a janela de novo.

— "Sei que o que estou fazendo é irresponsável. Mas não tenho escolha" — disse Ding. — Essa era a segunda parte da mensagem dela. Você acabou de topar com a primeira parte. Agora consegue entendê-la? Pelo menos um pouco?

Wang pegou e alisou um pouco a bola branca, antes de recolocá-la na mesa.

— Para alguém que explora a vanguarda da teoria, isso seria mesmo uma catástrofe.

— Para se realizar algo em física teórica é preciso ter quase uma fé religiosa. É fácil ser conduzido até o abismo.

Quando os dois se despediram, Ding passou um endereço para Wang.

— Se você tiver tempo, por favor, faça uma visita à mãe de Yang Dong. Ela e a mãe sempre moraram juntas, e a mãe vivia para a filha. Agora a velha não tem mais ninguém.

— Ding, é nítido que você sabe muito mais do que eu. Pode me falar mais? Você acredita mesmo que as leis da física não são invariáveis no tempo e no espaço?

— Não sei de nada. — Ding ficou encarando Wang por um bom tempo. Por fim, disse: — Mas eis a questão.

Wang sabia que ele só estava terminando o que o coronel britânico tinha começado a falar: *Ser ou não ser: eis a questão.*

6. O FRANCO-ATIRADOR E O CRIADOR DE AVES

O dia seguinte era o começo do fim de semana. Wang se levantou cedo e saiu de bicicleta. Como fotógrafo amador, seus temas preferidos eram cenas de natureza sem presença humana. No entanto, como já estava na meia-idade, não tinha mais energia para se entregar a passeios tão indulgentes e só tirava fotos de cenas urbanas.

De modo consciente ou não, costumava escolher cantos da cidade que retivessem algum aspecto do mundo selvagem: um lago ressecado em um parque, a terra recém-revirada em um canteiro de obras, um pouco de mato tentando brotar das rachaduras de um pedaço de concreto. Para eliminar a extravagância de cores da cidade no fundo, ele só usava filme preto e branco. De maneira um tanto inesperada, havia desenvolvido um estilo próprio e chamado um pouco de atenção. Seus trabalhos foram escolhidos para duas exposições, e Wang fazia parte da Associação de Fotógrafos. Sempre que saía para tirar fotos, pegava a bicicleta e circulava pela cidade em busca de inspiração e composições cativantes. Com frequência, passava o dia inteiro fora.

Naquela manhã, Wang se sentia estranho. Embora seu estilo fotográfico tendesse para o clássico, calmo e digno, parecia que naquela oportunidade ele não conseguiria entrar no clima necessário para composições desse tipo. Em sua cabeça, a cidade, despertando do sono, parecia construída sobre areia movediça. A estabilidade era ilusória. Wang havia sonhado com aquelas duas bolas de sinuca a noite inteira. Elas voavam por um espaço negro sem formar qualquer padrão, e a bola preta desaparecia no fundo escuro e só revelava sua existência de vez em quando, ao obscurecer a branca.

Será que a natureza fundamental da matéria poderia mesmo ser a ausência de leis? Será que a estabilidade e a ordem do mundo não passam de um equilíbrio dinâmico temporário ocorrido em um canto do universo, um redemoinho efêmero em uma corrente caótica?

Quando voltou a si, percebeu que estava ao pé do recém-concluído edifício da Televisão Central da China. Ele parou no acostamento e levantou a cabeça para contemplar a gigantesca torre em formato de A, tentando retomar a sensação de estabilidade. Seu olhar acompanhou a ponta reta do edifício, cintilando na luz da manhã e apontando para as profundezas azuis e infinitas do céu. De repente, algumas palavras apareceram na sua mente: "franco-atirador" e "criador de aves".

Quando os integrantes da Fronteiras da Ciência debatiam a física, usavam muito a abreviação "FC". Não estavam falando de "ficção científica", e sim das expressões "franco-atirador" e "criador de aves". Era uma referência a duas hipóteses, ambas relacionadas com a natureza fundamental das leis do universo.

Na hipótese do franco-atirador, um atirador competente dispara contra um alvo, criando furos de dez em dez centímetros. Agora, digamos que a superfície do alvo seja habitada por criaturas inteligentes bidimensionais. Seus cientistas, ao observar o universo, descobrem uma grande lei: "Existe um furo no universo a cada dez centímetros". Eles interpretaram equivocadamente o resultado do capricho momentâneo do franco-atirador, achando que fosse uma lei permanente do universo.

A hipótese do criador de aves, por sua vez, tem um quê de história de terror. Todo dia de manhã, um criador de perus aparece para alimentar as aves. Um peru cientista, após observar esse padrão se repetir sem alterações durante quase um ano, faz a seguinte descoberta: "Todo dia de manhã, às onze, a comida chega". Na manhã da véspera de Natal, o cientista anuncia essa lei para os demais perus. Porém, às onze da manhã desse dia, a comida não chega: o criador de perus aparece e mata todas as aves.

Wang sentiu a estrada sob seus pés se deslocar como areia movediça. O edifício em forma de A pareceu balançar e estremecer. Ele logo voltou os olhos para a rua.

Para se livrar da ansiedade, Wang se forçou a usar todo o rolo de filme. Ele voltou para casa antes do almoço. Sua esposa já havia saído com o filho deles e ficaria fora por algum tempo. Normalmente, Wang teria se apressado para revelar o filme, mas naquele dia estava sem ânimo. Após um almoço rápido e simples, decidiu tirar um cochilo. Como não havia dormido bem na noite anterior, quando acordou já eram quase cinco da tarde. Só então se lembrou do rolo de filme e entrou na apertada sala escura que tinha sido convertida a partir de um closet.

Depois de revelar o filme, Wang começou a olhar os negativos para ver se alguma das fotos merecia ampliação. Porém, viu algo estranho logo na primeira imagem, em uma foto de um gramado pequeno ao lado de um shopping grande.

O centro do negativo continha uma linha de marcas brancas minúsculas que, vistas mais de perto, eram na verdade números: *1200:00:00*.

A segunda foto também tinha números: *1199:49:33*. Assim como a terceira: *1199:40:18*.

Na verdade, todas as fotos do rolo tinham números parecidos, até a trigésima sexta (e última) imagem: *1194:16:37*.

O primeiro pensamento de Wang foi que havia algo errado com o filme. A câmera usada era uma Leica M2 de 1988 — totalmente analógica, de modo que era impossível o aparelho acrescentar uma marcação de data. Com a lente excepcional e os mecanismos internos sofisticados, ainda era considerada uma excelente câmera profissional até mesmo para padrões digitais.

Ao reexaminar os negativos, Wang descobriu outra peculiaridade com os números: eles pareciam se adaptar ao fundo. Quando o fundo era preto, os números eram brancos, e vice-versa. A mudança parecia ter sido concebida para maximizar o contraste dos números em favor da visibilidade. No momento em que Wang examinava o décimo sexto negativo, seu coração já estava acelerado, e ele sentiu um calafrio subindo pela espinha.

A foto era de uma árvore morta na frente de um muro antigo, manchado, com partes pretas e brancas. Em um fundo assim, seria difícil ler até em cores. No entanto, na foto, os números assumiram uma posição vertical para acompanhar a curva do tronco da árvore, possibilitando que os dígitos brancos aparecessem contra a cor escura da árvore morta, como se fossem uma serpente rastejante.

Wang começou a analisar o padrão matemático dos números. À primeira vista, achou que fosse alguma sequência predeterminada, mas a diferença entre os números não era constante. Em seguida, imaginou que os números representavam o tempo em forma de horas, minutos e segundos. Pegou seu registro de fotografias, que marcava a hora exata em que cada foto tinha sido tirada, até os segundos, e descobriu que a diferença entre os números de duas fotos consecutivas correspondia à diferença de tempo entre as horas em que elas foram batidas.

Uma contagem regressiva.

A contagem começava com 1200 horas. E agora restavam cerca de 1194 horas, pouco menos de cinquenta dias.

Agora? Não, no momento em que tirei a última foto. Será que a contagem continua?

Wang foi até a sala escura, pôs um rolo novo na Leica e começou a tirar fotos aleatórias. Saiu até para a varanda a fim de dar alguns cliques externos. Depois, retirou o filme e voltou para a sala escura. No filme revelado, os números voltaram a aparecer em cada negativo como se fossem fantasmas. O primeiro estava marcado *1187:27:39*. A diferença equivalia ao tempo passado entre a última foto do rolo anterior e a primeira do novo. Depois disso, os números diminuíam a uma taxa de três ou quatro segundos por imagem: *1187:27:35, 1187:27:31, 1187:27:27, 1187:27:24...* tal qual os intervalos das fotos rápidas que havia tirado.

A contagem continuava.

Wang colocou mais um rolo na máquina. Tirou várias fotos apressadamente, inclusive algumas com a tampa da lente fechada. Quando estava tirando o rolo da máquina, sua mulher e o filho chegaram. Antes de entrar na sala escura para revelar o filme, ele colocou outro rolo na Leica e pediu para a mulher.

— Aqui, termine este rolo para mim.

— O que devo fotografar? — perguntou a esposa, encarando o marido, espantada. Wang nunca havia permitido que ninguém encostasse em sua câmera, embora para ela e para o filho aquilo não despertasse nenhum interesse. Aos olhos deles, era só uma antiguidade sem graça que custava mais de vinte mil yuans.

— Tanto faz. Tire foto do que quiser. — Wang enfiou a câmera nas mãos dela e se meteu na sala escura.

— Tudo bem. Dou Dou, que tal eu tirar umas fotos suas? — A esposa dele virou a lente para o filho.

De repente, Wang vislumbrou a imagem dos dígitos fantasmagóricos estampada no rosto de seu filho, como a corda de uma forca. Sentiu um arrepio.

— Não, isso não. Tire foto de outra coisa.

O obturador clicou: a esposa havia tirado a primeira foto.

— Por que não consigo apertar de novo? — perguntou ela. Wang ensinou a esposa a rodar o filme para avançá-lo.

— Assim. Você precisa fazer isso depois de cada foto.

Em seguida, ele voltou para dentro da sala escura.

— Muito complicado! — A esposa de Wang, médica, não conseguia entender por que alguém usaria um equipamento tão caro e obsoleto quando havia no mercado opções de câmeras digitais de dez a vinte megapixels. Sem falar que o marido usava filme preto e branco!

Depois de revelar o terceiro filme, Wang levantou a película na frente da luz vermelha. Viu que a contagem regressiva fantasmagórica continuava. Os números apareciam com clareza em todas as fotos aleatórias, incluindo as poucas tiradas com a lente tampada: *1187:19:06, 1187:19:03, 1187:18:59, 1187:18:56...*

Sua esposa bateu à porta da sala escura e disse que tinha terminado de tirar as fotos. Wang abriu a porta e pegou a câmera. Suas mãos tremiam enquanto ele tirava o rolo. Wang ignorou o olhar de preocupação da mulher, voltou com o filme para dentro da sala escura e fechou a porta. Trabalhou às pressas e sem cuidado, derrubando revelador e fixador pelo chão todo. Pouco tempo depois, as imagens estavam reveladas. Ele fechou os olhos e rezou em silêncio. *Por favor, não apareça. Seja o que for, por favor, não apareça agora. Que não seja a minha hora...*

Examinou o filme molhado com uma lupa. Não havia contagem. Sua mulher tinha deixado o obturador com uma velocidade baixa, e o manuseio amador fizera com que todas as imagens ficassem desfocadas. Mesmo assim, para Wang, aquelas eram as fotos mais agradáveis que tinha visto na vida.

Wang saiu da sala escura e soltou um grande suspiro. Estava coberto de suor. A esposa estava na cozinha, preparando o jantar, e o filho brincava no quarto. Ele se sentou no sofá e refletiu sobre a questão de modo mais racional.

Em primeiro lugar, os números, que registravam com precisão a passagem do tempo entre as fotos e exibiam sinais de inteligência, não podiam ter sido impressos previamente no filme. *Algo* expôs aquelas sequências numéricas no filme. Mas o quê? Será que a câmera estava com algum defeito? Será que algum mecanismo fora instalado sem que ele soubesse? Depois de tirar a lente e desmontar o aparelho, Wang examinou o interior com uma lupa, conferiu cada componente impecável e não viu nada fora do lugar. Em seguida, considerando que os números apareciam mesmo nas fotos tiradas com a lente coberta, Wang percebeu que a fonte de luz mais provável era alguma forma de raio invasor. Mas como isso era tecnologicamente possível? Onde estava a origem desses raios? Como eles poderiam ter sido controlados?

Pelo menos diante da tecnologia do momento, esse tipo de poder seria sobrenatural.

A fim de ver se a contagem fantasmagórica tinha desaparecido, Wang colocou outro filme na Leica e tirou mais fotos aleatórias. Quando o rolo foi revelado, a tranquilidade passageira de Wang foi abalada de novo. Ele sentiu que estava sendo levado à beira da insanidade. A contagem havia voltado. Pelo que os números mostravam, ela nunca tinha parado, só não aparecera no filme utilizado pela esposa.

1186:34:13, 1186:34:02, 1186:33:46, 1186:33:35...

Wang saiu correndo da sala escura e deixou o apartamento. Bateu com força à porta do vizinho, Zhang, professor aposentado.

— Professor Zhang, o senhor tem uma câmera? Não uma digital, mas uma analógica!

— Um fotógrafo profissional como você quer pegar minha câmera emprestada? O que aconteceu com seu aparelho caro? Só tenho câmeras digitais simples. Está tudo bem? Você está muito pálido.

— Por favor, me empreste a câmera.

Zhang voltou com uma câmera digital Kodak comum.

— Aqui. Pode apagar as poucas fotos que estão na memória.

— Obrigado!

Wang pegou a câmera e voltou correndo para casa. Na verdade, tinha outras três câmeras analógicas e uma digital, mas achou que seria melhor pegar uma emprestada de outra pessoa. Ele olhou para a própria Leica no sofá, para o punhado de rolos de filme, parou para refletir e decidiu colocar um filme novo na Leica. Entregou a câmera digital emprestada para a esposa, que estava colocando a mesa para o jantar.

— Rápido! Tire mais algumas fotos, que nem antes.

— O que você está fazendo? Olhe para a sua cara! O que está acontecendo?

— Não se preocupe. Tire fotos!

Ela colocou os pratos na mesa e foi até Wang, com os olhos carregados de preocupação e medo.

Wang enfiou a Kodak nas mãos do filho de seis anos, que estava prestes a começar a jantar.

— Dou Dou, venha ajudar o papai. Aperte este botão. Assim mesmo. Isso foi uma foto. Aperte de novo. Isso foi outra foto. Fique tirando fotos assim. Fotografe tudo o que você quiser.

O menino aprendeu logo. Ficou muito interessado e tirou fotos rápidas. Wang se virou, pegou a Leica no sofá e começou a tirar fotos também. Pai e filho ficaram disparando os obturadores ensandecidamente. Perdida no meio dos flashes, a mulher de Wang começou a chorar.

— Wang Miao, sei que você tem estado sob muita pressão ultimamente, mas, por favor, espero que não tenha...

Wang terminou o filme da Leica e pegou a câmera digital do filho. Ficou pensando por um instante e então, para evitar a esposa, entrou no quarto e tirou mais algumas fotos com a câmera digital. Batia as fotos olhando pelo visor óptico em vez de pela tela LCD, porque tinha medo de conferir o resultado, embora logo fosse ter que encarar a situação.

Wang tirou o filme da Leica e voltou para a sala escura. Fechou a porta e trabalhou. Depois de revelar o filme, examinou as imagens com cuidado. Como tremia, precisou segurar a lupa com as duas mãos. Nos negativos, a contagem continuava.

Wang saiu da sala escura e começou a olhar as imagens digitais da Kodak. Na tela LCD, viu que as fotos tiradas pelo filho não tinham números, mas as suas mostravam com clareza a contagem, em sincronia com os números no filme.

Ao usar câmeras diferentes, Wang pretendia eliminar duas possíveis explicações: problemas com a Leica ou com o filme. Porém, ao permitir que o filho e a esposa tirassem algumas fotos, descobriu um resultado ainda mais estranho: a contagem só aparecia nas fotos que ele tirava!

Desesperado, Wang pegou o amontoado de filmes, que parecia um ninho embolado de cobras, um monte de cordas presas em um nó impossível.

Sabia que não teria como resolver esse mistério sozinho. Quem poderia ajudá--lo? Seus antigos colegas da faculdade e os companheiros do Centro de Pesquisa não serviriam. Como ele, todos tinham mentalidade técnica. Por intuição, Wang sabia que esse problema ia além do lado técnico. Pensou em Ding Yi, mas o homem estava enfrentando sua própria crise espiritual. Por fim, se lembrou da Fronteiras da Ciência: seus integrantes eram grandes pensadores e continuavam de mente aberta. Então Wang ligou para o número de Shen Yufei.

— Dra. Shen, estou com um problema. Preciso encontrá-la.

— Venha — disse Shen, desligando em seguida.

Wang ficou surpreso. Shen era uma mulher de poucas palavras. Algumas pessoas na Fronteiras da Ciência brincavam que ela era a versão feminina de Hemingway. Mas o fato de Shen nem sequer ter perguntado qual era o problema deixou Wang sem saber se devia ficar tranquilo ou ainda mais ansioso.

Ele enfiou a confusão de filmes em uma bolsa e, com a câmera digital na mão, saiu às pressas do apartamento, enquanto a esposa o observava com um olhar ansioso. Wang podia ter pegado o carro, mas, mesmo na cidade muito iluminada, queria estar acompanhado. Chamou um táxi.

Shen morava em um condomínio de luxo acessível por um dos trens urbanos mais recentes. Naquela área, a iluminação era muito mais fraca. As casas ficavam dispostas em torno de um pequeno lago artificial abastecido de peixes, e à noite o lugar parecia um vilarejo.

Era nítido que Shen tinha uma condição financeira confortável, mas Wang nunca conseguiu descobrir a origem daquela riqueza. Nem o antigo cargo de pesquisadora nem o emprego atual em uma empresa privada poderiam fornecer uma renda tão grande. Apesar disso, o interior da casa não exibia sinais de luxo. O espaço era usado como ponto de encontro para a Fronteiras da Ciência, e Wang sempre achou que parecia uma biblioteca com uma sala de reuniões.

Na sala de estar, Wang se deparou com Wei Cheng, o marido de Shen. Wei tinha cerca de quarenta anos e o aspecto de um intelectual sóbrio e honesto. Além do nome, Wang sabia pouco sobre ele. Shen não havia falado muito ao apresentar o marido. Aparentemente, ele estava desempregado, já que passava o dia inteiro em casa. Nunca demonstrou interesse nas conversas da Fronteiras da Ciência, mas parecia acostumado à presença de tantos acadêmicos em sua casa.

No entanto, não era desocupado e parecia estar realizando alguma pesquisa em casa, sempre perdido em pensamentos. Toda vez que via algum visitante, cumprimentava de um jeito distraído e voltava para seu quarto no andar de cima. Passava a maior parte do dia ali dentro. Certa vez, Wang viu de relance o interior do quarto por uma porta entreaberta e reparou em algo impressionante: uma potente estação de trabalho da HP. Tinha certeza do que vira porque a estação de trabalho era do mesmo modelo utilizado por ele no Centro de Pesquisa: *case* cor de grafite, modelo RX8620, de quatro anos. Parecia muito estranho ter uma máquina que custava mais de um milhão de yuans só para uso pessoal. O que será que Wei Cheng fazia com aquilo o dia inteiro?

— Yufei está um pouco ocupada agora. Você pode esperar um instante? — perguntou Wei Cheng, antes de subir a escada. Wang tentou esperar, mas percebeu que não conseguia ficar parado, então foi atrás de Wei Cheng. Wei estava prestes a entrar no quarto com a estação de trabalho quando percebeu Wang atrás de si. Sem parecer irritado, apontou para o cômodo à frente do seu e disse: — Ela está aí dentro.

Wang bateu à porta, que não estava trancada e se abriu depressa. Shen estava sentada diante de um computador, jogando. Wang ficou surpreso ao ver que ela estava com um traje V.

O traje V era um equipamento muito usado pela comunidade de gamers, composto por um capacete de visor panorâmico e uma jaqueta de resposta sensorial. O traje permitia que o jogador sentisse tudo o que acontecia no jogo: a força de um soco, uma punhalada, o calor de chamas etc. Também era capaz de gerar sensações de calor e frio extremos, e até de simular a exposição a uma nevasca.

Wang se aproximou de Shen pelas costas. Como o jogo só era exibido no visor panorâmico do capacete, a tela do computador não tinha nenhuma imagem colorida. De repente, Wang se lembrou do comentário de Shi Qiang quanto a decorar endereços de sites e e-mails. Ele olhou para o monitor, e a URL do site do jogo chamou sua atenção: www.3corpos.net

Shen tirou o capacete, a jaqueta e colocou os óculos, que pareciam grandes demais no rosto fino. Não esboçando nenhuma expressão, fez um gesto com a cabeça para Wang, sem dizer nada. Wang tirou a confusão de filmes da bolsa e começou a explicar a estranha experiência. Shen prestou muita atenção na história, pegando os filmes e olhando apenas casualmente para as fotos. Embora Wang tenha ficado surpreso, a postura de Shen confirmou que ela não ignorava o que estava acontecendo com ele. Wang quase parou de falar, mas Shen continuou acenando com a cabeça, indicando que ele deveria continuar.

Quando ele terminou, Shen falou pela primeira vez.

— Como anda o projeto de nanomateriais que você está conduzindo?

Essa mudança de assunto deixou Wang confuso.

— O projeto de nanomateriais? O que ele tem a ver com isto? — Wang apontou para os filmes revelados.

Shen não respondeu, mas continuou encarando Wang, esperando que ele respondesse à pergunta. Aquele sempre tinha sido o estilo dela, nunca uma palavra desperdiçada.

— Interrompa a pesquisa — disse ela.

— O quê? — Wang não sabia se tinha ouvido direito. — Do que você está falando?

Shen ficou quieta.

— Interromper? É um projeto nacional fundamental!

Shen continuou sem falar nada, apenas o encarando com uma expressão tranquila.

— Você precisa me dar um motivo.

— Só interrompa. Tente.

— O que você sabe? Diga!

— Já falei tudo que podia.

— Não dá simplesmente para interromper a pesquisa. É impossível!

— Interrompa. Tente.

A conversa sobre a contagem regressiva acabou aí. Depois disso, por mais que Wang insistisse, Shen só repetia "Interrompa. Tente".

— Agora eu entendo — disse Wang. — A Fronteiras da Ciência não é só um grupo de discussão sobre teoria fundamental, como vocês afirmavam. A ligação da organização com a realidade é muito mais complexa do que eu tinha imaginado.

— Não. É o contrário. Sua impressão se deve ao fato de que a Fronteiras da Ciência trata de questões muito mais fundamentais do que você imagina.

Desesperado, Wang se levantou para ir embora sem se despedir. Em silêncio, Shen acompanhou a visita até a porta e esperou que entrasse no táxi.

Na mesma hora, outro carro chegou e brecou de repente diante da porta. Um homem saiu. Com a luz fraca de dentro da casa, Wang reconheceu o sujeito imediatamente.

Era Pan Han, um dos integrantes mais proeminentes da Fronteiras da Ciência. Como biólogo, ele havia conseguido prever defeitos congênitos associados ao consumo prolongado de alimentos geneticamente modificados. Também previra os desastres ecológicos resultantes do cultivo de plantações geneticamente modificadas. Ao contrário dos profetas do apocalipse que prenunciavam catástrofes sem dar qualquer informação específica, as previsões de Pan sempre continham uma profusão de detalhes que mais tarde acabavam se confirmando. O índice de acerto do biólogo era tão alto que havia quem dissesse que ele vinha do futuro.

O outro motivo de sua fama era o fato de que ele tinha criado a primeira comunidade experimental da China. Diferente dos grupos utópicos que clamavam por uma "volta à natureza", a China Pastoral não ficava na zona rural, e sim no meio de uma das maiores cidades do país. A comunidade não detinha nenhuma propriedade. Tudo o que era necessário para o dia a dia, incluindo alimentos, era obtido com o lixo urbano. Contrariando muitas previsões, a China Pastoral não só sobreviveu, como prosperou. Agora, contava com mais de três mil integrantes permanentes, e inúmeras pessoas haviam ingressado nela por períodos breves a fim de conhecer aquele estilo de vida.

Graças a esses dois sucessos, as opiniões de Pan a respeito de questões sociais tinham cada vez mais peso. Ele acreditava que o progresso tecnológico era uma doença da sociedade. A explosão do desenvolvimento tecnológico era análoga ao crescimento de células cancerígenas, e os resultados seriam os mesmos: o esgotamento de todas as fontes de nutrição, a destruição dos órgãos e, por fim, a morte do organismo. Ele defendia o fim de tecnologias nocivas, como combustíveis fósseis e energia nuclear, em favor da manutenção de tecnologias menos agressivas, como energia solar e energia hidrelétrica de pequena escala. Pan acreditava na descentralização gradual das metrópoles modernas mediante a distribuição mais eficiente das populações em cidades e vilarejos menores. Com base nas tecnologias mais avançadas, construiria uma nova sociedade agrícola.

— Ele está aqui? — perguntou Pan a Shen, apontando para a casa.

Shen não respondeu, mas não saiu do caminho.

— Preciso alertar tanto ele quanto você. Não nos obriguem a agir. — O tom de Pan era frio.

Shen gritou para o taxista.

— Você já pode ir.

Quando o táxi saiu, Wang não conseguiu mais ouvir a conversa entre os dois, mas olhou para trás e viu que Shen não deixou Pan entrar na casa.

Quando Wang chegou em casa, já passava de meia-noite. Ao sair do táxi, um Volkswagen Santana preto parou a seu lado. O vidro da janela abaixou, e uma nuvem de fumaça saiu de dentro. O corpulento Shi Qiang estava no banco do motorista.

— Professor Wang! Acadêmico Wang! Como o senhor tem passado esses últimos dias?

— Por acaso você está me seguindo? Não tem nada melhor para fazer?

— Ora, não me entenda mal. Eu poderia ter passado direto, mas preferi ser educado e dar um olá. O senhor está transformando minha gentileza em um esforço ingrato. — Shi exibiu o sorriso debochado característico. — E aí? Conseguiu descobrir alguma informação útil lá?

— Já falei, não quero tratar nada com você. Por favor, daqui para a frente me deixe em paz.

— Tudo bem. — Shi ligou o carro. — Não vou passar fome abrindo mão da hora extra que eu ganho para isto. Queria não ter perdido o jogo de futebol.

Wang entrou em casa. Sua esposa já estava dormindo. Ele a ouviu se revirar na cama, murmurando algo, ansiosa. Com certeza, o comportamento estranho do marido naquele dia tinha resultado em algum pesadelo. Wang tomou alguns comprimidos para dormir, deitou-se na cama e, depois de bastante tempo, adormeceu.

Seus sonhos foram caóticos, mas havia uma constante: a contagem regressiva fantasmagórica, suspensa no ar. Mesmo antes de dormir, ele já sabia que sonharia com aquilo. Nos sonhos, Wang atacou a contagem. Enlouquecido, ele golpeou a sequência numérica, mas nada que fizesse era capaz de mudar aquilo. Os números continuavam pairando no meio do sonho, avançando sem parar. Enfim, quando a frustração estava ficando quase insuportável, ele acordou.

Ao abrir os olhos, viu o teto, pouco nítido. Do lado de fora, as luzes da cidade lançavam um brilho fraco nas cortinas. Porém, teve companhia ao voltar à realidade: a contagem regressiva. Ela ainda pairava diante de seus olhos. Os números eram finos, mas brilhavam muito, com uma luminosidade branca intensa.

1180:05:00, 1180:04:59, 1180:04:58, 1180:04:57...

Wang olhou à sua volta, explorando as sombras difusas do quarto. Agora tinha certeza de que estava acordado, mas a contagem não desapareceu. Fechou os olhos, e a contagem continuou na escuridão, como um fiapo de mercúrio escorrendo pelas penas de um cisne negro. Wang abriu e esfregou os olhos, e ainda assim a contagem persistiu. Independente de para onde olhasse, os números permaneciam no centro de tudo.

Movido por um terror indescritível, Wang se sentou. A contagem se aferrava a ele. Wang saiu da cama, puxou as cortinas e abriu as janelas. A cidade, adormecida, ainda estava muito iluminada. A contagem pairava no meio desse cenário grandioso, como uma legenda em uma tela de cinema.

Wang sentiu-se sufocado. Tentou abafar um grito. Sua esposa acordou com o susto e, ansiosa, perguntou o que havia de errado. Wang se forçou para ficar calmo e tranquilizá-la, dizendo que não era nada. Voltou a se deitar na cama, fechou os olhos e passou o resto da noite difícil sob o brilho constante da contagem.

De manhã, tentou agir de maneira natural diante da família, mas não conseguiu enganar a esposa. Ela perguntou se os olhos de Wang estavam com algum problema, se ele estava conseguindo enxergar direito.

Depois do café, Wang ligou para o Centro de Pesquisa e pediu para tirar o dia de folga. Foi ao hospital. No caminho, a impiedosa contagem persistia estampada no mundo real, conseguindo ajustar o próprio brilho de modo a aparecer com clareza diante de qualquer fundo. Wang tentou até ofuscar os números por um tempo, olhando direto para o sol nascente. Mas não adiantou nada. Os números infernais ficaram pretos e se destacaram da esfera solar como sombras, o que pareceu ainda mais assustador.

O hospital Tongren estava muito movimentado, porém ele conseguiu uma consulta com um oftalmologista famoso, colega de faculdade de sua mulher. Wang pediu para o médico avaliá-lo, mas não descreveu nenhum sintoma. Após um exame cuidadoso, o oftalmologista disse que os dois olhos estavam normais, sem qualquer sinal de doença.

— Tem alguma coisa persistente incomodando meus olhos. Está sempre atrapalhando meu campo de visão. — Ao dizer isso, viu os números pairando diante do rosto do médico.

1175:11:34, 1175:11:33, 1175:11:32, 1175:11:31...

— Ah, você está falando de moscas volantes. — O oftalmologista pegou um receituário e começou a escrever. — Isso é comum na nossa idade, consequência de um obscurecimento do cristalino. Não é fácil de curar, mas também não é nada muito sério. Vou receitar um pouco de iodo em gotas e vitamina D... Pode ser que elas sumam, mas é bom não criar muita expectativa. Não se preocupe mesmo, isso não vai afetar sua visão. Só precisa se acostumar a ignorar.

— Moscas volantes... Pode me dizer qual é o aspecto delas?

— Não existe nenhuma forma definida. Varia de acordo com a pessoa. Para algumas, são pontinhos pretos minúsculos; para outras, parecem girinos.

— E se uma pessoa vê uma série de números?

O médico parou de escrever.

— Você está vendo números?

— É, bem no meio do campo de visão.

O médico afastou o papel e a caneta e olhou para Wang com uma expressão de piedade.

— Assim que você entrou, percebi que tem trabalhado demais. No último reencontro da turma, Li Yao me disse que você estava sofrendo muita pressão no laboratório. Na nossa idade, precisamos tomar cuidado. Nossa saúde já não é mais a mesma.

— Quer dizer que isso tem um fundo psicológico?

O médico anuiu.

— Se fosse outra pessoa, eu sugeriria uma consulta com um psiquiatra. Mas não é nada sério, só exaustão. Que tal você descansar por alguns dias? Tire umas férias. Vá ficar com Yao e seu filho... como é o nome dele? Dou Dou, certo? Não se preocupe. Isso vai sumir logo.

1175:10:02, 1175:10:01, 1175:10:00, 1175:09:59...

— Vou falar o que estou vendo. É uma contagem regressiva! Um segundo de cada vez, com precisão cirúrgica. Você está dizendo que isso está tudo na minha cabeça?

O médico abriu um sorriso tolerante.

— Sabe quanto a nossa visão pode ser afetada pela mente? Mês passado, recebemos uma paciente... uma menina, devia ter uns quinze ou dezesseis anos. Ela estava no meio de uma aula quando, de repente, parou de enxergar, ficou completamente cega. Acontece que todos os testes mostraram que não havia nenhum problema fisiológico nos olhos. Por fim, ela se tratou com um profissional do Setor de Psiquiatria durante um mês. Do nada, a visão voltou.

Wang sabia que estava perdendo tempo ali. Levantou-se.

— Tudo bem, vamos parar de falar dos meus olhos. Só quero fazer mais uma pergunta: você conhece algum fenômeno físico que possa agir à distância e levar uma pessoa a ter visões?

O médico pensou por um instante.

— Sim, conheço. Algum tempo atrás, participei da equipe médica que atendeu os tripulantes do veículo espacial *Shenzhou 19*. Alguns astronautas que realizaram atividades fora da nave disseram ter visto clarões que não existiam. Os astronautas na Estação Espacial Internacional descreveram experiências parecidas. Isso acontecia porque, durante períodos de atividade solar intensa, partículas de alta energia atingiam a retina e provocavam a visão dos clarões. Só que você está falando de números... até de uma contagem regressiva. Nenhuma atividade solar causaria isso.

Wang saiu do hospital meio atordoado. A contagem continuava pairando diante de seus olhos, e ele tinha a sensação de estar seguindo os números, seguindo um fantasma que se recusava a abandoná-lo. Comprou óculos escuros e colocou no rosto para que as pessoas não vissem seus olhos oscilando como se ele fosse um sonâmbulo.

Antes de entrar no laboratório principal do Centro de Pesquisa em Nanotecnologia, Wang tirou os óculos. Ainda assim, seus colegas repararam que sua aparência traía um estado mental perturbado e o observaram com preocupação.

Wang viu que a câmara de reação principal no meio do laboratório continuava em funcionamento. O compartimento principal do aparato gigantesco era uma esfera ligada a muitos canos.

Eles haviam produzido quantidades reduzidas de um nanomaterial novo e ultraforte, que fora chamado de "lâmina voadora". Porém, até o momento, todas as amostras eram feitas com técnicas de construção molecular — isto é, usando uma sonda molecular em escala nano para empilhar as moléculas uma a uma, como se fossem tijolos em um muro. Esse método demandava muitos recursos, e os resultados poderiam ser considerados as joias mais preciosas do mundo. Para a produção de quantidades grandes, essa forma não era muito prática.

No momento, o laboratório estava tentando desenvolver uma reação catalítica como substituto para a construção molecular, de modo que fosse possível empilhar uma grande quantidade de moléculas na ordem certa. A câmara de reação principal podia executar uma grande variedade de reações em pouco tempo, usando combinações moleculares diferentes. Havia tantas combinações possíveis que, com os métodos tradicionais de teste manual, o mesmo resultado teria demorado mais de cem anos. Além disso, o aparato extrapolava as reações que aconteciam com simulações matemáticas. Quando a reação alcançava determinado ponto, o computador gerava um modelo matemático com base em produtos intermediários e terminava o restante da reação com simulações, o que aumentava muito a eficiência do experimento.

Tão logo viu Wang, o diretor do laboratório correu até ele e começou a relatar uma série de defeitos ocorridos na câmara de reação principal — um ritual, instaurado recentemente, sempre que Wang chegava ao trabalho. Àquela altura, já fazia mais de um ano que a câmara de reação principal estava em funcionamento constante, o que resultava em erros de medição que exigiam o desligamento do aparato para manutenção. No entanto, na condição de pesquisador-chefe do projeto, Wang insistia que a máquina só fosse desligada depois da conclusão do terceiro conjunto de combinações moleculares. Os técnicos eram obrigados a compensar com uma quantidade cada vez maior de gambiarras na câmara de reação. E essas gambiarras exigiam suas próprias gambiarras, uma situação que exauria a equipe de trabalho.

Mas o diretor do laboratório tomou o cuidado de não tocar no assunto do desligamento e da interrupção da máquina, pois sabia que esse tipo de tema tendia a enfurecer Wang Miao. Ele se limitou a listar as dificuldades, embora a intenção implícita fosse clara.

Havia engenheiros agitados em volta da câmara de reação principal, como médicos com um paciente em estado crítico, tentando fazê-lo resistir um pouco mais. Na frente disso tudo, a contagem regressiva apareceu.

1174:21:11, 1174:21:10, 1174:21:09, 1174:21:08...

Interrompa. Tente. Wang pensou nas palavras de Shen.

— Quanto tempo levaria para desmontar completamente os sensores? — perguntou Wang.

— Quatro ou cinco dias. — Agora que o diretor do laboratório via uma fagulha de esperança, acrescentou às pressas: — Se a gente acelerar, vai levar só três dias. Posso garantir, chefe Wang!

Não estarei cedendo, pensou Wang. *O equipamento precisa mesmo de manutenção, então é preciso interromper temporariamente o experimento. Não tem nenhum outro motivo.* Wang se virou para o diretor do laboratório e olhou para ele através da contagem flutuante.

— Interrompa o experimento e realize a manutenção. Cumpra o cronograma prometido.

— Sem problema, chefe Wang. Vou passar um cronograma atualizado imediatamente. Podemos interromper a reação hoje à tarde!

— Podem interrompê-la agora mesmo.

O diretor o encarou, incrédulo, mas logo se empolgou de novo, como se tivesse medo de perder a oportunidade. Pegou o telefone e anunciou a ordem de interromper a reação. Pesquisadores e técnicos, todos exaustos, também se empolgaram. Sem perder um segundo, começaram o processo de desligamento da câmara de reação principal, acessando centenas de comutadores complexos. As diversas telas de controle foram se apagando, uma a uma, até a tela principal demonstrar que câmara de reação estava com seu status interrompido.

Quase ao mesmo tempo, a contagem regressiva nos olhos de Wang também parou. A última sequência era *1174:10:07*. Alguns segundos depois, os números piscaram e sumiram.

Quando o mundo voltou ao normal, livre dos números fantasmagóricos, Wang soltou um suspiro demorado, como se acabasse de subir à superfície depois de ficar muito tempo embaixo d'água. Esgotado, sentou-se e percebeu que as outras pessoas ainda estavam olhando para ele.

Wang se virou para o diretor do laboratório.

— A manutenção dos sistemas é responsabilidade da Divisão de Equipamentos. Que tal vocês todos do grupo de pesquisa tirarem alguns dias de folga? Sei que todo mundo tem trabalhado muito.

— Chefe Wang, o senhor também está cansado. O engenheiro-chefe Zhang pode tomar conta de tudo por aqui. Por que o senhor não volta para casa e descansa também?

— Sim, *estou* cansado — respondeu Wang.

Depois que o diretor do laboratório foi embora, Wang pegou o celular e ligou para Shen Yufei. Ela atendeu depois de um toque.

— Quem ou o que está por trás disso? — perguntou Wang, tentando sem sucesso falar com um tom de voz calmo.

Silêncio.

— O que vai acontecer quando a contagem terminar?

Mais silêncio.

— Você está me ouvindo?

— Estou.

— Por que nanomateriais? Isso não é um acelerador de partículas. Só pesquisa aplicada. Por acaso é digno de atenção?

— Não cabe a nós decidir se algo é ou não é digno de atenção.

— Já chega! — gritou Wang no telefone. De repente, o terror e o desespero dos últimos dias se transformaram em uma fúria incontrolável. — Você acha mesmo que serei enganado com esses truques fajutos? Acha que podem impedir o progresso da tecnologia? Confesso que, por enquanto, não consigo explicar como vocês estão fazendo isso. Mas é só porque não pude ver através da cortina do seu ilusionista barato.

— Quer dizer que você gostaria de ver a contagem regressiva em uma escala ainda maior?

A pergunta de Shen deixou Wang atordoado por um instante. Ele fez o possível para se acalmar, para não cair em uma armadilha.

— Pode guardar seus truques. E daí se você me mostrar em uma escala maior? Vai continuar sendo apenas uma ilusão. Vocês podem projetar um holograma no céu, como a Otan fez na última guerra. Com um laser potente o bastante, poderiam até projetar uma imagem na superfície da Lua! O franco-atirador e o criador de aves seriam capazes de manipular os elementos em uma escala inacessível aos seres humanos. Por exemplo, vocês podem fazer a contagem regressiva aparecer na superfície solar?

Wang ficou de boca aberta. Estava chocado com as próprias palavras. Sem se dar conta, citara as duas hipóteses que devia ter evitado. Sentia-se prestes a cair na mesma armadilha mental que capturara as outras vítimas.

— Não posso prever todos os seus truques — continuou ele, tentando tomar a iniciativa. — Talvez seu ilusionista fajuto consiga dar um jeito de fazer com que essa farsa parecesse real até no sol. Uma demonstração convincente de verdade precisa ser feita em uma escala ainda maior.

— A questão é se você aguenta — disse Shen. — Somos amigos. Quero ajudá-lo a *evitar* a sina de Yang Dong.

A referência ao nome de Yang provocou arrepios em Wang. Porém, sentindo outra onda de raiva, agiu impulsivamente.

— Você vai aceitar meu desafio?

— Claro.

— O que vocês vão fazer?

— Você tem um computador ligado à internet? Certo, acesse o seguinte site: www.qsl.net/bg3tt/zl/mesdm.htm. Abriu? Agora imprima a página e fique com ela.

Wang viu que o site era apenas uma tabela de código Morse.

— Não entendi. Isto...

— Nos próximos dois dias, por favor, vá para algum lugar onde seja possível ver a radiação cósmica de fundo em micro-ondas. Vou enviar os detalhes para seu e-mail.

— O que... o que você vai fazer?

— Eu sei que seu projeto em nanomateriais foi interrompido. Você pretende retomá-lo?

— Claro. Daqui a três dias.

— Então a contagem regressiva vai continuar.

— Vou ver em que escala?

Seguiu-se um longo silêncio. Aquela mulher, que estava agindo como porta--voz de alguma força além de qualquer compreensão humana, cortou todas as saídas de Wang.

— Daqui a três dias, no dia 14, entre uma e cinco da manhã, o universo inteiro vai piscar para você.

7. *TRÊS CORPOS*: O REI WEN DE ZHOU E A LONGA NOITE

Wang ligou para Ding Yi. Só quando Ding atendeu o telefone foi que Wang se deu conta de que já era uma da manhã.

— Aqui é Wang Miao. Sinto muito por ligar tão tarde.

— Não tem problema. Não consigo dormir mesmo.

— Eu... vi algo e gostaria de sua ajuda. Você conhece alguma instituição na China que esteja observando a radiação cósmica de fundo em micro-ondas?

Embora Wang sentisse vontade de conversar com alguém sobre o que estava acontecendo, achou que seria melhor não deixar muita gente saber da contagem que só ele enxergava.

— Radiação cósmica de fundo em micro-ondas? Por que você se interessou por isso? Acho que você deve ter encontrado mesmo algum problema... Já foi ver a mãe de Yang Dong?

— Ah... sinto muito. Esqueci.

— Sem problema. Hoje em dia, muitos cientistas já viram... algo, como você. Todo mundo está distraído. Mas ainda acho que é melhor você fazer uma visita à mãe de Yang, que está bastante idosa e se recusa a contratar uma cuidadora. Se ela tiver alguma coisa que não consiga fazer sozinha na casa, por favor, dê uma ajuda... Ah, sim, a radiação cósmica de fundo em micro-ondas. Pode perguntar isso para a mãe de Yang. Antes de se aposentar, ela era astrofísica. Conhece bem essas instituições da China.

— Ótimo! Vou visitá-la hoje, depois do trabalho.

— Então já agradeço agora. Realmente não consigo mais olhar para nada que me lembre Yang Dong.

Depois de desligar o telefone, Wang se sentou na frente do computador e imprimiu uma tabela simples de código Morse. Já estava calmo o bastante para não pensar mais na contagem regressiva. Ficou refletindo sobre a Fronteiras da Ciência, Shen Yufei e o jogo de computador que ela estava rodando. A única certeza que tinha em relação a Shen era que ela não era o tipo de pessoa que gostava de jogos de computador. Shen era monossilábica e sempre dava a impressão de ser extremamente fria. Não era a frieza que algumas pessoas adotam como uma máscara — a frieza de Shen a preenchia por completo.

De modo inconsciente, Wang pensou nela como o sistema operacional extremamente obsoleto DOS: uma tela preta vazia, uma orientação de comando "C:\>" simples, um cursor piscante. O que fosse digitado, o comando repetia. Nenhuma letra a mais, nenhuma mudança. Só que Wang descobrira que por trás do "C:\>" havia um abismo infinito.

Ela está mesmo interessada em um jogo? Um jogo que exige um traje V? Ela não tem filhos, então comprou o traje para uso próprio. Esse pensamento é absurdo.

Wang digitou o endereço da página no navegador. Tinha sido fácil decorar: www.3corpos.net. O site indicava que o jogo só oferecia acesso via traje V. Wang lembrou que a sala de descanso dos funcionários no Centro de Pesquisa em Nanotecnologia tinha um traje V. Ele saiu do laboratório principal, que já estava vazio, e foi até a sala da segurança para pegar a chave. Na sala de descanso, passou por mesas de sinuca e aparelhos de ginástica e viu o traje V do lado de um computador. Penou para vestir a jaqueta de resposta sensorial, colocou o capacete com visor panorâmico e ligou o computador.

Após entrar no jogo, Wang se viu no meio de uma planície desolada ao amanhecer. A planície era parda, indistinta, e era difícil perceber qualquer detalhe. Ao longe, um fiapo de luz branca no horizonte. O resto do céu estava coberto por estrelas cintilantes.

Aconteceu uma explosão barulhenta, e duas montanhas incandescentes caíram na terra distante. Uma luminosidade vermelha banhou a planície inteira. Quando a poeira enfim baixou, Wang avistou duas palavras gigantescas erguidas entre a terra e o céu: TRÊS CORPOS.

Em seguida, uma tela de cadastro. Wang criou o login "Hairen" e entrou.*

A planície continuava desolada, mas agora os compressores do traje V zumbiram e começaram a funcionar, e Wang sentiu rajadas de ar frio no corpo. Diante dele, apareceram duas figuras caminhando, duas silhuetas escuras contra a luz da alvorada. Wang correu até elas.

---

* Hairen (海人) significa "Homem do Mar". É um trocadilho com o nome de Wang Miao (汪森), que pode significar "mar".

Constatou que as duas figuras eram masculinas. Os dois usavam longos mantos esburacados e se cobriam com peles de animais sujas. Cada um portava uma espada curta e larga de bronze. Um deles, que carregava um baú de madeira com metade de sua altura, se virou para encarar Wang. O rosto do homem estava tão sujo e enrugado quanto a pele de animal que o protegia, mas seus olhos eram aguçados e vivos, e as pupilas cintilavam com o brilho da manhã.

— Está frio — disse ele.

— Sim, muito frio.

— Este é o Período dos Reinos Combatentes — disse o homem, com o baú nas costas. — Eu sou o rei Wen de Zhou.

— Se não me engano, o rei Wen não pertence ao Período dos Reinos Combatentes — disse Wang.*

— Ele sobreviveu até agora — respondeu o outro homem. — O rei Zhou de Shang** também está vivo. Eu sou um seguidor do rei Wen. Na verdade, o meu login é este: "Seguidor do rei Wen de Zhou". Ele é um gênio, sabia?

— Meu login é "Hairen". O que você está levando nas costas?

O rei Wen colocou o baú retangular no chão e o deixou em pé. Abriu uma das laterais como se fosse uma porta e revelou cinco compartimentos internos. Com a luz fraca, Wang viu que todas as camadas tinham um montinho de areia. Cada compartimento parecia receber areia do compartimento de cima, por um buraco pequeno.

— Uma espécie de ampulheta. A cada oito horas, toda a areia vai para a base. Ao virarmos três vezes, contamos um dia. Só que muitas vezes eu me esqueço de virar, então preciso do Seguidor para me lembrar.

— Vocês parecem estar percorrendo uma jornada muito longa. É preciso levar um relógio tão grande?

— De que outra forma mediríamos o tempo?

— Um relógio solar portátil seria muito mais conveniente. Ou então bastaria olhar para o sol e estimar o horário.

O rei Wen e o Seguidor trocaram um olhar e, em seguida, se viraram ao mesmo tempo para Wang, olhando-o como se fosse um idiota.

— O sol? Como é que o sol pode nos dizer a hora? Estamos no meio de uma Era Caótica.

---

* O Período dos Reinos Combatentes se estendeu de 465 a.C. até 221 a.C. Mas o rei Wen de Zhou governou muito antes, entre 1099 a.C. e 1050 a.C. Ele é considerado o fundador da dinastia Zhou, que derrocou a corrupta dinastia Shang.

** O rei Zhou de Shang governou entre 1075 a.C. e 1046 a.C. Foi o último rei da dinastia Shang e um notório tirano na história da China.

Wang estava prestes a perguntar o que significava aquele estranho termo quando o Seguidor soltou um grito de lamento.

— Está muito frio! Vou morrer de frio!

Wang também sentia muito frio. Porém, como na maioria dos jogos bastava tirar o traje v para que o sistema deletasse o login imediatamente, ele não podia tirá-lo.

— Quando o sol nascer, vai esquentar — disse.

— Você está fingindo ser algum oráculo? Nem mesmo o rei Wen consegue prever o futuro. — O Seguidor balançou a cabeça, cheio de desdém.

— O que é que isso tem a ver com prever o futuro? É claro que o sol vai nascer daqui a uma ou duas horas. — Wang apontou para o fiapo de luz em cima do horizonte.

— Esta é uma Era Caótica!

— O que é uma Era Caótica?

— Sem contar as Eras Estáveis, todas as outras épocas são Eras Caóticas — respondeu o rei Wen, como se tivesse falado com uma criança ignorante.

Como para pontuar suas palavras, a luz no horizonte diminuiu e desapareceu logo depois. A noite cobriu tudo. As estrelas no céu ficaram ainda mais brilhantes.

— Então aquilo foi o crepúsculo, e não a alvorada? — perguntou Wang.

— Agora é manhã. Mas nem sempre o sol nasce de manhã. Assim são as Eras Caóticas.

Wang estava achando difícil suportar o frio.

— Parece que o sol vai demorar muito para sair — disse, estremecendo e apontando para o horizonte indistinto.

— Por que você acha isso? É impossível ter certeza. Já falei, esta é uma Era Caótica. — O Seguidor se virou para o rei Wen. — Posso comer um pouco de peixe desidratado?

— De jeito nenhum. — O tom da voz do rei Wen não admitia discussão. — O que eu tenho mal dá para mim. Precisamos garantir que *eu* chegue a Zhao Ge, não você.*

Enquanto eles falavam, Wang percebeu que o céu começou a clarear em outra parte do horizonte. Não sabia ao certo as direções da bússola, mas tinha certeza de que, dessa vez, a direção era diferente da anterior. O céu ficou mais claro, e logo o sol daquele mundo nasceu. Era pequeno e azulado, como uma lua muito luminosa. Ainda assim, Wang sentiu um pouco de calor e pôde ver melhor a paisagem ao redor. Mas o dia não durou. O sol percorreu um arco pequeno por cima do horizonte e logo se pôs. A noite e o frio congelante voltaram a dominar tudo.

* Zhao Ge era a capital da China de Shang, onde ficava a corte do rei Zhou.

Os três viajantes pararam diante de uma árvore morta. O rei Wen e o Seguidor pegaram as espadas de bronze para cortar lenha, e Wang fez uma pilha com as toras. O Seguidor apanhou uma pedra e bateu com ela na lâmina da espada, até produzir faíscas. O calor da fogueira logo aqueceu a parte da frente do traje v de Wang, mas as costas continuavam frias.

— Devíamos queimar alguns dos corpos desidratados — disse o Seguidor. — Aí poderíamos fazer uma fogueira forte!

— Tire essa ideia da cabeça. Só o tirano rei Zhou faria algo assim.

— Vimos muitos corpos desidratados espalhados pela estrada. Como estavam rasgados, não poderão ser revividos quando forem reidratados. Se sua teoria funcionar de fato, que importa se queimarmos um ou outro? Podemos até comer alguns. O que são algumas vidas comparadas à importância de sua teoria?

— Pare com esse absurdo! Somos intelectuais!

Depois que a fogueira se extinguiu, os três continuaram a viagem. Como não conversaram muito, o sistema do jogo acelerou a passagem do tempo. O rei Wen girou depressa a ampulheta nas costas seis vezes, indicando o transcorrer de dois dias. O sol não nasceu nenhuma vez, nem sequer um vislumbre de luz no horizonte.

— Parece que o sol não vai nascer nunca mais — comentou Wang. Ele abriu o menu do jogo para dar uma olhada na barra de vida que, por causa do frio extremo, estava diminuindo constantemente.

— Você está fingindo de novo que é um oráculo — disse o Seguidor. Porém, dessa vez, ele e Wang terminaram a frase juntos. — Esta é uma Era Caótica!

No entanto, pouco depois, a aurora despontou no horizonte. O céu se iluminou rapidamente, e o sol subiu. Wang percebeu que, dessa vez, o sol era gigantesco. Quando apenas metade dele tinha nascido, ocupava pelo menos um quinto do horizonte visível. Os três viajantes foram cobertos por ondas de calor, e Wang sentiu-se revigorado. Mas, quando olhou para o rei Wen e o Seguidor, viu que a expressão dos dois era de terror, como se estivessem diante de um demônio.

— Rápido! Encontrem uma sombra! — gritou o Seguidor. Wang correu junto com eles. Os três se abaixaram atrás de uma pedra grande. A sombra da pedra foi diminuindo aos poucos. A terra ao redor ardia tanto que parecia estar em chamas. O gelo perpétuo abaixo deles derreteu depressa, e a superfície rígida do chão se transformou em um mar de lama, agitado por ondas de calor. Wang suava em profusão.

Quando o sol estava a pino, os três cobriram a cabeça com as peles de animal, mas a luz intensa ainda atravessava como flechas os buracos e as frestas. Eles contornaram a pedra até conseguirem abrigo em uma nova sombra, que tinha acabado de se formar do outro lado.

Após o pôr do sol, o ar continuou quente e abafado. Ensopados de suor, os viajantes se sentaram em cima da pedra.

— Viajar durante uma Era Caótica é como caminhar no inferno — disse o Seguidor, desanimado. — Não aguento mais. E ainda por cima não comi nada porque você não quis me dar nenhum peixe desidratado e não quer me deixar comer os corpos desidratados. O que...

— A única opção é desidratar você — disse o rei Wen, abanando-se com um pedaço de pele.

— Você não vai me abandonar depois, vai?

— Claro que não. Prometo levá-lo a Zhao Ge.

O Seguidor tirou o manto encharcado e, nu, se deitou no chão lamacento. Com os últimos raios de luz do sol já abaixo do horizonte, Wang viu água escorrendo do corpo do Seguidor. Ele sabia que não era mais suor. Toda a água do corpo dele estava sendo eliminada e espremida. O líquido formou alguns córregos pequenos na lama. O corpo amoleceu e se deformou, como uma vela derretida.

Dez minutos depois, toda a água fora expelida. No chão, o Seguidor tinha se transformado em um pedaço de couro com formato de homem. Os traços do rosto haviam se apagado e estavam indistintos.

— Ele morreu? — perguntou Wang, que se lembrava de ter visto pedaços de couro com formato de homens espalhados pela estrada. Alguns estavam rasgados e incompletos. Imaginou que fossem os corpos desidratados que o Seguidor havia mencionado.

— Não — respondeu o rei Wen. Depois de limpar a lama e a poeira, ele estendeu a pele do Seguidor em cima da pedra, enrolando-a como um balão sem ar. — Ele vai se recuperar daqui a pouco, quando o pusermos na água. É que nem quando colocamos cogumelos desidratados na água.

— Até os ossos ficaram moles?

— Sim. O esqueleto dele foi transformado em fibras desidratadas. Assim fica fácil de carregar.

— Neste mundo, qualquer um pode se desidratar e ser reidratado?

— Claro. Você também. Caso contrário, seria impossível sobreviver às Eras Caóticas. — O rei Wen entregou a pele enrolada para Wang. — Leve o Seguidor. Se abandoná-lo na estrada, ele vai ser queimado ou comido.

Wang recebeu a pele, um rolo apertado. Segurou aquilo debaixo do braço, e a sensação não foi assim tão estranha.

Com o Seguidor desidratado a cargo de Wang e a ampulheta nas costas do rei Wen, os dois retomaram a árdua viagem. Como nos dias anteriores, o progresso do sol não possuía nenhum padrão naquele mundo. Após uma noite longa e gélida que durava um período equivalente a vários dias, podia acontecer um dia curto e escaldante, e vice-versa. Os dois dependiam um do outro para sobreviver, acendendo fogueiras para resistir ao frio e mergulhando em lagos para fugir do calor.

Pelo menos o jogo acelerava o tempo. Um mês podia passar em meia hora de partida. Com isso, a viagem pela Era Caótica ao menos era tolerável para Wang.

Certo dia, após uma longa noite que durou quase uma semana (conforme a medição da ampulheta), o rei Wen deu um grito súbito de alegria ao apontar para o céu noturno.

— Estrelas voadoras! Duas estrelas voadoras!

Na verdade, Wang já havia percebido aqueles estranhos corpos celestes. Eram maiores que as estrelas e pareciam discos mais ou menos do tamanho de bolas de pingue-pongue. Deslocavam-se pelo céu a uma velocidade alta o bastante para que fosse possível identificar o movimento a olho nu. Mas era a primeira vez que uma dupla aparecia ao mesmo tempo.

— Sempre que aparecem duas estrelas voadoras — explicou o rei Wen —, significa que está prestes a começar uma Era Estável.

— Já vimos estrelas voadoras antes.

— Sim, mas só uma de cada vez.

— O máximo que dá para ver são duas?

— Não. Às vezes, aparecem três, mas não mais que isso.

— Se aparecerem três estrelas voadoras, é sinal de uma era ainda melhor?

O rei Wen encarou Wang com uma expressão assustada.

— O que você está falando? Três estrelas voadoras... reze para que isso nunca aconteça.

O rei Wen tinha razão. A desejada Era Estável logo teve início. A aurora e o pôr do sol começaram a seguir um padrão. O ciclo de dias e noites passou a se estabilizar em um período de dezoito horas. A alternância sistemática do dia e da noite fez com que o clima ficasse agradável e ameno.

— Quanto tempo dura uma Era Estável? — perguntou Wang.

— Pode ser breve como um dia ou longa como um século. Ninguém consegue prever a duração. — O rei Wen se sentou na ampulheta e levantou a cabeça para olhar o sol do meio-dia. — Segundo documentos históricos, a dinastia Zhou Ocidental viveu uma Era Estável que durou dois séculos. Que sorte nascer em uma época assim!

— Então quanto tempo dura uma Era Caótica?

— Já falei. Tirando as Eras Estáveis, as demais são Eras Caóticas. Cada uma ocupa o tempo não utilizado pelas outras.

— Quer dizer que este é um mundo onde não existem padrões?

— Exatamente. A civilização só pode se desenvolver no clima ameno das Eras Estáveis. Na maior parte do tempo, a humanidade precisa se desidratar e permanecer armazenada. Quando chega uma Era Estável duradoura, todos são revividos através da reidratação. E então as pessoas começam a construir e produzir.

— Como é possível prever a chegada e a duração de cada Era Estável?

— Como já disse, ninguém conseguiu fazer isso. Quando chega uma Era Estável, o rei decide com base na intuição se deve começar a reidratação em massa. Muitas vezes as pessoas são revividas, as plantações são semeadas, as cidades são construídas, a vida está prestes a ser retomada... e aí a Era Estável acaba. Frio e calor extremos logo destroem tudo. — O rei Wen estava apontando para Wang, com um brilho nos olhos. — Agora você sabe o objetivo deste jogo: usar o intelecto e o conhecimento para analisar todos os fenômenos até descobrir o padrão dos movimentos do sol. A sobrevivência da civilização depende disso.

— Com base em minhas observações, não existe padrão nenhum para os movimentos do sol.

— Isso se deve ao fato de que você não compreende a natureza fundamental do mundo.

— E você compreende?

— Sim. Por isso mesmo estou indo a Zhao Ge. Vou apresentar ao rei Zhou um calendário detalhado.

— Mas não vi sinal algum nesta viagem de que seja possível criar algo parecido.

— Prever o deslocamento do sol é possível apenas em Zhao Ge, pois é lá que yin e yang se encontram. Somente lá a sorte tirada é correta.

Os dois prosseguiram em meio às condições severas de mais uma Era Caótica, interrompida brevemente por uma curta Era Estável, até enfim chegarem a Zhao Ge.

Wang ouviu um rugido incessante que parecia um trovão. O som era gerado pelos vários pêndulos gigantes espalhados ao longo de Zhao Ge, todos com dezenas de metros de altura. Cada pêndulo era composto por uma rocha gigante suspensa por uma corda grossa, presa a uma ponte que ligava o topo de duas torres finas de pedra.

Todos os pêndulos estavam balançando, e o movimento era mantido por soldados em armaduras. Entoando cantos incompreensíveis, esses soldados puxavam de maneira ritmada cordas ligadas às rochas gigantes, aumentando o arco dos pêndulos quando eles perdiam velocidade. Wang percebeu que todos os pêndulos oscilavam em sincronia. De longe, a cena era magnífica: era como se vários relógios gigantescos tivessem sido erguidos na Terra, ou como se símbolos abstratos colossais tivessem caído do céu.

Os pêndulos gigantes cercavam uma pirâmide ainda mais imensa, uma montanha alta em meio às trevas da noite. Era o palácio do rei Zhou. Wang acompanhou o rei Wen por uma porta baixa na base da pirâmide, diante da qual alguns soldados patrulhavam na escuridão, silenciosos como fantasmas. A porta se abria para um túnel escuro, longo e estreito, que avançava pirâmide adentro, iluminado por algumas tochas.

O rei Wen conversava com Wang enquanto caminhavam.

— Durante uma Era Caótica, o país inteiro é desidratado. Mas o rei Zhou permanece desperto, um companheiro para a terra inerte. Para sobreviver a uma Era Caótica, é preciso morar em edifícios de paredes grossas como este e levar uma vida como no subterrâneo. Só assim é possível evitar o calor e o frio extremos.

Depois de percorrerem o túnel por muito tempo, os dois enfim chegaram ao Grande Salão no centro da pirâmide. Na verdade, o salão nem era tão grande assim, e Wang achou que lembrava uma caverna. Sem dúvida, o homem sentado em um estrado e coberto por uma pele multicolorida era o rei Zhou. Porém, o que chamou a atenção de Wang foi um homem vestido todo de preto. O manto preto se misturava com as sombras densas do Grande Salão, e o rosto pálido parecia estar flutuando.

— Este é Fu Xi* — disse o rei Zhou, apresentando o homem de preto a Wang e ao rei Wen. Ele falou como se Wang e o rei Wen já estivessem ali e o homem de preto fosse o recém-chegado. — Ele acredita que o sol seja um deus temperamental. Quando o deus está acordado, seu humor é imprevisível, o que resulta em uma Era Caótica. Mas, quando dorme, sua respiração normaliza, o que resulta em uma Era Estável. Fu Xi sugeriu que eu construísse e deixasse aqueles pêndulos que vocês viram lá fora em movimento constante. Afirma que os pêndulos podem exercer um efeito hipnótico no deus sol e fazê-lo mergulhar em um sono prolongado. Como podemos ver, até agora o deus sol continua acordado, embora de vez em quando pareça tirar um cochilo rápido.

O rei Zhou fez um gesto com as mãos, e alguns criados trouxeram uma panela de barro e a depositaram na pequena mesa de pedra diante de Fu Xi. Mais tarde, Wang descobriu que era uma panela de sopa condimentada. Fu Xi suspirou, ergueu a panela e bebeu em goles enormes: o barulho de sua garganta ecoou na escuridão como os batimentos de um coração gigante. Após engolir metade da sopa, virou o restante da panela sobre o próprio corpo. Em seguida, jogou a panela no chão e foi até um imenso caldeirão de bronze, suspenso acima de uma fogueira no canto do Grande Salão. Subiu na beirada do caldeirão e pulou para dentro, fazendo subir uma nuvem de vapor.

---

* Fu Xi é o primeiro dos Três Soberanos, uma figura mitológica chinesa. Ele foi um dos progenitores da raça humana, junto com a deusa Nüwa.

— Sente-se, Ji Chang* — pediu o rei Zhou. — Vamos comer daqui a pouco. — Ele apontou para o caldeirão.

— Feitiçaria insensata — disse o rei Wen, lançando um olhar desdenhoso para o caldeirão.

— O que você descobriu sobre o sol? — perguntou o rei Zhou. A luz das chamas dançava em seus olhos.

— O sol não é um deus. O sol é yang, e a noite é yin. O mundo existe no equilíbrio entre yin e yang. Embora não possamos controlar o processo, podemos prevê-lo. — O rei Wen apanhou a espada de bronze e traçou um símbolo de yin--yang no chão, sob a fraca luz da fogueira. Em seguida, escavou os 64 hexagramas do *I Ching* em volta do símbolo, e o conjunto todo parecia uma roda de calendário. — Meu rei, este é o código do universo. Com ele, posso oferecer à sua dinastia um calendário preciso.

— Ji Chang, preciso saber quando virá a próxima Era Estável longa.

— Vou prevê-la para o senhor agora mesmo — respondeu o rei Wen. Ele se sentou de pernas cruzadas no meio do símbolo de yin-yang. Ergueu a cabeça para o teto do Grande Salão, e seu olhar parecia atravessar as pedras grossas da pirâmide e alcançar as estrelas. Os dedos das mãos começaram uma série de movimentos rápidos e complexos, como peças de uma máquina de calcular. Em meio ao silêncio, apenas a sopa no caldeirão emitia algum ruído, fervendo e borbulhando como se o xamã que estava sendo cozido ali dentro falasse durante o sono.

O rei Wen se levantou no meio do símbolo de yin-yang. Com a cabeça ainda apontada para o teto, ele disse:

— A próxima será uma Era Caótica de quarenta e um dias. Depois virá uma Era Estável de cinco dias. Em seguida, uma Era Caótica de vinte e três dias, e então uma Era Estável de dezoito dias. Depois teremos uma Era Caótica de oito dias. Mas, quando essa Era Caótica terminar, a Era Estável duradoura tão esperada pelo senhor, meu rei, começará. Essa Era Estável vai durar três anos e nove meses. Terá um clima tão ameno que será uma época dourada.

— Antes precisamos verificar suas previsões iniciais — disse o rei Zhou, impassível.

Wang ouviu um tremor alto vindo de cima. Uma placa de pedra no teto do Grande Salão se abriu, revelando uma passagem quadrada. Wang se ajeitou e viu que a passagem levava a outro túnel, que subia pelo centro da pirâmide. No final desse túnel, avistou algumas estrelas cintilantes.

O tempo do jogo se acelerou. De tantos em tantos segundos do tempo real, dois soldados giravam a ampulheta trazida pelo rei Wen, indicando a passagem

---

* Ji Chang é o nome de nascimento do rei Wen.

de oito horas do tempo do jogo. A abertura no teto exibia luzes aleatórias, e de vez em quando um raio solar de uma Era Caótica irrompia no Grande Salão. Às vezes, a luz era fraca, como o luar. Às vezes, era muito forte, e o quadrado branco incandescente projetado no chão brilhava tanto que fazia as tochas do Grande Salão parecerem fracas.

Wang continuou contando as viradas da ampulheta. Depois de mais ou menos cento e vinte viradas, o aspecto da luz solar que entrava pelo buraco no teto se regularizou. Tratava-se do começo da primeira das Eras Estáveis previstas.

Passadas mais quinze viradas da ampulheta, a luz cintilante da abertura voltou a ficar aleatória, o começo de mais uma Era Caótica. Seguiu-se outra Era Estável e outra Caótica. Os pontos de início e a duração das diversas eras não batiam exatamente com as previsões do rei Wen, mas chegavam perto. Ao fim de mais uma Era Caótica de oito dias, a Era Estável duradoura prevista por ele começou.

Wang continuou contando as viradas da ampulheta. Passaram-se vinte dias, e a luz que entrava no Grande Salão seguiu um padrão preciso. O tempo do jogo voltou à velocidade normal.

O rei Zhou gesticulou com a cabeça para o rei Wen.

— Construirei um monumento em sua homenagem, maior ainda que este palácio.

O rei Wen fez uma reverência profunda.

— Meu rei, desperte sua dinastia e permita que ela prospere!

O rei Zhou se levantou no estrado e abriu os braços, como se quisesse envolver o mundo inteiro. Com uma voz estranha e transcendental, começou a entoar:

— Re-i-dra-tar...

Assim que a ordem foi dada, todo mundo que estava no Grande Salão correu para a porta. Wang seguiu o rei Wen de perto, e os dois saíram da pirâmide pelo túnel comprido por onde haviam entrado. Do lado de fora, Wang viu o sol de meio-dia cobrir a terra de calor. Em uma brisa no ar, sentiu as fragrâncias da primavera. O rei Wen e Wang foram juntos até um lago ali perto. O gelo na superfície da água havia derretido, e a luz do sol dançava em meio às marolas suaves.

Uma coluna de soldados urrava "Reidratar! Reidratar!" ao passar correndo na direção de um grande edifício de pedra, com a forma de um silo, situado perto do lago. Na estrada que levava a Zhao Ge, Wang vira muitos edifícios semelhantes, e o rei Wen contara que eram chamados de desidratórios, depósitos que armazenavam os corpos desidratados. Os soldados abriram as pesadas portas de pedra do desidratório e tiraram rolos de peles empoeiradas. Cada um andou até a margem do lago e jogou os rolos na água. Assim que encostavam na água, as peles começavam a se desenrolar e esticar. Em pouco tempo, o lago estava coberto por uma camada de peles flutuantes de formato humano, e cada uma se expandia ao absorver água. Aos poucos, as silhuetas humanas de pele se transformaram em corpos de carne e osso, que começaram a mostrar sinais de vida. Uma a uma, as pessoas se levantavam com esforço no lago, com a água batendo na cintura. Todas encaravam o mundo ensolarado com olhos escancarados, como se tivessem acabado de acordar de um sonho.

— Reidratar! — gritou um homem.

— Reidratar! Reidratar! — repetiram alegremente outras vozes.

Todos saíram do lago e correram nus até o desidratório. Pegaram mais peles e jogaram na água: ainda mais pessoas revividas saíram do lago. A cena se repetiu em cada lago e em cada lagoa. O mundo inteiro estava voltando à vida.

— Oh, céus! Meu dedo!

No meio do lago, Wang viu um homem que havia acabado de ser revivido. Ele estava segurando uma das mãos e chorando. A mão estava sem o dedo médio, e o ferimento jorrava sangue na água. Outras pessoas, também recém-revividas, passaram felizes por ele em direção à margem, ignorando-o.

— Você ainda teve sorte — alguém disse ao homem. — Alguns perderam o braço ou toda a perna. Outros tiveram a cabeça inteirinha roída por ratos. Se a reidratação demorasse mais, talvez todo mundo acabasse virando comida dos ratos das Eras Caóticas.

— Ficamos desidratados por quanto tempo? — perguntou um dos revividos.

— Dá para ter uma ideia pela camada de poeira em cima do palácio. Ouvi dizer agora há pouco que o rei não é mais o mesmo. Mas não sei se é o filho ou o neto do rei antigo.

O trabalho de reidratação levou oito dias. Todos os corpos desidratados que estavam armazenados foram revividos, e o mundo ganhou vida nova. Ao longo desses oito dias, o povo desfrutou de ciclos regulares de aurora e pôr do sol, cada ciclo com exatamente vinte horas de duração. Aproveitando o clima de primavera, todos pronunciaram louvores emocionados ao sol e aos deuses que regiam o mundo.

Na noite do oitavo dia, as fogueiras espalhadas pelo mundo pareciam ainda mais numerosas que as estrelas no céu. As ruínas das cidades abandonadas durante as Eras Caóticas voltaram a se encher de sons e luzes. Como em todas as reidratações em massa do passado, as pessoas passariam a noite toda celebrando a vida nova que começaria após o amanhecer.

Mas o amanhecer não veio.

Todo dispositivo de medição de tempo indicava que a hora do nascer do sol já havia passado, mas o horizonte permanecia escuro em todas as direções. Mesmo depois de dez horas, nada de sinal do sol, nem sequer uma insinuação mínima de alvorada. A noite eterna durou um, dois dias inteiros. O frio agora pesava sobre a terra como uma mão gigantesca.

Dentro da pirâmide, o rei Wen se ajoelhou diante do rei Zhou.

— Meu rei — implorou ele —, por favor, não perca a fé em mim. Esta é uma situação temporária. Eu vi o yang do universo se agrupar, e o sol nascerá logo. A Era Estável e a primavera continuarão!

— Vamos começar a esquentar o caldeirão — disse o rei Zhou, suspirando.

— Rei! Rei! — Um ministro chegou correndo aos trancos pela entrada cavernosa do Grande Salão. — Tem... tem três estrelas voadoras no céu!

As pessoas dentro do Grande Salão ficaram atordoadas. O ar pareceu congelar. Só o rei Zhou permaneceu impassível. Ele se virou para Wang, com quem nunca havia trocado uma palavra.

— Você ainda não compreende o que o aparecimento das três estrelas voadoras representa, não é? Ji Chang, que tal você explicar?

— Elas indicam a chegada de um longo período de frio extremo, suficiente para transformar pedra em pó.

O rei Wen suspirou.

— De-si-dra-tar... — entoou mais uma vez o rei Zhou naquela voz estranha e transcendental. Fora da pirâmide, as pessoas já haviam começado o processo, se transformando outra vez em corpos desidratados para sobreviver à longa noite que se aproximava. Os mais sortudos tiveram tempo de ser estocados nos desidratórios, mas muitos sem a mesma estrela foram abandonados nos campos vazios.

O rei Wen se levantou devagar e foi até o caldeirão em cima da fogueira intensa no canto do Grande Salão. Ele subiu na beirada do caldeirão e parou por uns segundos antes de pular para dentro. Talvez tivesse visto o rosto completamente cozido de Fu Xi rindo no meio da sopa.

— Deixem o fogo baixo — ordenou o rei Zhou, com a voz fraca. Virando-se para os outros, disse: — Vocês podem sair, se quiserem. O jogo não é mais divertido quando chega neste ponto.

Uma placa vermelha com a palavra SAÍDA apareceu em cima da entrada cavernosa do Grande Salão. Os jogadores seguiram em sua direção, logo sendo acompanhados por Wang. Eles percorreram o túnel comprido até enfim chegarem ao lado de fora da pirâmide. Foram recebidos por uma nevasca pesada sob o céu noturno. Wang tremeu com o frio penetrante, e um sinalizador em um canto do céu indicou que o tempo do jogo fora acelerado de novo.

A neve prosseguiu sem trégua durante dez dias. A essa altura, os flocos eram grandes e pesados, como sólidos pedaços de escuridão.

— A neve agora é composta de dióxido de carbono solidificado — sussurrou alguém perto de Wang. — Em outras palavras, gelo seco. — Wang se virou e percebeu que o interlocutor era o Seguidor.

Ao fim de mais dez dias, os flocos ficaram finos e translúcidos. Sob a luz fraca das poucas tochas na entrada do túnel comprido, os flocos de neve emitiam um brilho azulado suave, como se fossem pedaços dançantes de mica.

— Esses flocos agora são compostos de oxigênio e nitrogênio sólido. A atmosfera está desaparecendo por sedimentação, o que significa que a temperatura está perto do zero absoluto.

Aos poucos, a neve soterrou a pirâmide. As camadas inferiores eram formadas por neve de água; já as seguintes eram compostas de gelo seco; por fim, no topo, havia uma camada de neve feita de oxigênio e nitrogênio. O céu noturno ficou extraordinariamente límpido, e as estrelas brilhavam como um campo de fogueiras prateadas. Uma linha de texto apareceu na tela estrelada.

A noite longa durou quarenta e oito anos. A civilização número 137 foi destruída pelo frio extremo. Antes de sucumbir, essa civilização havia avançado até o Período dos Reinos Combatentes.

A semente da civilização permanece. Ela germinará e voltará a desabrochar no mundo imprevisível de *Três Corpos*.

Convidamos você a entrar novamente.

Antes de sair do jogo, Wang percebeu as três estrelas voadoras no céu. Próximas entre si, elas giravam como em uma estranha dança acima do abismo do espaço.

8. YE WENJIE

Wang tirou o traje V e o capacete com visor panorâmico. A camisa estava empapada de suor, como se ele tivesse acabado de acordar de um pesadelo. Ele saiu do Centro de Pesquisa, entrou no carro e dirigiu até o endereço passado por Ding Yi: a casa da mãe de Yang Dong.

Era Caótica, Era Caótica, Era Caótica...

Wang ficou revirando a ideia na cabeça. *Por que o percurso do sol no céu de Três Corpos seria desprovido de qualquer regularidade ou padrão? O movimento de um planeta em torno de seu sol precisa ser periódico, quer a órbita seja mais circular ou mais elíptica. Uma irregularidade absoluta do deslocamento planetário é impossível...*

Wang ficou irritado consigo mesmo. Balançou a cabeça, tentando afastar esses pensamentos. É só um jogo!

Mas eu perdi.

Era Caótica, Era Caótica, Era Caótica...

Droga! Chega! Por que estou pensando nisso? Por quê?

Wang não demorou para descobrir a resposta. Fazia anos que ele não disputava nenhum jogo on-line, e era nítido que os equipamentos tinham evoluído muito nesse meio-tempo. Na sua juventude, quando era estudante, não havia efeitos como realidades virtuais e respostas multissensoriais. Só que Wang também sabia que a sensação de realismo em *Três Corpos* não tinha a ver com tecnologia de interface.

Ele se lembrava de uma aula de teoria da informação no terceiro ano da faculdade. O professor havia apresentado duas imagens: uma era a *Qingming Shanghe Tu*, a famosa pintura da dinastia Song, cheia de detalhes delicados e refinados, que mostrava o festival de Qingming; a outra era a foto de um céu ensolarado, cuja vastidão azul era interrompida apenas por um fiapo de nuvem que nem parecia estar ali. O professor perguntou à turma qual das imagens continha mais informação. A resposta foi que o conteúdo informacional da fotografia — a entropia dela — excedia o da pintura em uma ou duas ordens de magnitude.

O mesmo acontecia com *Três Corpos*. O imenso conteúdo informacional estava bem oculto. Wang conseguia senti-lo, mas não expressá-lo. De repente, percebeu que os criadores do jogo seguiram o extremo oposto do princípio adotado por outros designers. Normalmente, os designers de jogos tentavam exibir o máximo possível de informação para aumentar a sensação de realismo. Já os responsáveis por *Três Corpos* trataram de comprimir o conteúdo informacional para dissimular uma realidade mais complexa, do mesmo jeito que a foto aparentemente vazia do céu.

Wang deixou os pensamentos voltarem ao mundo de *Três Corpos*.

Estrelas voadoras! O segredo deve estar atrás das estrelas voadoras. Uma estrela voadora, duas estrelas voadoras, três estrelas voadoras... o que elas representavam?

Enquanto divagava sobre isso, chegou ao seu destino.

Na frente do edifício residencial, Wang viu uma mulher grisalha e baixinha, com cerca de sessenta anos. Ela usava óculos e estava se esforçando para subir a escada com um cesto de compras. Wang imaginou que aquela era a mulher que ele tinha ido visitar.

Uma saudação rápida confirmou o palpite. Era mesmo a mãe de Yang Dong: Ye Wenjie. Após ouvir o motivo da visita de Wang Miao, ela se mostrou grata e satisfeita. Wang estava acostumado a intelectuais idosos como ela: o acúmulo dos anos havia desbastado toda rigidez e vivacidade de suas personalidades, deixando para trás apenas a delicadeza da água.

Wang subiu a escada com o cesto de compras para ela. Quando os dois chegaram ao apartamento, ele descobriu que não era tão calmo quanto havia imaginado: três crianças estavam brincando, sendo que a mais velha devia ter uns cinco anos e a mais nova ainda mal andava. Ye disse a Wang que eram todas filhas dos vizinhos.

— Elas gostam de brincar aqui. Como hoje é domingo e os pais precisam fazer hora extra, deixam as crianças comigo... Ah, Nan Nan, você terminou o desenho? Nossa, ficou ótimo! Vamos dar um título? "Patinhos no sol"? Parece ótimo. Deixe a vovó escrever para você. Também vou anotar a data: "9 de junho, por Nan Nan". E o que você quer almoçar? Yang Yang, quer beringela frita? Claro! Nan Nan, quer ervilha que nem ontem? Não tem problema. E você, Mi Mi? Quer carninha? Ah, não, sua mãe me disse que você não pode comer muita carninha, é difícil digerir. Que tal então um peixinho? Olhe esse peixinho enorme que a vovó comprou...

Wang observou Ye e as crianças, absorto na conversa que mantinham. *Ela deve querer netos. Mas, mesmo se Yang Dong estivesse viva, será que teria tido filhos?*

Ye levou as compras para a cozinha.

— Xiao Wang — disse, quando voltou —, vou deixar os legumes um pouco de molho. — Ela havia passado a tratá-lo sem constrangimento por um diminutivo carinhoso. — Hoje em dia, usam tantos pesticidas que preciso deixar os legumes de molho por pelo menos duas horas antes de dar para as crianças... Não quer dar uma olhada no quarto de Dong Dong antes?

A sugestão, acrescentada ao final como se fosse a coisa mais natural do mundo, deixou Wang ansioso. Ela nitidamente havia percebido o real objetivo da visita. Ye se virou e voltou para a cozinha sem fitar Wang, para não ver o constrangimento dele. Wang ficou grato pela consideração.

Ele passou pelas três crianças, que brincavam animadas, e entrou no quarto indicado por Ye. Hesitou na frente da porta, tomado por uma sensação estranha. Era como se ele tivesse voltado à própria juventude sonhadora. Das profundezas de sua memória, surgiu o formigamento de uma tristeza frágil e pura como o orvalho, com uma nota de esperança.

Com delicadeza, empurrou a porta. No cômodo, sentiu uma inesperada fragrância sutil, um cheiro de mata. Parecia que havia entrado na cabana de um guarda-florestal: as paredes eram cobertas de tiras de cascas de árvore, as três banquetas eram pedaços de tronco sem decoração, a escrivaninha era formada por três troncos maiores agrupados. Já a cama parecia forrada com o mesmo material de junco utilizado pelas pessoas do nordeste da China dentro dos sapatos, para manter os pés aquecidos no clima frio. Tudo era grosseiro e de aspecto descuidado, sem qualquer sinal de preocupação estética. O trabalho de Yang Dong havia lhe proporcionado uma renda alta, e ela podia ter comprado um apartamento de luxo, mas preferiu morar ali com a mãe.

Wang foi até a mesa feita de troncos. Tinha uma decoração simples e nada que sugerisse qualquer indício de feminilidade ou de atividade acadêmica. Talvez objetos dessa natureza tivessem sido removidos, ou talvez nunca tivessem existido. Ele percebeu uma foto em preto e branco dentro de um porta-retratos de madeira, a imagem de uma mãe com a filha. Na foto, Yang Dong era pequena, e Ye Wenjie estava agachada para que as duas ficassem da mesma altura. Um vento forte bagunçava o cabelo comprido delas.

O fundo da fotografia era estranho: o céu parecia estar atrás de uma rede grande, estendida entre estruturas grossas de aço. Wang deduziu que era alguma antena parabólica tão grande que as beiradas não couberam no enquadramento.

No retrato, os olhos da pequena Yang Dong transmitiam um medo que comoveu Wang. Ela parecia apavorada com o mundo do lado de fora da foto.

Depois Wang reparou em um caderno espesso no canto da escrivaninha. Ficou espantado com o material, até que viu uma linha escrita com letra infantil na capa: *Caderno de casca de bétula de Yang Dong*. A palavra "bétula" estava escrita com letras do alfabeto *pinyin*, em vez do caractere chinês. Os anos haviam dado à casca cinzenta um tom claro de amarelo. Fez menção de encostar no caderno, hesitou e recolheu a mão.

— Tudo bem — disse Ye, na porta. — São desenhos que Yang Dong fez quando era pequena.

Wang pegou o caderno de casca e folheou as páginas com cuidado. Ye datara cada desenho para a filha, tal como tinha feito para Nan Nan agora há pouco, na sala.

Com base nas datas, Wang viu que Yang Dong tinha três anos quando fez os desenhos. Normalmente, crianças dessa idade são capazes de traçar pessoas e objetos com formas definidas, mas os desenhos de Yang Dong ainda eram uma confusão de linhas emaranhadas. Parecia que representavam uma espécie de raiva e desespero intensos, resultantes de um desejo frustrado de expressar algo — não era um sentimento que se esperaria de uma criança tão pequena.

Ye se sentou devagar na beira da cama, com os olhos fixos no caderno, perdida em pensamentos. Sua filha havia morrido ali mesmo, dando fim à própria vida durante o sono. Wang se sentou ao lado dela. Nunca havia sentido uma vontade tão intensa de partilhar o peso da dor de outra pessoa.

Ye pegou o caderno das mãos dele e o abraçou.

— Eu não sabia ensinar de um jeito apropriado para a idade dela — disse, em voz baixa. — Expus Dong Dong cedo demais a alguns temas muito abstratos, muito delicados. Quando ela demonstrou pela primeira vez um interesse por teorias abstratas, falei que a área não era fácil para as mulheres. Ela perguntou: "E a madame Curie?". Respondi que a madame Curie nunca foi aceita de verdade como parte da área. O sucesso dela era encarado como resultado de persistência e muito esforço, mas, sem ela, outra pessoa teria feito o trabalho. Na verdade, Wu Chien-Shiung foi ainda mais longe que a madame Curie.* Mas não é mesmo uma área para mulheres.

"Dong Dong não discutiu comigo, mas depois descobri que ela era mesmo diferente. Por exemplo, digamos que eu explicasse uma fórmula para ela. Outras crianças diriam: 'Uau, que fórmula inteligente!'. Mas ela dizia: 'Essa fórmula é muito elegante, muito bela'. A expressão no rosto era igual à de quando ela via uma flor silvestre bonita.

---

* Wu Chien-Shiung foi uma das físicas mais importantes da era moderna, tendo realizado muitas conquistas em física experimental. Ela foi a primeira a refutar com experimentos a hipótese da "lei de conservação de paridade" e, assim, fundamentar o trabalho dos físicos teóricos Tsung--Dao Lee e Chen-Ning Yang. (N. A.)

"O pai deixou alguns discos. Ela ouviu todos e, no fim, quando decidiu que um de Bach era seu preferido, ouviu várias vezes seguidas. Esse tipo de música não devia despertar o fascínio de uma criança. A princípio, achei que ela tivesse escolhido por capricho, mas quando perguntei o que sentia com a música, Dong Dong respondeu que conseguia ver na música um gigante construindo uma casa grande e complexa. O gigante ia acrescentando um pedaço de cada vez à estrutura e, quando a música acabava, a casa estava pronta..."

— A senhora foi uma excelente professora para sua filha — disse Wang.

— Não. Fracassei. Seu mundo era simples demais, e ela só contava com teorias imateriais. Quando as teorias ruíram, Dong Dong não tinha nada em que se apoiar para continuar viva.

— Professora Ye, não posso dizer que concordo com a senhora. Neste momento estão acontecendo coisas além da nossa imaginação. Nossas teorias sobre o mundo enfrentam um desafio sem precedentes, e sua filha não foi a única cientista a escolher aquele caminho.

— Mas ela era mulher. Uma mulher precisa ser como a água, capaz de fluir por cima e em volta de qualquer coisa.

Quando estava prestes a ir embora, Wang se lembrou do outro motivo da visita. Ele mencionou a Ye sua vontade de observar a radiação cósmica de fundo em micro-ondas.

— Ah, sim. Tem dois lugares na China que trabalham com isso. Um é o observatório em Ürümqi. Acho que é um projeto do Centro de Observação do Ambiente e do Espaço, da Academia Chinesa de Ciências. O outro é bem perto daqui, um observatório de radioastronomia na periferia de Beijing, administrado pela Academia Chinesa de Ciências e pelo Centro Conjunto de Astrofísica da Universidade de Beijing. O de Ürümqi faz observações a partir do solo, e o daqui só recebe dados de satélites, embora esses dados sejam mais apurados e completos. Como um ex-aluno meu trabalha lá, posso fazer um telefonema e ver o que consigo para você.

Ye achou o número e discou. A conversa que se seguiu pareceu correr bem.

— Tudo certo — disse Ye ao desligar. — Vou lhe passar o endereço. Você pode ir quando quiser. Meu aluno se chama Sha Ruishan e vai estar no turno da noite amanhã... Acho que esta não é sua área de pesquisa, certo?

— Eu trabalho com nanotecnologia. Isto é para... outra coisa. — Wang temia que Ye fizesse mais perguntas sobre o que o levou a buscar aquele tipo de informação, mas ela não fez.

— Xiao Wang, você parece um pouco pálido. Como está sua saúde? — perguntou ela, com o rosto muito preocupado.

— Não é nada. Por favor, não se preocupe.

— Espere um instante. — Ye pegou uma caixinha de madeira de um armário. Wang viu na etiqueta que era ginseng. — Um velho amigo da base, um soldado, veio me visitar há alguns dias e me trouxe isto. Leve, leve! É desses plantados, não silvestre. Não é muito caro. Tenho pressão alta e não posso usar mesmo. Você pode cortar em fatias finas e fazer chá. Você está com um aspecto tão pálido que com certeza isso vai fazer bem. Você ainda é jovem, mas precisa tomar cuidado com a saúde.

Wang aceitou a caixa, e seu peito se encheu de alegria. Sentiu os olhos ficarem marejados. Era como se o coração, angustiado quase além do limite por causa dos últimos dias, tivesse sido acomodado em um monte de plumas.

— Professora Ye, virei visitá-la muitas vezes.

9. O UNIVERSO PISCA

Wang Miao tomou a estrada Jingmi até chegar ao distrito de Miyun. Dali, seguiu para Heilongtan, subiu a montanha por uma estrada sinuosa e chegou ao observatório de radioastronomia do Centro Astronômico Nacional da Academia Chinesa de Ciências. Ele viu uma fileira de vinte e oito antenas parabólicas, todas com nove metros de diâmetro: parecia uma fileira de espetaculares plantas de aço. No final, havia dois radiotelescópios altos, com cinquenta metros de diâmetro, construídos em 2006. Conforme Wang se aproximava, veio à sua mente o fundo do retrato de Ye com a filha.

No entanto, o trabalho de Sha Ruishan, o aluno de Ye, não tinha nada a ver com aqueles radiotelescópios. O laboratório do dr. Sha ficava encarregado sobretudo de receber os dados transmitidos por três satélites: o Cobe (Cosmic Background Explorer, ou Explorador da Radiação Cósmica de Fundo), lançado em 1989 e prestes a ser desativado; o WMAP (Wilkinson Microwave Anisotropy Probe, ou Sonda de Anisotropia em Micro-Ondas Wilkinson); e o Planck, o observatório espacial lançado pela Agência Espacial Europeia em 2009.

A radiação cósmica de fundo em micro-ondas correspondia muito precisamente a um espectro térmico de corpo negro de 2,7255 K de temperatura e era muito isotrópica — ou seja, praticamente uniforme em todas as direções —, com flutuações mínimas da ordem de milionésimos de grau. O trabalho de Sha Ruishan era criar um mapa mais detalhado da radiação cósmica de fundo em micro-ondas a partir de dados observacionais.

O laboratório não era muito grande. Os equipamentos que recebiam os dados estavam entulhados na sala de computadores principal, e três terminais exibiam as informações enviadas pelos três satélites.

Sha ficou animado ao ver Wang. Nitidamente entediado com o longo isolamento e feliz por receber visitas, ele perguntou que tipo de dados Wang queria ver.

— Quero ver a flutuação geral da radiação cósmica de fundo em micro-ondas.

— Você poderia... ser mais específico?

— Quer dizer... quero ver a flutuação isotrópica na radiação cósmica de fundo geral em micro-ondas, entre um e cinco por cento — disse ele, repetindo a mensagem do e-mail de Shen.

Sha sorriu. Desde a virada do século, o Observatório de Radioastronomia de Miyun passara a receber turistas. Para aumentar um pouco a renda, Sha costumava fazer o papel de guia turístico ou dar palestras. Aquele sorriso era o mesmo que distribuía aos turistas, pois já estava acostumado à impressionante ignorância científica deles.

— Professor Wang, imagino que você não seja um especialista do ramo, correto?

— Eu trabalho com nanotecnologia.

— Ah, faz sentido. Mas você deve ter algum conhecimento elementar sobre a radiação cósmica de fundo em micro-ondas, certo?

— Não muito. Sei que, à medida que o universo esfriava depois do Big Bang, as "brasas" remanescentes se tornaram a radiação cósmica de fundo em micro-ondas. Essa radiação preenche todo o universo e pode ser observada na faixa de centímetros de comprimentos de onda. Acho que foi nos anos 1960 que dois americanos descobriram a radiação por acaso, quando estavam testando uma antena receptora supersensível de sinais via satélite...

— Isso já é mais do que suficiente — interrompeu Sha, fazendo um gesto com a mão. — Então você deve saber que, ao contrário das variações locais que observamos em diversas partes do universo, a flutuação geral da radiação cósmica de fundo em micro-ondas possui uma correlação com a expansão do universo. É uma mudança muito lenta, medida na escala da idade do universo. Mesmo com a sensibilidade do satélite Planck, uma observação constante ao longo de um milhão de anos poderia não detectar *nenhuma* variação. Mas você quer ver uma variação de cinco por cento hoje? Sabe o que isso significaria? O universo piscaria como se fosse uma lâmpada fluorescente que estivesse prestes a queimar!

E ele vai piscar para mim, pensou Wang.

— Deve ser uma brincadeira da professora Ye — disse Sha.

— Nada me deixaria mais feliz do que descobrir que não passa de uma brincadeira — respondeu Wang. Ele estava a ponto de dizer para Sha que Ye não sabia os detalhes do inusitado pedido, mas tinha medo de que Sha resolvesse não ajudá-lo se comentasse.

— Bom, já que a professora Ye me pediu para ajudá-lo, vamos fazer a observação. Não tem problema. Se você só quer uma precisão de um por cento, os dados do velho Cobe bastam. — Enquanto falava, Sha digitou rapidamente no terminal. Logo depois, apareceu uma linha verde na tela. — Esta curva é a medição em tempo real da radiação cósmica de fundo em micro-ondas geral. Ah, seria mais correto chamar de linha reta. A temperatura é de 2,725±0,002 k. A margem de erro se deve ao efeito Doppler resultante do deslocamento da Via Láctea, e já foi compensada. Se acontecer o tipo de variação que você está esperando, de mais de um por cento, esta linha vai ficar vermelha e se transformar em onda. Mas eu aposto que ela vai continuar uma linha verde reta até o fim do mundo. Se você quiser vê-la apresentar um tipo de flutuação observável a olho nu, talvez tenha que esperar até muito depois da morte do nosso Sol.

— Não estou interferindo em seu trabalho, não é?

— Não. Como você quer uma precisão muito baixa, podemos usar só alguns dados básicos do Cobe. Certo, está tudo pronto. A partir de agora, se uma flutuação grande como essa acontecer, os dados serão gravados automaticamente no disco rígido.

— Acho que deve acontecer por volta de uma da manhã.

— Uau, quanta precisão! Não tem problema, já que estou com o turno da noite mesmo. Você já jantou? Ótimo, então vou fazer um tour com você.

Era uma noite sem luar. Os dois caminharam ao longo da fileira de antenas, e Sha apontou para elas.

— É de tirar o fôlego, não? Pena que todas elas são como os ouvidos de um surdo.

— Por quê?

— Desde que a construção terminou, as faixas de observação têm sofrido interferência constante. Primeiro foram as torres de transmissão de pagers nos anos 1980. Agora é a correria para desenvolver redes móveis de comunicação e torres de transmissão para celulares. Estes telescópios são capazes de realizar muitas tarefas científicas, como explorar o céu, detectar fontes variáveis de rádio, observar os resquícios de supernovas, mas não temos como fazer a maioria dessas ações. Já reclamamos várias vezes para a Comissão Reguladora Estatal de Rádio, porém nunca adiantou nada. Como é que vamos conseguir mais atenção do que a China Mobile, a China Unicom, a China Netcom? Sem dinheiro, os segredos do universo não valem merda nenhuma. Pelo menos meu projeto só depende de dados de satélite e não tem nada a ver com estas "atrações turísticas".

— Nos últimos anos, o financiamento de projetos de pesquisa básica tem tido um sucesso razoável, como na área da física de alta energia. Não seria melhor construir os observatórios em lugares mais afastados das cidades?

— No fim é tudo uma questão de dinheiro. Agora, nossa única opção é descobrir maneiras técnicas de bloquear interferências. Bom, seria muito melhor se a professora Ye estivesse aqui. Ela teve muito êxito nessa área.

E assim, como o assunto da conversa passou a ser Ye Wenjie, Wang finalmente soube da vida dela a partir de seu ex-aluno. Ficou sabendo que ela havia presenciado a morte do próprio pai durante a Revolução Cultural, que fora acusada injustamente no Corpo de Produção e Construção e depois meio que desapareceu até voltar a Beijing no começo dos anos 1990, quando passou a ensinar astrofísica na Universidade Tsinghua, onde o pai tinha sido professor, até se aposentar.

— Só recentemente foi revelado que ela havia passado mais de vinte anos na Base Costa Vermelha.

Wang ficou chocado.

— Quer dizer que aqueles boatos...

— A maioria era verdade. Um dos pesquisadores que desenvolveu o sistema de decodificação do Projeto Costa Vermelha emigrou para a Europa e escreveu um livro no ano passado. Essa obra deu origem a grande parte dos boatos que estão circulando. Muitas pessoas que participaram da Costa Vermelha ainda estão vivas.

— Isso é... uma lenda fantástica.

— Ainda mais por ter acontecido naqueles anos... absolutamente incrível.

Eles continuaram conversando por um tempo. Sha perguntou sobre o propósito por trás do inusitado pedido de Wang. Como ele evitou uma resposta clara, Sha não insistiu. A dignidade de especialista na área não permitia que Sha mostrasse muito interesse por um pedido que ia claramente contra seus conhecimentos profissionais.

Depois, eles foram a um bar para turistas e passaram duas horas lá. Sha bebia uma cerveja atrás da outra, e sua língua foi se soltando cada vez mais. Já Wang foi ficando ansioso e não parava de pensar naquela linha verde no laboratório. Só às dez para uma da manhã, Sha cedeu aos apelos constantes de Wang para que os dois voltassem.

Os holofotes que antes iluminavam a fileira de antenas haviam sido desligados, e as antenas passaram a formar uma imagem bidimensional simples diante do céu noturno, como se fossem uma série de símbolos abstratos. Todas encaravam o céu no mesmo ângulo, como se estivessem esperando algo, ansiosas. Wang estremeceu ao vê-las, apesar do agradável calor da noite primaveril: a imagem trazia lembranças dos pêndulos gigantes de *Três Corpos*.

Eles chegaram ao laboratório à uma em ponto. Quando olharam o terminal, a flutuação tinha acabado de começar. A linha reta virou uma onda, e a distância entre duas cristas era inconstante. Ela ficou vermelha, como uma cobra que despertava da hibernação, agitando-se à medida que a pele voltava a se encher de sangue.

— Deve ser um defeito no Cobe!

Sha encarava apavorado a linha ondulada.

— Não é um defeito. — O tom de Wang era extremamente calmo. Ele havia aprendido a se controlar diante daquele tipo de situação.

— Saberemos logo — respondeu Sha, que foi até os outros dois terminais e digitou rapidamente, reunindo os dados obtidos pelos satélites WMAP e Planck.

Três ondas passaram a se mover em sintonia nos três terminais, completamente idênticas.

Sha pegou e ligou um laptop às pressas. Conectou um cabo de rede e apanhou o telefone. Pelo que Wang conseguiu ouvir da conversa, percebeu que Sha estava tentando entrar em contato com o observatório radioastronômico de Ürümqi. Ele não explicou para Wang o que estava fazendo, mantendo os olhos fixos na janela do navegador do laptop. Wang reparou que a respiração dele estava acelerada.

Alguns minutos depois, uma onda vermelha apareceu na janela do navegador, mexendo no mesmo ritmo das outras três.

Os três satélites e o observatório em solo confirmaram um mesmo fato: o universo estava piscando.

— Você pode imprimir essa onda? — perguntou Wang.

Sha limpou o suor frio da testa e assentiu com a cabeça. Mexeu o mouse e clicou em IMPRIMIR. Wang pegou a primeira folha assim que ela saiu da impressora a laser e, com um lápis, começou a comparar a distância entre as cristas com a tabela de código Morse que tirou do bolso.

curto-longo-longo-longo-longo, curto-longo-longo-longo-longo, longo-longo-longo-longo-longo, longo-longo-longo-curto-curto, longo-longo-longo-curto-curto-curto, curto-curto-longo-longo-longo, curto-longo-longo-longo-longo, longo-longo-longo-curto-curto-curto, curto-curto-curto-longo-longo, longo-longo-curto-curto-curto.

Isso é 1108:21:37, pensou Wang.

curto-longo-longo-longo-longo, curto-longo-longo-longo-longo, longo-longo-longo-longo-longo, longo-longo-longo-curto-curto, longo-longo-longo-curto-curto-curto, curto-curto-longo-longo-longo, curto-longo-longo-longo-longo, longo-longo-longo-curto-curto-curto, curto-curto-curto-longo-longo, longo-curto-curto-curto-curto.

Isso é 1108:21:36.

A contagem regressiva continuava na escala do universo. Já haviam se passado 92 horas, e só restavam 1108 horas.

Nervoso, Sha andava de um lado para o outro, parando de vez em quando para olhar a sequência de números que Wang anotava.

— Você não pode me explicar o que está acontecendo? — gritou.

— Não sou capaz de explicar para você, dr. Sha. Acredite. — Wang afastou a pilha de papéis preenchidos com as ondas. Olhando a sequência de números, disse: — Talvez os três satélites e o observatório estejam com defeito.

— Você sabe que isso é impossível.

— E se tiver sido sabotagem?

— Também impossível! Alterar simultaneamente os dados de três satélites e de um observatório na Terra? Você está sugerindo um sabotador sobrenatural.

Wang assentiu com a cabeça. Na comparação com a ideia de que o universo estava piscando, ele teria preferido um sabotador sobrenatural. Só que então Sha destruiu aquele último raio de esperança.

— É fácil de confirmar. Se a radiação cósmica de fundo em micro-ondas está flutuando tanto assim, podemos verificar com os próprios olhos.

— Como assim? O comprimento de onda da radiação cósmica de fundo é de sete centímetros. São cinco ordens de magnitude abaixo do comprimento da luz visível. Como é que poderíamos ver isso?

— Com óculos 3k.

— Óculos 3k?

— Isso. É um brinquedo científico que criamos para o Planetário Capital. Com o nível atual da tecnologia, conseguimos fazer dos óculos uma miniatura da antena corneta de seis metros, utilizada por Penzias e Wilson há quase meio século para descobrir a radiação cósmica de fundo em micro-ondas. Depois, acrescentamos um conversor para comprimir em até cinco ordens de magnitude a radiação detectada, de modo a transformar as ondas de sete centímetros em uma luz vermelha visível. Assim, os visitantes podem colocar os óculos à noite e observar pessoalmente a radiação cósmica de fundo. E agora, podemos usá-los para ver o universo piscar.

— Onde eu encontro esses óculos?

— No Planetário Capital. Criamos mais de vinte unidades.

— Preciso arrumar um antes das cinco.

Sha pegou o telefone. Depois de vários toques, alguém atendeu do outro lado da linha. Sha precisou de muita energia para convencer a pessoa que tinha acordado no meio da noite a ir até o planetário e esperar a chegada de Wang dali a uma hora.

— Não vou com você — disse ele, quando Wang estava de saída. — Já vi o suficiente e não preciso de mais confirmação. Apesar disso, espero que você me explique a verdade quando achar que for a hora certa. Se esse fenômeno levar a algum resultado científico, não me esquecerei de você.

Wang abriu a porta do carro.

— A flutuação vai parar às cinco da manhã. Sugiro que você não procure mais depois. Acredite, não vai levar a lugar nenhum.

Sha encarou Wang por um bom tempo e assentiu.

— Entendo. Ultimamente vêm acontecendo coisas estranhas com cientistas...

— Sim.

Wang entrou no carro. Não queria falar mais do assunto.

— É a nossa vez?

— É a minha vez, pelo menos.

Wang deu partida no motor.

Uma hora depois, Wang chegou ao novo planetário e saiu do carro. As luzes claras da cidade atravessavam as paredes translúcidas do imenso edifício de vidro e revelavam um vislumbre da estrutura interna. Wang pensou que se a intenção do arquiteto tinha sido expressar um sentimento a respeito do universo, o projeto era um sucesso: quanto mais algo fosse transparente, mais misterioso parecia. O próprio universo era transparente: alguém com um olhar aguçado o bastante podia ver tão longe quanto quisesse. Porém, quanto mais longe via, mais misterioso o universo ficava.

O funcionário sonolento do planetário estava esperando Wang na porta. Ele lhe entregou uma valise pequena e disse:

— Aí dentro tem cinco óculos 3k, todos com a bateria cheia. O botão esquerdo é para ligar. O sintonizador da direita é para ajustar o brilho. Tenho mais uns doze óculos lá em cima. Pode olhar à vontade, mas agora vou tirar um cochilo ali naquela sala. Esse dr. Sha deve estar maluco.

Ele entrou no planetário escurecido.

Wang abriu a valise no banco traseiro do carro e pegou um dos óculos 3k. Parecia a tela de dentro do capacete com visor panorâmico do traje v. Wang colocou os óculos no rosto e olhou para a cidade, que parecia igual, só menos iluminada. Então ele lembrou que precisava ligar os óculos.

A cidade se transformou em uma multidão de auréolas de brilho difuso. A maioria era fixa, mas algumas piscavam ou se mexiam. Wang percebeu que estas eram fontes de radiação na faixa centimétrica, todas convertidas para a luz visível. No centro de cada auréola havia uma fonte de radiação. Como os comprimentos originais das ondas eram muito longos, era impossível ver direito o formato delas.

Wang levantou a cabeça e viu um céu brilhando com uma luz vermelha suave. De repente, estava enxergando a radiação cósmica de fundo em micro-ondas.

A luz vermelha tinha se originado havia mais de dez bilhões de anos. Era o resquício do Big Bang, a brasa ainda quente da criação. Wang não conseguia enxergar nenhuma estrela. Em uma situação normal, como a luz visível estaria comprimida pelos óculos até ficar invisível, cada estrela deveria aparecer como um ponto preto. Mas a difração da onda de radiação centimétrica abafava quaisquer formas e detalhes.

Quando seus olhos se acostumaram à luz, Wang percebeu que o vermelho suave estava mesmo pulsando. O céu inteiro piscava, como se o universo não passasse de uma lamparina trêmula ao vento.

Sob a redoma cintilante do céu noturno, Wang teve a sensação repentina de que o universo encolhia até ficar tão pequeno que aprisionava apenas ele. O universo era um coração contraído, e a luz vermelha que inundava tudo era o sangue translúcido que enchia o órgão. Suspenso no sangue, Wang constatou que a cintilação da luz vermelha não era periódica — a pulsação era irregular. Ele sentiu uma presença estranha, perversa e imensa, que jamais poderia ser compreendida pelo intelecto humano.

Wang tirou os óculos e foi abaixando até sentar no chão, recostado na roda do carro. A noite da cidade recuperou lentamente a realidade da luz visível, mas os olhos dele ficaram explorando, tentando capturar outras cenas. Havia um conjunto de lâmpadas neon junto à entrada do zoológico do outro lado da rua. Uma das lâmpadas estava prestes a queimar e piscava de modo irregular. Ali perto, as folhas de uma árvore pequena tremulavam com a brisa noturna, brilhando sem lógica ao refletir as luzes da rua. Ao longe, no topo do pináculo em estilo russo do Centro de Exposições de Beijing, a estrela vermelha refletia a luz dos carros que passavam abaixo do edifício, também piscando de maneira aleatória...

Ele tentou interpretar as cintilações como se fossem código Morse. Chegou a ter a sensação de que as dobras das bandeiras que tremulavam ali perto e os círculos concêntricos na poça da rua talvez estivessem enviando mensagens. Esforçou-se para compreender todas essas mensagens e sentiu cada segundo da contagem regressiva.

Wang não sabia quanto tempo passara ali. O funcionário do planetário enfim saiu e perguntou se ele havia terminado. No entanto, quando viu o rosto de Wang, o sono em seus olhos desapareceu e foi substituído por medo. Ele guardou os óculos, olhou para Wang por alguns segundos e foi embora às pressas com a valise.

Wang pegou o celular e ligou para Shen Yufei. Ela atendeu na hora. Talvez também estivesse com insônia.

— O que vai acontecer quando a contagem regressiva acabar? — perguntou Wang.

— Não sei. — E desligou.

O que será? Talvez a minha morte, como a de Yang Dong.

Ou talvez um desastre como o tsunami imenso que se espalhou pelo oceano Índico há mais de uma década. Ninguém associaria uma catástrofe dessas à minha pesquisa em nanotecnologia. Será que todos os desastres que já aconteceram, incluindo as duas guerras mundiais, foram também resultado do fim de alguma contagem regressiva fantasmagórica? Será que sempre havia alguém como eu, alguém que ninguém imaginava, alguém com toda a responsabilidade?

Ou talvez isso seja um sinal para o fim do mundo inteiro. Em um mundo perverso desses, isso seria um alívio.

Uma coisa era certa. Seja lá o que acontecesse no fim da contagem, ao longo das cerca de mil horas que faltavam, as possibilidades o torturariam terrivelmente, como demônios, até que ele sofresse um colapso mental completo.

Wang entrou no carro e deixou o planetário para trás. As ruas estavam relativamente desertas pouco antes do amanhecer. Apesar disso, ele não se atrevia a dirigir muito rápido, com a sensação de que, quanto mais corresse, maior seria a velocidade da contagem regressiva.

Assim que surgiu um vislumbre de luz no céu ao leste, ele estacionou e começou a caminhar sem rumo. Sua mente estava vazia: apenas a contagem pulsava diante do brilho vermelho fraco da radiação cósmica de fundo. Aparentemente, ele havia se transformado em nada além de um mero cronômetro, um sino que dobrava para algum desconhecido.

O céu clareou. Wang estava cansado, então se sentou em um banco.

Quando levantou a cabeça para ver onde seu inconsciente o havia levado, Wang estremeceu.

Estava diante da igreja de São José em Wangfujing. Sob a fraca luz branca do amanhecer, os arcos românicos da igreja pareciam três dedos gigantes que indicavam algo no espaço para ele.

Quando Wang se levantou para ir embora, ouviu um fragmento de canto religioso e parou. Não era domingo, então provavelmente se tratava de um coral ensaiando um hino pentecostal. Enquanto escutava a melodia solene e sagrada, Wang Miao sentiu mais uma vez que o universo havia encolhido até ficar do tamanho de uma igreja vazia. O teto abobadado estava oculto pela luz vermelha irregular da radiação de fundo, e Wang era uma formiga andando pelas rachaduras do chão. Ele sentiu uma mão invisível gigantesca acariciar seu coração trêmulo e voltou a ser um bebê indefeso. Nas profundezas de sua mente, algo que antes o sustentava amoleceu como cera e cedeu. Wang cobriu os olhos e começou a chorar.

Suas lágrimas foram interrompidas por uma risada.

— Hahaha, mais um que já era.

Ele se virou.

O capitão Shi Qiang estava em pé ao seu lado, soprando uma baforada de fumaça branca.

10. DA SHI

Shi se sentou ao lado de Wang e lhe entregou um molho de chaves.

— Aqui. As chaves do seu carro, que você deixou no cruzamento de Dongdan. Se eu tivesse chegado um minuto atrasado, ele teria sido rebocado pelos guardas de trânsito.

Da Shi, se eu soubesse que você estava me seguindo, teria ficado mais tranquilo, pensou Wang, se referindo ao policial pelo apelido, mas guardando as palavras para si, por amor-próprio. Ele aceitou um cigarro de Da Shi e deu a primeira tragada em muitos anos, desde que havia parado de fumar.

— Como é que você está, meu amigo? Difícil de encarar? Eu falei que você não ia aguentar. Mas você insistiu em bancar o fortão.

— Você não teria como entender. — Wang deu mais algumas tragadas longas.

— Seu problema é que eu entendo bem demais... Certo, vamos arrumar alguma coisa para comer.

— Não estou com fome.

— Então vamos beber! Eu pago.

Wang entrou no carro de Da Shi, e eles foram para um pequeno restaurante ali perto. Ainda era cedo, e o lugar estava deserto.

— Duas porções de bucho frito e uma garrafa de *er guo tou*!* — gritou Da Shi, sem nem levantar a cabeça. Estava nítido que era um freguês habitual.

Quando olhou para os dois pratos cheios de tiras pretas de bucho, Wang sentiu o estômago vazio começar a se revirar e achou que fosse passar mal. Da Shi pediu um pouco de leite de soja morno e panquecas fritas, e Wang se forçou a comer um pouco.

Depois, eles beberam doses de *er guo tou*. Wang começou a sentir a cabeça leve e a língua solta. Aos poucos, foi contando para Da Shi o que havia acontecido

---

* *Er guo tou* é uma bebida destilada feita a partir do sorgo; às vezes, é chamada de "vodca chinesa".

nos últimos três dias, mesmo consciente de que Da Shi provavelmente já soubesse de tudo; talvez Da Shi soubesse até mais do que ele.

— Quer dizer que o universo estava... piscando para você? — perguntou Da Shi, chupando tiras de bucho como se fosse macarrão.

— Essa é uma metáfora muito adequada.

— Palhaçada.

— Sua falta de medo se deve à ignorância.

— Mais palhaçada. Vamos, beba!

Wang virou outra dose. O mundo tinha passado a girar, e só Shi Qiang, o devorador de tripas, permanecia estável à sua frente.

— Da Shi — disse ele —, você já... refletiu sobre certas questões filosóficas elementares? Por exemplo, de onde viemos, para onde vamos, de onde veio o universo, para onde o universo vai, essa coisa toda?

— Não.

— Nunca?

— Nunca.

— Você com certeza já viu as estrelas. Nunca ficou fascinado ou curioso com o mistério delas?

— Eu nunca olho para o céu à noite.

— Como é possível? Achei que você costumasse trabalhar no turno da noite.

— Meu amigo, quando eu trabalho à noite, o suspeito foge se eu ficar olhando para o céu.

— Nós realmente não temos nenhuma afinidade. Certo. Beba!

— Para falar a verdade, mesmo se eu olhasse o céu à noite, não ficaria pensando nessas questões filosóficas. Tenho outras preocupações! Preciso quitar a casa, economizar para a faculdade do garoto e lidar com uma sequência interminável de casos... Sou um homem simples, sem coisas complicadas. Se você olhar dentro da minha garganta, vai conseguir enxergar até minha bunda. Claro, não consigo agradar meus chefes. Anos depois da minha baixa do Exército, minha carreira não está indo para lugar nenhum. Se eu não fosse muito bom no que faço, teria sido expulso há muito tempo... Você acha que isso não é preocupação suficiente? Acha que tenho tempo para ficar olhando as estrelas e filosofando?

— Tem razão. Certo, vire o copo!

— Mas eu cheguei a inventar uma regra básica.

— Diga.

— Qualquer coisa esquisita o bastante deve ser suspeita.

— Que... que regra idiota é essa?

— O que eu quero dizer é: sempre tem alguém por trás de coisas que parecem não ter explicação.

— Se você tivesse ao menos um conhecimento básico de ciências, saberia que é impossível qualquer força realizar as coisas que presenciei. Especialmente essa última. Manipular os acontecimentos na escala do universo... não só a ciência atual é incapaz de explicar isso, como eu também nem consigo imaginar como explicar *fora* da ciência. É algo mais do que sobrenatural. É sobre sei lá o quê...

— Estou falando, é palhaçada. Já vi muitas coisas esquisitas.

— Então diga o que eu devo fazer agora.

— Continue bebendo. Depois, durma.

— Certo.

Wang Miao não fazia ideia de como conseguiu voltar para o carro. Apenas caíra no banco traseiro e dormira um sono sem sonhos. Achou que não tinha dormido por muito tempo, mas, quando abriu os olhos, viu que o sol já estava quase se pondo no oeste.

Ele saiu do carro. Embora estivesse fraco pelo álcool que bebeu durante a madrugada, se sentia melhor. Percebeu que estava em uma esquina da Cidade Proibida. O pôr do sol iluminava o palácio ancestral e se dissolvia em pequenas ondas douradas no fosso. Aos olhos de Wang, o mundo voltou a parecer normal e estável.

Ele continuou sentado até o anoitecer, aproveitando uma paz que havia desaparecido de sua vida. O Santana preto que ele já conhecia muito bem passou pela rua e parou à sua frente. Shi Qiang saiu do carro.

— Dormiu bem? — resmungou Da Shi.

— Dormi. E agora?

— O quê? Para você? Vá jantar. Depois, beba mais um pouco. Depois, durma de novo.

— E depois?

— Depois? Você não precisa trabalhar amanhã?

— Mas a contagem regressiva... só faltam mil e noventa e uma horas.

— Foda-se a contagem regressiva. Sua prioridade agora é ter certeza de que consegue ficar de pé e não desmoronar. Depois a gente conversa sobre outras coisas.

— Da Shi, você pode me dizer algo sobre o que está realmente acontecendo? Estou implorando.

Da Shi encarou Wang por um instante. E riu.

— Já perdi a conta de quantas vezes falei exatamente a mesma coisa para o general Chang. Nós dois, você e eu, estamos no mesmo barco. Falando sério: não sei porra nenhuma. Ocupo um lugar muito baixo na hierarquia, e ninguém me diz nada. Às vezes isso parece um pesadelo.

— Mas você deve saber mais do que eu.

— Tudo bem. Vou contar o pouco que sei.

Da Shi apontou para a beirada do fosso em volta da Cidade Proibida. Os dois escolheram um lugar e se sentaram.

Já era noite, e o trânsito seguia intenso atrás deles, correndo ininterrupto como um rio. Os dois ficaram observando suas sombras crescendo e diminuindo em cima do fosso.

— No meu ramo, o trabalho é ligar vários pontos que parecem não ter nenhuma relação entre si. Quando a gente liga do jeito certo, a verdade aparece. Já tem algum tempo que vêm acontecendo algumas coisas estranhas.

"Por exemplo, vem ocorrendo uma onda inédita de crimes contra instituições acadêmicas e de pesquisa científica. Com certeza você soube da explosão no canteiro de obras do acelerador em Liangxiang. Teve também o assassinato daquele ganhador do Nobel... Todos esses crimes foram esdrúxulos: não por dinheiro, não por vingança. Nenhuma motivação política, só destruição pura.

"Outros acontecimentos estranhos não tiveram a ver com crimes. Por exemplo, a Fronteiras da Ciência e o suicídio daqueles acadêmicos. Ao mesmo tempo, a ousadia dos ambientalistas tem aumentado: multidões de manifestantes em canteiros de obras para impedir a construção de usinas nucleares e barragens de hidrelétricas, comunidades experimentais de 'retorno à natureza' e outras questões aparentemente triviais... Você costuma ir ao cinema?"

— Não, não muito.

— Todas as megaproduções recentes seguem temas rústicos. Os cenários são sempre montanhas verdejantes e águas claras, com homens e mulheres angelicais de alguma época indefinida vivendo em harmonia com a natureza. Citando as palavras dos diretores, esses filmes "representam a beleza da vida antes de a ciência estragar a natureza". Veja *A fonte das flores de pessegueiro*: claramente, é o tipo de filme que ninguém quer ver. Mas gastaram centenas de milhões na produção. Também fizeram um concurso de ficção científica que oferecia um prêmio de cinco milhões para a pessoa que imaginasse o futuro mais asqueroso de todos. Gastaram ainda mais algumas centenas de milhões para transformar os contos vencedores em filmes. E tem também esse monte de seita estranha aparecendo por todos os lados, com líderes que parecem ter muito dinheiro...

— O que essa última parte tem a ver com tudo o que você falou antes?

— Você precisa ligar todos os pontos. É claro que eu não precisava me preocupar com essas questões antes, mas, depois que me transferiram da unidade de crimes para o Centro de Comando em Batalha, isso passou a fazer parte do meu trabalho. Até o general Chang está impressionado com meu talento para ligar os pontos.

— E qual é sua conclusão?

— Tudo que está acontecendo é coordenado por uma pessoa que está nos bastidores e tem um objetivo: arruinar completamente as pesquisas científicas.

— Quem?

— Não faço ideia. Mas consigo pressentir o plano, um plano muito amplo e bem complicado: danificar complexos de pesquisa científica, assassinar alguns cientistas e enlouquecer e levar outros, como você, ao suicídio... Mas o objetivo principal é desorientar os cientistas até que vocês pensem que são ainda mais ignorantes do que as pessoas comuns.

— Essa sua última observação é muito perspicaz.

— Ao mesmo tempo, querem arruinar a reputação da ciência na sociedade. É claro que sempre teve gente envolvida em atividades contra a ciência, mas agora é algo coordenado.

— Acredito em você.

— *Agora* você acredita em mim. Um monte de gente da elite científica foi incapaz de perceber, e aí um cara como eu, que só fez escola técnica, encontra a resposta? Rá! Quando expliquei minha teoria, fui ridicularizado pelos intelectuais e pelos meus chefes.

— Se você tivesse me contado sua teoria antes, com certeza eu não teria rido. Veja aqueles picaretas que praticam pseudociência. Sabe de quem eles têm mais medo?

— Dos cientistas, claro.

— Não. Muitos dos melhores cientistas podem ser enganados pela pseudociência, às vezes dedicando a vida a ela. Mas a pseudociência tem medo de um tipo específico de gente, pessoas muito difíceis de enganar: mágicos. E com razão, porque muitos embustes pseudocientíficos foram desvendados por mágicos. Enfim, na comparação com os acadêmicos bitolados do mundo científico, você tem muito mais chance de perceber uma conspiração de grande escala, por causa da sua experiência como policial.

— Bom, tem muita gente mais esperta do que eu. Os figurões com poder nas mãos sabem muito bem da trama. Quando me ridicularizaram no começo, foi só porque eu não tinha explicado a teoria para as pessoas certas. Mais tarde, meu antigo comandante de companhia, o general Chang, cuidou pessoalmente da minha transferência. Mas ainda não estou fazendo nada além de pequenos serviços... Pronto. Agora você sabe tanto quanto eu.

— Mais uma dúvida: o que isso tem a ver com as Forças Armadas?

— Também fiquei confuso. Quando perguntei, disseram que, agora que tem uma guerra, é claro que as Forças Armadas iam se envolver. Eu estava que nem você, achando que os caras só estavam falando besteira. Mas não, não era brincadeira. O Exército está mesmo em alerta máximo. Foram instalados vinte e tantos Centros de Comando em Batalha no planeta inteiro. E acima de todos existe mais um nível na hierarquia, mas ninguém conhece os detalhes.

— Quem é o inimigo?

— Não faço ideia. Agora temos representantes da Otan na sala de guerra do Estado-Maior do ELP, e há um monte de oficiais do ELP trabalhando no Pentágono. Quem é que sabe que merda a gente está enfrentando?

— Isso é tudo tão estranho. Você tem certeza de que é tudo verdade?

— Tenho vários amigos de longa data no Exército que hoje são generais, então sei de algumas coisas.

— A mídia não tem ideia nenhuma disso?

— Ah, essa é outra questão. Todos os países estão deixando isso bastante fechado, com sucesso até agora. Garanto que o inimigo é incrivelmente poderoso. As pessoas no comando estão apavoradas! Eu conheço muito bem o general Chang. Ele é o tipo de sujeito que não tem medo de nada, nem mesmo de o céu desabar. Só que percebi que ele está preocupado com algo muito pior agora. Parece que estão todos morrendo de medo e duvidam que tenham chance de vencer.

— Se o que você está dizendo for verdade, então todo mundo tem que ficar assustado.

— Todo mundo tem medo de algo. O inimigo também deve ter. Quanto mais poderosos eles forem, mais têm a perder para seus medos.

— Do que você acha que o inimigo tem medo?

— De vocês! Dos cientistas! O estranho é que, quanto menos prática for a área de pesquisa, maior é o medo deles em relação a vocês. Como teorias abstratas, o tipo de coisa com que Yang Dong trabalhava. Eles têm mais medo desse tipo de trabalho do que vocês têm do universo piscando. É por isso que são tão cruéis. Se matar vocês fosse resolver o problema, todos já estariam mortos. Mas a técnica mais eficaz ainda é embaralhar seus pensamentos. Quando um cientista morre, ele é substituído por outro. Mas se os pensamentos se confundem, a ciência acaba.

— Você está dizendo que eles têm medo da ciência de base?

— Sim, da ciência de base.

— Mas a natureza da minha pesquisa é muito diferente daquela do estudo de Yang Dong. Os nanomateriais com que trabalho não são ciência de base. É só um material muito forte. Como é que isso pode representar ameaça?

— Você é um caso atípico. Normalmente, eles não incomodam pessoas relacionadas com pesquisa aplicada. Talvez tenham bastante medo do material que você está desenvolvendo.

— Então o que eu deveria fazer?

— Vá trabalhar e continue a pesquisa. Essa é a melhor maneira de contra-atacar. Não se preocupe com essa contagem regressiva de merda. Se quiser relaxar um pouco depois do expediente, entre naquele jogo. Se conseguir vencer, talvez ajude.

— Aquele jogo? *Três Corpos?* Você acha que tem alguma relação com isso tudo?

— Com certeza tem alguma relação. Eu sei que vários especialistas do Centro de Comando em Batalha estão jogando também. Não é um jogo normal. Alguém como eu, destemido por ignorância, não tem como jogar. Precisa ser alguém entendido como você.

— Mais alguma coisa?

— Não. Se eu descobrir mais, aviso. Deixe o celular ligado, meu amigo. Fique de cabeça fria e, se tiver medo de novo, é só lembrar minha regra básica.

Da Shi foi embora antes que Wang tivesse chance de agradecer.

11. *TRÊS CORPOS*: MO ZI E CHAMAS FLAMEJANTES

Antes de voltar para casa, Wang Miao parou em uma loja para comprar um traje v. Assim que chegou, sua mulher disse que as pessoas do trabalho tinham passado o dia inteiro tentando entrar em contato com ele.

Wang ligou o celular, viu as mensagens e retornou algumas ligações. Prometeu que iria para o trabalho no dia seguinte. Durante o jantar, seguiu o conselho de Da Shi e bebeu um pouco mais.

Mas não estava com sono. Depois que a esposa foi dormir, ele se sentou na frente do computador, colocou o traje v novo e entrou em *Três Corpos*.

Planície desolada ao nascer do sol.

Wang se encontrava diante da pirâmide do rei Zhou. As camadas de neve que cobriam a construção haviam desaparecido, e os blocos de pedra estavam marcados pela erosão. O chão estava com uma cor diferente. Ao longe, havia alguns edifícios imensos, que Wang imaginou serem desidratórios, mas tinham uma forma diferente dos que ele vira na outra vez.

Tudo indicava que haviam se passado eras inteiras.

Sob a luz fraca do amanhecer, Wang procurou uma entrada. Quando encontrou, viu que a abertura tinha sido bloqueada por blocos de pedra. No entanto, ao lado, uma escadaria escavada na pirâmide levava até o ápice. Ele olhou para cima e viu que o topo fora aplainado para formar uma plataforma. A pirâmide, que antes era de estilo egípcio, agora parecia asteca.

Wang subiu a escada e chegou ao ápice. A plataforma parecia um observatório astronômico da Antiguidade. Em um dos cantos, havia um telescópio com vários metros de altura, cercado por outros telescópios menores. Em outro canto, Wang viu alguns instrumentos estranhos que lembravam antigas esferas armilares chinesas, modelos de objetos celestes.

Logo sua atenção foi atraída para a grande esfera de cobre no centro da plataforma. Com dois metros de diâmetro, ela estava em cima de uma máquina complexa. Movida por inúmeras engrenagens, a esfera girava lentamente. Wang percebeu que a direção e a velocidade da rotação mudavam sem parar. Debaixo da máquina, havia uma cavidade quadrada ampla. Com a iluminação tênue proporcionada pelas tochas no interior, Wang viu vultos que pareciam ser de escravos girando uma roda, que fornecia energia para a máquina do topo.

Um homem se aproximou de Wang. Como o rei Wen, o homem estava de costas para a fresta de luz do horizonte, parecendo um par de olhos brilhantes flutuando na escuridão. Era magro e alto, com um manto preto esvoaçante. O cabelo estava amarrado sem muito cuidado no topo da cabeça, deixando algumas mechas balançando ao vento.

— Oi — disse o homem. — Meu nome é Mo Zi.*

— Oi, eu sou Hairen.

— Ah, conheço você! — Mo Zi ficou animado. — Você era um seguidor do rei Wen lá na civilização número 137.

— Segui o rei até aqui, sim. Mas nunca acreditei em suas teorias.

— Tem razão. — Mo Zi fez um gesto solene com a cabeça para Wang, e então se aproximou mais. — Durante os trezentos e sessenta e dois anos em que você esteve ausente, a civilização renasceu mais quatro vezes. Essas civilizações sofreram para se desenvolver ao longo da alternância irregular de Eras Caóticas e Eras Estáveis. A mais curta só conseguiu avançar até metade da Idade da Pedra, mas a civilização número 139 bateu um recorde e progrediu até a Era Industrial.

— Quer dizer que as pessoas dessa civilização descobriram as leis que regem os movimentos do sol?

Mo Zi riu e balançou a cabeça.

— De jeito nenhum. Elas só deram sorte.

— Mas o esforço para desvendar esse movimento nunca parou?

— É claro que não. Venha comigo, quero mostrar os esforços da última civilização.

Mo Zi conduziu Wang até um dos cantos da plataforma de observação. A terra se estendia diante deles como um velho pedaço de couro. Mo Zi apontou um dos telescópios menores para um ponto no chão e fez um gesto para Wang, que olhou pelo visor e se deparou com algo estranho: um esqueleto. A luz do amanhecer produzia um reflexo branco como a neve e fazia o esqueleto parecer muito refinado.

---

* Mo Zi fundou a escola de filosofia moísta durante o Período dos Reinos Combatentes. O próprio Mo Zi advogava pela importância da experiência e da lógica e era tido como um engenheiro e geômetra talentoso.

Por incrível que pareça, o esqueleto ficava de pé por conta própria. Tinha um porte gracioso e elegante. Uma das mãos estava sob o queixo, como se afagasse uma barba havia muito perdida. A cabeça estava ligeiramente inclinada para cima, como se questionasse o céu e a terra.

— Aquele é Confúcio — disse Mo Zi. — Ele acreditava que tudo precisava se adequar ao *li*, o conceito de ordem e decência, e que nada no universo podia dispensá-lo. Ele criou um sistema de ritos e pretendia usá-lo para prever os movimentos do sol.

— Já imagino o resultado.

— E tem razão. Ele calculou que o sol seguiria os ritos e previu uma Era Estável de cinco anos. E quer saber? Realmente aconteceu uma Era Estável... que durou um mês.

— E então, certo dia, o sol não nasceu mais?

— Não, o sol nasceu nesse dia também. Subiu até o meio do céu e depois se apagou.

— O quê? Apagou?

— Sim. Foi diminuindo gradualmente, cada vez menor, até se apagar de repente. Veio a noite. Ah, o frio. Confúcio ficou ali parado, congelou e se transformou em uma coluna de gelo. Não se mexeu até agora.

— Restou alguma coisa no céu depois que o sol se apagou?

— Apareceu uma estrela voadora no lugar, como uma alma que tivesse ficado para trás após a morte do sol.

— Quer dizer que o sol desapareceu de repente e a estrela voadora apareceu também de repente? Você tem certeza?

— Sim, absoluta. Pode conferir os registros históricos. Foi documentado com bastante clareza.

— Hmmm... — refletiu Wang. Embora já tivesse criado algumas hipóteses vagas sobre a mecânica do mundo de *Três Corpos*, essa informação de Mo Zi derrubou todas as suas teorias. — Como é que pode ser... repentino? — murmurou ele, irritado.

— Agora estamos na dinastia Han. Não sei se é a Han Ocidental ou a Han Oriental.

— Você continuou vivo até agora?

— Tenho uma missão: observar os movimentos precisos do sol. Aqueles xamãs, metafísicos e taoistas são todos inúteis. Assim como os famosos homens das letras, que nem sequer seriam capazes de distinguir entre tipos de grãos, eles não realizam trabalhos manuais e não sabem de nada prático. Não têm habilidade alguma para realizar experimentos e passam o dia inteiro imersos em seu misticismo. Já eu sou diferente. Eu sei fazer coisas. — Ele apontou para os vários instrumentos na plataforma.

— Você acha que esses objetos vão ajudá-lo a cumprir sua meta? — Wang fez um gesto com a cabeça especificamente para a enorme esfera de cobre.

— Também tenho teorias, mas não são místicas. Elas derivam de muitas e muitas observações. Em primeiro lugar, você sabe o que o universo é? Uma máquina.

— Isso não é muito profundo.

— Serei mais específico: o universo é uma esfera oca que flutua no meio de um mar de fogo. A superfície tem vários furos minúsculos e um grande. A luz do mar de chamas atravessa esses furos. Os minúsculos são estrelas, e o grande é o sol.

— Esse modelo é muito interessante. — Wang olhou outra vez para a enorme esfera de cobre e imaginou qual seria o propósito daquilo. — Mas sua teoria tem um problema. Quando o sol nasce ou se põe, é possível ver seu movimento diante de um fundo de estrelas fixas. Já em sua esfera oca, todos os furos permanecem em posições fixas uns em relação aos outros.

— Correto! É por isso que modifiquei meu modelo. A esfera universal é feita de duas esferas, uma dentro da outra. O céu que vemos é a superfície da esfera interna. A externa tem um buraco grande, e a interna tem muitos furos pequenos. A luz que passa pelo buraco da esfera externa se reflete e dispersa várias vezes no espaço entre as duas esferas, enchendo-a de luz. Em seguida, a luz passa pelos furos minúsculos da esfera interna, e é assim que vemos as estrelas.

— E o sol?

— O sol é a projeção do buraco grande da esfera externa na interna. Essa projeção é tão luminosa que atravessa a esfera interna como se ela fosse uma casca de ovo, e é assim que vemos o sol. Em volta do ponto de luz, os raios dispersados são também muito intensos e podem ser vistos pela casca interna. É por isso que podemos ver um céu claro durante o dia.

— Que força é essa que impulsiona as duas esferas na movimentação irregular?

— É a força do mar de fogo em volta das duas esferas.

— Mas o brilho e o tamanho do sol mudam com o tempo. Em seu modelo de duas cascas, o tamanho e o brilho do sol deviam ser fixos. Ainda que o brilho das chamas no mar de fogo fosse inconstante, o tamanho do buraco não seria.

— Sua concepção do modelo é simplista demais. À medida que as condições no mar de fogo variam, as duas cascas se expandem ou se contraem. Isso resulta na variação de tamanho e brilho do sol.

— E as estrelas voadoras?

— Estrelas voadoras? Por que você liga para isso? Elas nem são importantes. Talvez não passem de um punhado qualquer de poeira flutuando dentro das esferas universais.

— Não, acho que as estrelas voadoras são extremamente importantes. Caso contrário, como é que seu modelo explica o apagamento súbito do sol durante a época de Confúcio?

— Isso foi uma exceção rara. Talvez tenha sido por causa de um ponto escuro ou em razão de uma nuvem no mar de fogo que casualmente passou na frente do buraco grande na casca externa.

Wang apontou para a grande esfera de cobre.

— Então este deve ser o seu modelo.

— Sim. Construí uma máquina para replicar o universo. As engrenagens complexas que movem a esfera simulam as forças do mar de fogo. As leis que regem esse movimento se baseiam na distribuição das chamas e nas correntes do mar de fogo. Deduzi tudo a partir de centenas de anos de observação.

— Essa esfera pode se contrair e se expandir?

— Claro. Neste instante, está se contraindo lentamente.

Wang usou o corrimão na beirada da plataforma como referência visual fixa. Percebeu que a afirmação de Mo Zi estava correta.

— E existe uma casca interna dentro dessa esfera?

— Claro. A casca interna se move dentro da externa por meio de outro conjunto complexo de mecanismos.

— É mesmo uma máquina projetada com habilidade! — O elogio de Wang era sincero. — Só não estou vendo um buraco grande na casca externa que possa lançar a luz do sol na casca interna.

— Não tem nenhum buraco. Instalei uma fonte de luz na superfície interna da casca externa para simular o buraco. A fonte de luz é composta do material luminescente acumulado de centenas de milhares de vaga-lumes. Usei uma luz fria porque a casca interna é feita de gesso translúcido, que não é um condutor térmico muito bom. Dessa forma, evito o problema de excesso de calor dentro da esfera, o que aconteceria com uma fonte de luz normal. Assim, o observador pode ficar mais tempo no interior.

— Tem uma pessoa dentro da esfera?

— Sim. Um escriba fica em cima de uma estante com rodas na base, bem no centro da esfera. Depois que configuramos o universo-modelo para corresponder ao estado atual do universo real, o movimento do modelo deve produzir uma simulação correta do futuro, incluindo os movimentos do sol. Quando o escriba registrar os movimentos solares, teremos um calendário preciso. Diante de nós está o sonho de centenas de civilizações anteriores.

"E parece que você chegou em um momento oportuno. De acordo com o universo-modelo, está prestes a começar uma Era Estável de quatro anos. Com base na minha previsão, o imperador Wu de Han acaba de dar a ordem de reidratar. Vamos esperar o amanhecer!"

Mo Zi abriu a interface do jogo e aumentou ligeiramente a passagem do tempo. Um sol vermelho se ergueu no horizonte, e os vários lagos congelados espalhados pela planície começaram a derreter. Antes cobertos de poeira e misturados à terra parda, esses lagos agora pareciam vários espelhos d'água, como se a terra tivesse aberto muitos olhos. Ali de cima, Wang não conseguia enxergar os detalhes da reidratação, mas dava para ver que mais e mais pessoas se reuniam às margens dos lagos, como uma infestação de formigas saindo dos formigueiros na primavera. O mundo havia sido revivido mais uma vez.

— Não quer fazer parte desta vida maravilhosa? — perguntou Mo Zi, apontando para o chão abaixo deles. — Quando as mulheres são revividas, elas desejam amar. Já não há motivos para você ficar mais tempo aqui. O jogo acabou. Eu venci.

— Como maquinário, seu universo-modelo é de fato incomparável. Mas, quanto às previsões... Posso usar seu telescópio para uma observação?

— Por favor. — Mo Zi indicou o telescópio grande.

Wang foi até o instrumento e hesitou.

— Como eu faço para observar o sol?

Mo Zi pegou um pedaço redondo de vidro preto.

— Use este filtro de vidro escurecido. — Inseriu o objeto no visor do telescópio.

Wang apontou o telescópio para o sol, que estava a meio caminho do alto do céu. Ficou impressionado com a imaginação de Mo Zi: o sol parecia mesmo um buraco por onde se entrevia um mar de fogo, um pequeno vislumbre de um todo muito maior.

Porém, ao examinar com mais atenção a imagem no telescópio, ele percebeu que o sol era diferente do que ele estava acostumado a ver na vida real. Ali, o sol tinha um núcleo pequeno. Wang imaginou o sol como um olho. O núcleo parecia a pupila do olho e, embora pequeno, era luminoso e denso. Em contrapartida, as camadas ao seu redor pareciam etéreas, difusas, vaporosas. O fato de que Wang era capaz de enxergar o núcleo atrás das camadas externas indicava que essas camadas eram transparentes ou translúcidas, e que sua luz provavelmente não passava da luz dispersada do núcleo.

Wang ficou chocado com os detalhes na imagem do sol. Mais uma vez, teve certeza de que os designers do jogo haviam escondido em imagens superficialmente simples uma quantidade colossal de dados, esperando que os jogadores os revelassem.

Refletindo sobre o significado da estrutura do sol, Wang ficou empolgado. Como o tempo do jogo estava passando aceleradamente, o sol já estava se pondo. Wang se ergueu, ajustou o telescópio para apontar para o sol de novo e acompanhou a trajetória até ele mergulhar no horizonte.

Caiu a noite, e as fogueiras na terra eram uma reprodução do céu estrelado. Wang tirou o filtro de vidro escurecido e continuou explorando o céu. Seu maior interesse era as estrelas voadoras, e logo encontrou duas. Só teve tempo de examinar rapidamente uma delas, e então o sol nasceu de novo. Ele inseriu o filtro e continuou observando...

Wang realizou observações astronômicas dessa forma durante mais de dez dias, desfrutando a emoção das descobertas. De fato, o tempo acelerado do jogo ajudava as observações, já que o movimento dos corpos celestes ficava mais perceptível.

No décimo sétimo dia da Era Estável, cinco horas após o momento previsto para a alvorada, o mundo continuava imerso nas trevas da noite escura. Multidões se aglomeraram diante da pirâmide, e suas incontáveis tochas tremeluziam com o vento frio.

— O sol provavelmente não vai nascer de novo. Está parecendo com o fim da civilização número 137 — disse Wang a Mo Zi.

Mo Zi afagou a barba e deu um sorriso confiante.

— Não fique nervoso. O sol nascerá em breve, e a Era Estável continuará. Já descobri o segredo do movimento da máquina universal. Minhas previsões não podem estar erradas.

Como se quisesse confirmar as palavras de Mo Zi, o céu acima do horizonte se iluminou com os primeiros raios da aurora. A multidão em volta da pirâmide gritou de alegria.

A luz branca aumentou muito mais depressa do que o normal, como se o sol nascente quisesse compensar o tempo perdido. Logo a luz cobria metade do firmamento, embora o sol ainda estivesse abaixo do horizonte. O mundo já estava claro como se fosse o meio do dia.

Wang olhou para o horizonte e viu que ele emitia um brilho ofuscante. O horizonte luminoso se curvou para o alto e formou um arco que se estendia de uma extremidade à outra do campo de visão dele. Wang logo percebeu que não estava vendo o horizonte, mas a borda do sol nascente, um sol de tamanho incomensurável.

Quando seus olhos se acostumaram ao brilho intenso, o horizonte ressurgiu no lugar de sempre. Wang viu colunas de fumaça negra subindo ao longe, ainda mais nítidas diante do fundo luminoso do disco solar. Um cavaleiro galopava depressa na direção da pirâmide, deixando para trás o sol nascente, e a poeira levantada pelos cascos do animal formava uma linha perceptível na planície.

A multidão abriu caminho, e Wang ouviu o cavaleiro gritar com todas as forças:

— Desidratar! Desidratar!

O cavaleiro era seguido por uma manada de gado, cavalos e outros animais. O corpo deles estava pegando fogo, e avançavam pelo chão como um tapete em chamas.

Metade do gigantesco disco solar já havia se erguido no horizonte, ocupando grande parte do céu. A terra parecia estar se afundando aos poucos diante de uma parede de luz. Wang conseguiu ver com nitidez as estruturas sutis da superfície solar: marés e ondas que cobriam o mar de chamas; manchas solares à deriva seguiam caminhos aleatórios como fantasmas; a coroa se estendia languidamente, como braços dourados.

No chão, como se fossem inúmeras toras de lenha arremessadas para dentro de uma fornalha, pessoas desidratadas ou não haviam começado a queimar. As chamas que consumiam aquelas vidas eram ainda mais intensas que carvão em brasa, mas logo se apagaram.

O sol gigante continuou subindo e em pouco tempo ocupou a maior parte do céu. Wang olhou para cima e sentiu uma mudança de perspectiva. De repente, não estava mais olhando para cima, e sim para baixo. A superfície do sol gigante se tornou uma terra flamejante, e ele sentiu como se estivesse caindo em direção ao inferno brilhante.

Os lagos começaram a evaporar, e nuvens de vapor branco se ergueram como nuvens atômicas. Depois de subir, elas se expandiram e se dissiparam, cobrindo as cinzas dos mortos.

— A Era Estável vai continuar. O universo é uma máquina. Eu criei essa máquina. A Era Estável vai continuar. O universo...

Wang virou a cabeça. Aquela voz pertencia a Mo Zi, que já estava pegando fogo. O corpo dele estava envolto em uma alta colina flamejante laranja, e sua pele enrugou e se transformou em carvão. Ainda assim, os olhos preservaram um brilho que se distinguia do fogo que o consumia. As mãos, já pedaços de carvão em chamas, ergueram a nuvem de cinzas revolutas que havia sido o calendário dele.

Wang também estava pegando fogo. Ele levantou as mãos e viu duas tochas.

O sol avançou bruscamente para o oeste, revelando o céu atrás de si. O astro logo desceu no horizonte, e dessa vez o solo pareceu se erguer diante da parede brilhante. Um pôr do sol impressionante se transformou em noite, como se um par de mãos gigantes puxasse um véu preto sobre um mundo que havia se transformado em cinzas.

A terra brilhou com uma luminosidade vermelha fraca, como um pedaço de carvão recém-tirado de uma fornalha. Por um breve instante, Wang viu as estrelas, mas logo nuvens de vapor e fumaça cobriram o céu e tudo o que havia na terra incandescente. O mundo mergulhou em um caos profundo. Apareceu uma linha de texto vermelho:

A civilização número 141 foi arruinada pelas chamas. Essa civilização havia avançado até o Período Han Oriental.

A semente da civilização permanece. Ela germinará e voltará a desabrochar no mundo imprevisível de *Três Corpos*.

Convidamos você a entrar novamente.

Wang tirou o traje v. Depois de se acalmar um pouco, pensou mais uma vez que *Três Corpos* era uma tentativa deliberada de fingir ser apenas uma ilusão, embora na verdade possuísse alguma realidade subjacente. Em contrapartida, o mundo real diante de Wang havia começado a parecer complexo na superfície, mas na verdade muito simples, *Qingming Shanghe Tu*.

No dia seguinte, Wang foi até o Centro de Pesquisa em Nanotecnologia. Exceto por uma ligeira confusão motivada por sua ausência no dia anterior, tudo estava normal. O trabalho foi um calmante eficaz para ele. Enquanto esteve absorto, Wang não se preocupou com suas inquietações perturbadoras. Ele fez questão de permanecer ocupado o dia inteiro e só saiu do laboratório à noite.

Pouco depois de deixar o edifício do Centro de Pesquisa, Wang voltou a ser tomando pela sensação perturbadora. Sentia que o céu estrelado era uma lupa acima do mundo, e que ele era um inseto minúsculo sob a lente, sem ter onde se esconder.

Wang precisava se ocupar com alguma coisa. Então pensou em Ye Wenjie, a mãe de Yang Dong, e foi até a casa dela.

Ye estava sozinha. Quando Wang entrou, ela estava sentada no sofá, lendo. Wang percebeu que ela era míope e tinha vista cansada: Ye precisava trocar de óculos sempre que lia ou tinha que olhar para algo distante. Ela ficou muito feliz de ver Wang e disse que ele parecia muito melhor do que na visita anterior.

Wang deu uma risada.

— Tudo por causa de seu ginseng.

Ye balançou a cabeça.

— O que eu lhe dei não era muito bom. A gente costumava encontrar ginseng silvestre de excelente qualidade nas redondezas da base. Uma vez achei um deste tamanho... Como será que aquilo está agora? Ouvi dizer que o lugar está deserto. Bom, acho que estou ficando velha mesmo. Hoje em dia, vivo pensando no passado.

— Ouvi falar que a senhora sofreu muito durante a Revolução Cultural.

— Foi Ruishan quem falou, não é? — Ye fez um gesto com a mão, como se tentasse afastar um fiapo de teia de aranha. — No passado, está tudo no passado... Ontem à noite, Ruishan me ligou. O rapaz estava tão agitado que foi difícil entender o que estava dizendo. Só consegui compreender que havia acontecido algo com você. Xiao Wang, preste atenção: quando você chegar à minha idade, vai perceber que tudo aquilo que parecia muito importante na verdade não importa quase nada.

— Obrigado — respondeu Wang.

Mais uma vez experimentou a alegria que vinha lhe fazendo tanta falta. Na condição atual, sua estabilidade mental dependia de dois pilares: aquela senhora idosa, que havia superado muitas tempestades e se tornado serena como a água, e Shi Qiang, o homem que não tinha medo de nada porque não sabia de nada.

— No que diz respeito à Revolução Cultural — continuou Ye —, tive bastante sorte. Quando eu achava que não tinha mais para onde ir, encontrei um lugar onde poderia sobreviver.

— A senhora se refere à Base Costa Vermelha?

Ye assentiu.

— Aquilo foi realmente um projeto incrível. Eu achava que era tudo boato.

— Boatos, não. Se você quiser, posso contar um pouco do que vivi.

A proposta deixou Wang um pouco preocupado.

— Professora Ye, não passa de curiosidade. A senhora não precisa me contar, se não quiser.

— Não tem problema. Vamos supor que eu esteja precisando de alguém para me escutar.

— A senhora poderia fazer uma visita ao centro de convivência para idosos. Não se sentiria tão solitária se fosse lá de vez em quando.

— Muitos dos frequentadores eram meus colegas na universidade, mas, por algum motivo, não consigo me juntar a eles. Todos gostam de relembrar o passado, mas ninguém quer escutar, e todos ficam irritados quando outra pessoa conta uma história. Você é o único que está interessado na Costa Vermelha.

— Mas me falar dessas coisas... não é proibido?

— É verdade... ainda é confidencial. Só que depois da publicação daquele livro muitas outras pessoas que participaram do projeto começaram a contar suas histórias, então são meio que segredos conhecidos. O homem que escreveu aquele livro foi muito irresponsável. Mesmo sem levar em conta as motivações que teve, muitos detalhes do conteúdo estavam errados. Eu devia pelo menos corrigir esses erros.

Ye Wenjie então começou a contar a Wang sobre o que aconteceu com ela durante os anos passados na Costa Vermelha.

12. COSTA VERMELHA II

Ye não recebeu nenhuma função importante ao chegar à Base Costa Vermelha. Diante da vigilância atenta de um guarda, ela só tinha permissão para realizar algumas atividades técnicas.

Quando ainda estava no segundo ano da faculdade, Ye já havia conhecido o professor que se tornaria seu orientador para o trabalho de conclusão de curso. Ele havia comentado que, para Ye desenvolver pesquisas em astrofísica, não adiantava nada dominar a teoria sem conhecer métodos experimentais e técnicas de observação — pelo menos não na China. Embora o pai de Ye tivesse uma opinião muito diferente, ela tendia a concordar com o professor. Ye sempre tivera a impressão de que o pai era teórico demais.

Seu orientador era um dos pioneiros da radioastronomia na China. Influenciada por ele, Ye também desenvolveu um grande interesse por radioastronomia, estudando por conta própria engenharia elétrica e ciências da computação, que eram a base para realizar experimentos e observações na área. Durante os dois anos do curso de pós-graduação, eles testaram o primeiro radiotelescópio de pequena escala da China e acumularam muita experiência no ramo.

Ela nunca havia imaginado que esse conhecimento algum dia viria a ser útil na Base Costa Vermelha.

Com o tempo, Ye foi designada para o Departamento de Transmissão, encarregado pela manutenção e pelos reparos dos equipamentos. Logo ela se tornou parte indispensável das operações.

A princípio, achou essa situação um pouco confusa. Ye era a única pessoa da base que não usava farda. E, considerando seu status político, todos mantinham distância dela. Para superar a solidão, ela acabou se entregando de corpo e alma ao trabalho. No entanto, isso não bastava para explicar por que a base contava tanto com ela. Afinal, aquele era um projeto crucial de defesa. Como era possível que a equipe técnica fosse tão medíocre a ponto de Ye, sem diploma de engenharia nem qualquer experiência profissional de verdade, ter conseguido assumir sem maiores dificuldades o trabalho deles?

Ela não demorou a descobrir o motivo. Ao contrário das aparências, a equipe da base era composta pelos melhores oficiais técnicos do 2º Corpo de Artilharia. Mesmo se passasse a vida inteira estudando, Ye jamais chegaria aos pés daqueles excepcionais engenheiros eletricistas e técnicos de computação. No entanto, a base ficava isolada, as condições eram péssimas, e o grosso do trabalho de pesquisa do Projeto Costa Vermelha já estava feito. Como só restavam atividades de manutenção, não havia muito espaço para resultados técnicos interessantes. A maioria das pessoas não queria se tornar indispensável, porque todos sabiam que, em projetos altamente confidenciais como aquele, quando alguém era designado para uma função técnica essencial, dificilmente obteria uma transferência para fora da base. Por isso, todo mundo fazia um esforço deliberado para disfarçar a própria competência técnica no dia a dia de trabalho.

Mas ninguém podia parecer incompetente *demais*. Então, se o supervisor dissesse que era preciso ir para o leste, as pessoas se esforçariam muito para ir para o oeste, fingindo ignorância. A ideia era fazer o supervisor pensar o seguinte: *Esse homem está trabalhando muito, mas tem capacidade limitada. Não adianta nada mantê-lo aqui, pois ele só vai atrapalhar.* Muitos chegaram a conseguir uma transferência usando esse método.

Nessas condições, Ye se tornou aos poucos uma técnica essencial para a base. Mas o outro motivo que lhe permitiu alcançar essa posição a intrigava, e ela não conseguiu descobrir nenhuma explicação: a Base Costa Vermelha — pelo menos as áreas conhecidas por Ye — não possuía nenhuma tecnologia realmente avançada.

Com o passar do tempo, à medida que Ye prosseguia com seu trabalho no Departamento de Transmissão, as restrições impostas a ela foram sendo atenuadas, e até mesmo o guarda encarregado de vigiá-la acabou sendo transferido para outra função. Ye foi autorizada a mexer na maioria dos componentes dos sistemas da Costa Vermelha e a ler os documentos técnicos relevantes. Claro, ainda havia áreas de acesso proibido para Ye. Entre outros setores, ela não podia chegar nem perto dos sistemas de controle dos computadores. No entanto, Ye descobriu que esses sistemas exerciam um impacto muito menor na Costa Vermelha do que ela havia imaginado. Por exemplo, os computadores do Departamento de Transmissão se limitavam a três máquinas ainda mais primitivas que o DJS130.* Os aparelhos usavam uma memória de núcleo magnético ineficiente e fita de papel como dispositivo de entrada, e o tempo máximo de funcionamento não passava de quinze

---

* Minicomputador chinês de dezesseis bits projetado com base no modelo americano Data General Nova.

horas. Ye também percebeu que a precisão do sistema de mira da Costa Vermelha era muito ruim, provavelmente até pior do que o de um canhão de artilharia.

Certo dia, o comissário Lei procurou Ye para uma conversa. Àquela altura, Yang Weining e Lei Zhicheng haviam trocado de lugar aos olhos dela. Durante aqueles anos, na condição de oficial técnico de patente mais alta, Yang não tinha um status político elevado nem muita autoridade em questões que não fossem técnicas. Ele precisava tomar cuidado com seus subordinados e falar com educação até mesmo com sentinelas, para não acabar tachado de intelectual resistente à reforma do pensamento e à colaboração com as massas. Assim, sempre que ele enfrentava dificuldades no trabalho, Ye virava seu saco de pancadas. No entanto, à medida que Ye foi ganhando importância como integrante da equipe técnica, o comissário Lei deixou de lado a grosseria e a frieza inicial e passou a tratá-la com gentileza.

— Wenjie — disse o comissário Lei —, a esta altura, você já conhece bastante bem o sistema de transmissão, que é também o componente ofensivo da Costa Vermelha, a principal peça. Você poderia me dizer sua opinião sobre o sistema como um todo?

Eles estavam sentados na beirada de um penhasco íngreme no pico do Radar, o lugar mais isolado da base. O penhasco parecia se abrir direto para um abismo infinito. No início, Ye tinha medo daquele lugar, mas com o tempo passou a gostar de ir ali sozinha.

Ye não sabia bem como responder à pergunta do comissário Lei. Ela só era responsável pela manutenção dos equipamentos e não conhecia nada da Costa Vermelha como um todo, nem das operações, nem dos alvos etc. Na verdade, não tinha permissão para saber. Nem sequer tinha permissão para estar presente durante a transmissão. Ela refletiu sobre a questão, começou a falar e se conteve.

— Vá em frente, diga o que está pensando — pediu o comissário Lei, que arrancou uma folha de grama e ficou brincando com ela, distraído.

— É... é só um radiotransmissor.

— Isso mesmo, é só um radiotransmissor. — O comissário fez um gesto satisfeito com a cabeça. — Você conhece os fornos de micro-ondas?

Ye balançou a cabeça.

— São brinquedinhos de luxo do Ocidente capitalista. A comida é aquecida pela energia gerada ao absorver radiação de micro-ondas. Em minha estação de pesquisa anterior, para testarmos com precisão o envelhecimento de alta temperatura de certos componentes, importamos um aparelho desses. Depois do trabalho, a gente usava para esquentar pães *mantou*, assar batatas, esse tipo de coisa. É muito interessante. O interior se aquece enquanto a parte externa continua fria.

O comissário Lei se levantou e ficou andando de um lado para o outro. Estava tão perto da beirada do penhasco que deixou Ye nervosa.

— A Costa Vermelha é um forno de micro-ondas, e os alvos aquecidos são as naves espaciais inimigas. Se pudermos aplicar radiação de micro-ondas em um nível de energia específico de um décimo de watt por centímetro quadrado, conseguiremos incapacitar ou destruir muitos componentes eletrônicos de satélites de comunicações, radares e sistemas de navegação.

Ye finalmente entendeu. Embora a Costa Vermelha fosse apenas um radio-transmissor, estava longe de ser convencional. O aspecto mais surpreendente era a potência de transmissão: até vinte e cinco megawatts! Isso não era só mais potente do que qualquer transmissão de comunicações, mas também do que qualquer transmissão de radar. A Costa Vermelha contava com um conjunto de capacitores gigantescos. Como o consumo de energia era muito alto, os circuitos de transmissão também eram diferentes dos projetos convencionais. Ye agora entendia o propósito dessa potência ultra-alta no sistema, mas algo pareceu errado logo de cara.

— A emissão do sistema parece modulada.

— Isso mesmo. No entanto, a modulação não é igual à usada em comunicações convencionais via rádio. O objetivo não é acrescentar informações, mas alterar frequências e amplitudes para penetrar possíveis blindagens do inimigo. Claro, isso ainda é experimental.

Ye assentiu com a cabeça. Muitas de suas perguntas agora tinham resposta.

— Recentemente, dois satélites-alvo foram lançados a partir de Jiuquan. Os testes de ataque da Costa Vermelha foram realizados com sucesso. A temperatura dentro dos satélites chegou a quase mil graus, e todos os instrumentos e equipamentos fotográficos a bordo foram destruídos. Em guerras no futuro, a Costa Vermelha pode atingir os satélites de comunicações e reconhecimento do inimigo, como os satélites espiões KH-8, que os imperialistas americanos usam, assim como os KH-9, que estão prestes a ser lançados. Os satélites espiões dos revisionistas soviéticos, que têm uma órbita mais baixa, são ainda mais vulneráveis. Se for necessário, temos até capacidade para destruir a estação espacial Salyut, dos revisionistas soviéticos, e a Skylab, que os imperialistas americanos pretendem lançar no ano que vem.

— Comissário! O que você está contando para ela? — perguntou alguém atrás de Ye. Ela se virou e viu o engenheiro-chefe Yang Weining, que encarava o comissário Lei com um olhar grave.

— Isso é para o trabalho — respondeu o comissário Lei, antes de ir embora. Yang olhou para Ye sem falar nada e saiu. Ye ficou sozinha.

Foi ele quem me trouxe para cá, mas ainda não confia em mim, pensou Ye, desolada. Ela estava apreensiva com o comissário Lei. Na base, Lei tinha mais autoridade do que Yang, já que o comissário dava a palavra final na maioria das questões importantes. No entanto, a pressa com que Lei saiu com Yang parecia indicar que ele acreditava ter sido flagrado fazendo algo errado pelo engenheiro-chefe. Ye deduziu que Lei havia tomado uma decisão pessoal ao lhe revelar o verdadeiro objetivo do Projeto Costa Vermelha.

O que vai acontecer com ele agora? Ao olhar para as costas corpulentas do comissário Lei, ela sentiu uma onda de gratidão. Para Ye, confiança era um luxo que não se atrevia a desejar. Na comparação com Yang, Lei era quem mais se aproximava da imagem que ela fazia de um oficial militar de verdade, com a postura franca e direta de um soldado. Yang, por sua vez, nada mais era do que um intelectual típico da época: cauteloso, inseguro, interessado apenas na própria proteção. Embora Ye compreendesse aquilo, o vasto abismo entre os dois aumentou.

No dia seguinte, Ye foi retirada do Departamento de Transmissão e transferida para o Departamento de Monitoração. A princípio, achou que a mudança tivesse relação com o incidente do dia anterior, uma tentativa de afastá-la do núcleo da Costa Vermelha. Porém, ao chegar ao Departamento de Monitoração, percebeu que *aquilo* parecia mais o coração da Costa Vermelha. Embora os dois departamentos dividissem alguns recursos, como a antena, o nível da tecnologia do Departamento de Monitoração era muito mais avançado.

O Departamento de Monitoração tinha um radiorreceptor muito sofisticado e sensível. Um maser* de ondas progressivas com cristal de rubi amplificava os sinais recebidos pela antena gigante e, para minimizar a interferência, o núcleo do sistema receptor estava imerso em hélio líquido a −269 graus Celsius. Assim, o sistema receptor era capaz de captar até mesmo sinais muito fracos. Ye não podia deixar de imaginar como aquele equipamento seria maravilhoso para estudos em radioastronomia.

O sistema de computadores do Departamento de Monitoração também era muito maior e mais complexo do que o do Departamento de Transmissão. Ao entrar pela primeira vez na sala de controle principal, Ye viu uma fileira de telas de tubo de raios catódicos. Ficou impressionada ao observar que todas exibiam linhas de programação e que os operadores podiam editar e testar os códigos com o teclado. Quando tinha aprendido programação na faculdade, o código-fonte sempre era escrito nas marcações de papéis de programação especiais e, depois, transferido para uma fita de papel com uma máquina de escrever. Ye ouvira falar de teclados e telas como dispositivos de entrada, mas era a primeira vez que via aquilo.

Os softwares disponíveis a deixaram ainda mais impressionada. Ye aprendeu sobre algo chamado FORTRAN, que permitia que a programação usasse uma linguagem semelhante à linguagem natural. Dava até para inserir equações matemáticas diretamente no código! Programar com isso era muitíssimo mais eficiente do que

---

* Parecido com um laser, mas usado para radiação eletromagnética, geralmente micro-ondas, fora do espectro da luz visível.

programar com linguagem de máquina. E havia também um negócio chamado base de dados, que facilitava o armazenamento e a manipulação de quantidades imensas de informação.

Dois dias depois, o comissário Lei chamou Ye para mais uma conversa. Dessa vez, eles estavam na sala de controle principal do Departamento de Monitoração, na frente da fileira de telas de luz verde. Yang Weining se sentou perto deles, sem fazer parte da conversa, mas também sem querer sair, o que deixou Ye bastante incomodada.

— Wenjie — começou o comissário Lei —, vou explicar o trabalho do Departamento de Monitoração. Em poucas palavras, o objetivo é buscar atividades inimigas no espaço, interceptar comunicações das embarcações espaciais inimigas entre si e com o solo, colaborar com nossos centros de telemetria, rastreamento e comando para determinar a órbita de embarcações espaciais inimigas e fornecer informações aos sistemas de combate da Costa Vermelha. Resumindo, os olhos da Costa Vermelha estão aqui.

— Comissário Lei — interrompeu Yang —, acho que o que o senhor está fazendo não é uma boa ideia. Não precisa contar essas coisas para ela.

Ye olhou para Yang e disse, ansiosa:

— Comissário, se isso não for adequado, então...

— Não, não, Wenjie. — O comissário levantou a mão para interromper Ye e se virou para Yang. — Chefe Yang, vou repetir o que disse em outro momento. Isso é para o trabalho. Para que Wenjie possa cumprir melhor suas obrigações, precisa saber dos objetivos.

Yang se levantou.

— Relatarei isso aos nossos superiores.

— Claro, é um direito seu. Mas não se preocupe, chefe Yang, eu assumirei a responsabilidade por qualquer coisa.

Yang saiu com uma expressão fechada.

— Não se preocupe com o chefe Yang. É só o jeito dele. — O comissário Lei deu uma risadinha e balançou a cabeça. Em seguida, olhou para Ye e assumiu uma entonação solene. — Wenjie, quando trouxemos você para a base, o objetivo era simples. Os sistemas de monitoramento da Costa Vermelha costumavam sofrer interferência causada pela radiação eletromagnética de explosões e manchas solares. Por coincidência, vimos seu artigo e percebemos que você havia estudado as atividades solares. Como entre os pesquisadores chineses seu modelo de previsão era o mais preciso, resolvemos pedir sua ajuda para resolver esse problema.

"Só que, depois que você chegou, demonstrou ter muito talento, então decidimos lhe atribuir mais responsabilidades. Minha ideia foi a seguinte: nomeá-la primeiro para o Departamento de Transmissão e depois para o Departamento de Monitoração. Desse modo, você obteria uma compreensão abrangente da Costa

Vermelha como um todo e nós poderíamos esperar para ver que outra função delegar mais à frente.

"Claro, como você pode ver, esse plano enfrentou alguma resistência. Mas eu confio em você, Wenjie. Quero deixar claro: até agora, a confiança depositada em você é toda minha, pessoal. Espero que você possa continuar trabalhando muito e conquiste a confiança de toda a organização."

O comissário Lei colocou a mão no ombro de Ye. Ela sentiu a simpatia e a força daquele gesto.

— Wenjie, vou dizer o que espero que aconteça: um dia, ainda pretendo chamá-la de *camarada Ye*.

Lei se levantou e saiu andando com o porte confiante dos soldados. Ye sentiu os olhos se encherem de lágrimas, fazendo com que os códigos de programação na tela parecessem chamas inconstantes. Aquela foi a primeira vez que ela chorou desde a morte do pai.

Conforme se acostumava com o trabalho do Departamento de Monitoração, Ye descobriu que ali se destacava muito menos do que no Departamento de Transmissão. Seu conhecimento em ciências da computação estava desatualizado, e ela precisou aprender as técnicas de programação do zero. Embora o comissário Lei confiasse nela, Ye continuava sob restrições severas: por exemplo, tinha autorização para ver o código-fonte dos programas, mas não podia chegar nem perto da base de dados.

No dia a dia, Ye permanecia principalmente sob a supervisão de Yang, que passou a tratá-la de maneira ainda mais grosseira e ficava irritado com ela por qualquer motivo. O comissário Lei conversou com ele sobre isso diversas vezes, em vão. Parecia que Yang era consumido por uma ansiedade misteriosa assim que via Ye.

Aos poucos, à medida que foi percebendo cada vez mais elementos inexplicáveis no trabalho, Ye se deu conta de que o Projeto Costa Vermelha era muito mais complexo do que havia imaginado.

Certo dia, o sistema de monitoramento interceptou uma transmissão que, após decodificação por computador, revelou ser algumas fotos de satélite. As imagens desfocadas foram enviadas à Seção de Exploração e Mapeamento do Estado-Maior, que após proceder à interpretação descobriu que eram fotos de alvos militares importantes na China, incluindo o porto naval de Qingdao e algumas fábricas importantes do programa Terceira Frente.* Os analistas confirmaram que as imagens tinham origem no sistema de reconhecimento americano KH-9.

---

* O programa Terceira Frente era um esforço militar secreto de industrialização durante a Revolução Cultural, com o objetivo de construir fábricas no interior da China, onde seriam menos vulneráveis a ataques americanos e soviéticos.

O primeiro satélite KH-9 acabara de ser lançado. Embora concebido sobretudo para recuperar imagens para os serviços de inteligência, o satélite também estava sendo usado para testar uma técnica mais avançada de transmissão via rádio de imagens digitais. Como a tecnologia ainda não estava muito desenvolvida, o satélite transmitia a uma frequência baixa, o que aumentava a faixa de recepção o bastante para que pudesse ser interceptada pela Costa Vermelha. Além disso, como era apenas um teste, a criptografia não era muito complexa e podia ser decifrada com pouca dificuldade.

Sem dúvida, o KH-9 era um alvo importante para ser monitorado, pois representava uma oportunidade rara de obter mais informações sobre os sistemas de reconhecimento via satélite dos americanos. Porém, depois do terceiro dia, Yang Weining deu ordem para mudar a frequência e a direção do monitoramento e abandonou o alvo. Ye não conseguia entender essa decisão.

Outra situação também a deixou chocada. Embora Ye agora fizesse parte do Departamento de Monitoração, às vezes o Departamento de Transmissão ainda precisava de sua ajuda. Certa vez, viu sem querer os ajustes de frequência de algumas das transmissões futuras. Descobriu que as frequências designadas para as transmissões 304, 318 e 325 estavam abaixo da faixa de micro-ondas e não resultariam em nenhum efeito de aquecimento no alvo.

Um dia, do nada, um oficial chamou Ye para a sala da administração central da base. Considerando o tom e a expressão do oficial, Ye percebeu que algo não estava certo.

Ao entrar na sala, a cena lhe pareceu familiar: todos os oficiais superiores da base estavam presentes, além de outros dois que ela não conhecia. No entanto, só de olhar ela percebeu que eles estavam acima na hierarquia.

Todos aqueles olhares frios se viraram para Ye. Porém, graças à sensibilidade desenvolvida nos anos turbulentos, ela se deu conta de que não era a única pessoa em apuros por ali. Na pior das hipóteses, era uma coadjuvante. O comissário Lei estava sentado em um canto, com uma expressão desolada.

Ele finalmente vai pagar por ter confiado em mim, pensou ela. Na mesma hora, Ye decidiu que faria o possível para salvá-lo: assumiria a responsabilidade por tudo e até mentiria, se fosse preciso.

Só que o comissário Lei foi o primeiro a se manifestar, e suas palavras revelaram algo completamente inesperado.

— Ye Wenjie, devo deixar claro desde já que não concordo com o que está prestes a acontecer. A decisão foi tomada pelo engenheiro-chefe Yang, após consulta a nossos superiores. Ele será o único responsável por todas as consequências.

O comissário Lei se virou para Yang, que fez um gesto solene com a cabeça.

— Para que pudéssemos aproveitar melhor suas competências na Base Costa Vermelha — continuou Lei —, o engenheiro-chefe Yang solicitou reiteradamente a nossos superiores permissão para abandonar a história de fachada e abrir o jogo com você. Nossos camaradas do Departamento de Política do Exército — ele indicou os dois oficiais que Ye não conhecia — foram enviados para investigar sua situação profissional. Por fim, com a aprovação dos nossos superiores, decidimos informá-la da verdadeira natureza do Projeto Costa Vermelha.

Só depois de uma longa pausa foi que Ye enfim entendeu o significado das palavras do comissário Lei: ele havia mentido para ela o tempo todo.

— Espero que você valorize esta oportunidade e trabalhe muito para redimir seus pecados. A partir de agora, sua postura deverá ser impecável. Qualquer comportamento reacionário será punido com rigor! — O comissário Lei encarou Ye. Era uma pessoa completamente diferente da imagem que Ye havia formado. — Ficou claro? Ótimo. Agora o chefe Yang pode explicar.

Os outros saíram, deixando na sala apenas Yang e Ye.

— Se você não quiser, ainda dá tempo.

Ye percebeu o peso por trás dessas palavras. Enfim compreendia a ansiedade de Yang sempre que se esbarravam nas últimas semanas. Para que pudessem aproveitar totalmente as competências dela, seria necessário abrir o jogo sobre a Costa Vermelha. No entanto, essa decisão apagaria o último raio de esperança de uma possível saída do pico do Radar. Se dissesse sim, Ye realmente passaria o resto da vida na Base Costa Vermelha.

— Eu aceito.

Assim, naquela noite de começo de verão, enquanto o vento uivava na gigantesca antena parabólica e a floresta se agitava na distante cordilheira Grande Khingan, Yang Weining explicou a Ye Wenjie a verdadeira natureza da Costa Vermelha.

Era um conto de fadas extraordinário, ainda mais inacreditável que as mentiras do comissário Lei.

13. COSTA VERMELHA III

DOCUMENTOS SELECIONADOS DO PROJETO
COSTA VERMELHA

Estes documentos perderam o status de confidencial três anos depois que Ye Wenjie revelou a Wang Miao os bastidores da Costa Vermelha e proporcionam informações complementares ao que ela contou.

I.
Uma questão amplamente ignorada pelas tendências da pesquisa científica mundial de base

(Publicado originalmente em Referência Interna, xx/xx/196x)

[**Resumo**] Levando em consideração a história moderna e contemporânea, existem dois caminhos possíveis para que os resultados de pesquisas científicas de base sejam convertidos em aplicações práticas: o modo gradualista e o modo saltacional.

Modo gradualista: resultados teóricos de base são aplicados gradualmente à tecnologia; avanços se acumulam até que seja realizada uma descoberta. Exemplos recentes incluem o desenvolvimento da tecnologia espacial.

Modo saltacional: resultados teóricos de base se tornam tecnologia aplicada rapidamente, levando a um salto tecnológico. Exemplos recentes incluem o aparecimento de armas nucleares. Até os anos 1940, alguns dos mais brilhantes físicos ainda achavam que jamais seria possível liberar a energia do átomo. Mas as armas nucleares apareceram logo depois. Definimos a ocorrência de um salto tecnológico quando uma grande faixa da ciência de base se converte em tecnologia durante um intervalo de tempo extremamente breve.

Neste momento, tanto a Otan quanto o Pacto de Varsóvia atuam e investem maciçamente em pesquisa de base, de modo que um ou dois saltos tecnológicos podem acontecer a qualquer momento. Esses acontecimentos representarão uma ameaça significativa ao nosso planejamento estratégico.

Este artigo defende que atualmente estamos orientados demais para o modo gradualista de desenvolvimento tecnológico, sem prestar atenção suficiente à possibilidade de saltos tecnológicos. Partindo de uma posição mais favorável, deveríamos elaborar uma estratégia abrangente e um conjunto amplo de princípios para que possamos apresentar uma resposta apropriada quando ocorrerem saltos tecnológicos.

Áreas em que é mais provável a ocorrência de saltos tecnológicos:

Física: [omitido]

Biologia: [omitido]

Ciências da computação: [omitido]

Busca por Inteligência Extraterrestre (Seti): de todas as áreas, esta é a que apresenta maior possibilidade de salto tecnológico. Se ocorrer um salto nesta área, o impacto será superior ao total dos saltos tecnológicos ocorridos nas outras três áreas.

[Texto completo] [omitido]

[Instruções da Liderança Central] Distribuir este artigo para a equipe apropriada e organizar grupos de discussão. Nem todos vão concordar com as opiniões deste artigo, mas não podemos rotular o autor de maneira intempestiva. O importante é considerar o raciocínio do autor a longo prazo. Alguns camaradas são incapazes de enxergar além do próprio nariz, talvez em razão do ambiente político mais complexo, talvez em virtude de sua própria arrogância. Isso não é bom. Pontos cegos estratégicos são extremamente perigosos.

Na minha opinião, entre as quatro áreas passíveis de saltos tecnológicos, a que menos observamos é a última. Ela merece alguma dose de atenção, e deveríamos analisar a questão sistematicamente e a fundo.

Assinado: xxx Data: xx/xx/196x

II.

Relatório de estudo sobre a possibilidade de saltos tecnológicos em decorrência da busca por inteligência extraterrestre

1. Tendências atuais da pesquisa internacional [Resumo]

    (1) Estados Unidos e outras nações da Otan: o caso científico e a necessidade do programa Seti são aceitos de modo geral, e há forte apoio da academia.

    Projeto Ozma: em 1960, o Observatório Radioastronômico Nacional de Green Bank, na Virgínia Ocidental, procurou inteligência extraterrestre com um radiotelescópio de vinte e seis metros de diâmetro. O projeto examinou as estrelas Tau Ceti e Epsilon Eridani ao longo de duzentas horas, usando faixas próximas da frequência de 1420 giga-hertz. O projeto Ozma II, que analisará mais alvos e uma faixa de frequências maior, está planejado para 1972.

Sondas: as sondas Pioneer 10 e Pioneer 11, cada uma contendo uma placa de metal com informações sobre nossa civilização na Terra, estão com lançamento previsto para 1972. As sondas Voyager 1 e Voyager 2, cada uma contendo uma gravação de áudio, estão com lançamento previsto para 1977.

Observatório de Arecibo, Porto Rico: construído em 1963, é um instrumento importante para o Seti. Tem uma área de coleta de cerca de 80 mil metros quadrados, extensão maior do que a soma das áreas de coleta de todos os outros radiotelescópios do mundo. Quando combinado ao sistema de computadores do observatório, é capaz de monitorar ao mesmo tempo 65 mil canais, além de realizar transmissões de energia ultra-alta.

(2) União Soviética: embora haja poucas fontes de inteligência disponíveis, existem indicações de grandes investimentos na área. Em comparação com países da Otan, a pesquisa parece mais sistemática e de longo prazo. De acordo com certos canais de informação isolados, existem planos para construir um sistema global de radiotelescópios de síntese de abertura em interferometria de linha de base muito longa (VLBI). Quando o sistema estiver concluído, será o mais potente do mundo para exploração do espaço sideral.

2. Análise preliminar de padrões sociais de civilizações extraterrestres mediante uma concepção materialista da história [omitido]

3. Análise preliminar da influência de civilizações extraterrestres em tendências sociais e políticas da humanidade [omitido]

4. Análise preliminar da influência que um possível contato com civilizações extraterrestres exercerá nos padrões internacionais da atualidade

(1) Contato unidirecional (apenas a recepção de mensagens enviadas por uma inteligência extraterrestre): [omitido]

(2) Contato bidirecional (troca de mensagens com uma inteligência extraterrestre e contato direto): [omitido]

5. Perigo e consequências do contato inicial de superpotências com uma inteligência extraterrestre e do monopólio desse contato

(1) Análise das consequências caso os imperialistas americanos e a Otan façam o primeiro contato com uma inteligência extraterrestre e monopolizem esse contato: [**ainda sigiloso**]

(2) Análise das consequências caso os revisionistas soviéticos e o Pacto de Varsóvia façam o primeiro contato com uma inteligência extraterrestre e monopolizem esse contato: [**ainda sigiloso**]

[**Instruções da Liderança Central**] Outras nações já enviaram mensagens para o espaço. É perigoso se os extraterrestres só ouvirem a voz delas. Também precisamos nos pronunciar. Só assim eles terão uma imagem completa da sociedade humana. Não é possível saber a verdade ouvindo apenas um dos lados. Devemos providenciar isso o quanto antes.

Assinado: xxx Data: xx/xx/196x

III.

Relatório de estudo sobre a fase inicial do Projeto Costa Vermelha (xx/xx/196x)

ULTRASSECRETO

Número de cópias: 2

Documento do resumo: Documento central número xxxxxx, encaminhado à Comissão de Ciência, Tecnologia e Indústria para a Defesa Nacional, à Academia Chinesa de Ciências e à Comissão Central de Planejamento do Departamento de Defesa Nacional; divulgado no Congresso xxxxxx e no Congresso xxxxxx; divulgado parcialmente no Congresso xxxxxx.

Número de Série do Tema: 3760

Codinome: "Costa Vermelha"

1. Objetivo [**Resumo**]

Busca pela possível existência de inteligência extraterrestre e tentativa de estabelecer contato e comunicação.

2. Estudo teórico do Projeto Costa Vermelha

(1) Busca e monitoramento

Faixa de frequências de monitoramento: 1000 MHz a 40 000 MHz

Canais de monitoramento: 15 000

Principais frequências monitoradas:

Frequência do átomo de hidrogênio em 1420 MHz

Frequência da radiação do radical hidroxila em 1667 MHz

Frequência da radiação da molécula de água em 22 000 MHz

Faixa de alcance: uma esfera com a Terra no centro e mil anos-luz de raio, contendo aproximadamente 20 milhões de estrelas. Para uma lista de alvos, favor conferir o Apêndice 1.

(2) Transmissão de mensagens

Frequências de transmissão: 2800 MHz, 12 000 MHz, 22 000 MHz

Potência de transmissão: 10-25 megawatts

Alvos de transmissão: uma esfera com a Terra no centro e duzentos anos-luz de raio, contendo aproximadamente 100 mil estrelas. Para uma lista de alvos, favor conferir o Apêndice 2.

(3) Desenvolvimento do sistema de codificação autointerpretativo da Costa Vermelha

Princípio básico: a partir de leis universais e matemáticas básicas da física, construir um código linguístico elementar que possa ser compreendido por qualquer civilização que tenha domínio de álgebra básica, de geometria euclidiana e das leis da mecânica clássica (física não relativística).

Usando o código elementar mencionado, com acréscimo de imagens de baixa resolução, desenvolver gradualmente um sistema linguístico completo. Idiomas aceitos: chinês e esperanto.

A totalidade do conteúdo informacional do sistema deve ser de 680 KB. Os tempos de transmissão nos canais de 2800 MHz, 12 000 MHz e 22 000 MHz são, respectivamente, 1183 minutos, 224 minutos e 132 minutos.

3. Plano de implementação do projeto Costa Vermelha

(1) Conceito preliminar para o sistema de monitoramento e busca da Costa Vermelha [**ainda sigiloso**]

(2) Conceito preliminar para o sistema de transmissão da Costa Vermelha [**ainda sigiloso**]

(3) Plano preliminar de seleção de local para a base Costa Vermelha [**omitido**]

(4) Ideias preliminares quanto à formação da força Costa Vermelha a partir do 2º Corpo de Artilharia [**ainda sigiloso**]

4. Conteúdo da mensagem transmitida pela Costa Vermelha [**Resumo**]

Panorama da Terra (3,1 KB), panorama da vida na Terra (4,4 KB), panorama da sociedade humana (4,6 KB), história mundial básica (5,4 KB).

Conteúdo total de informação: 17,5 KB.

A mensagem integral será enviada após a transmissão do sistema de codificação autointerpretativo. Os tempos de transmissão nos canais de 2800 MHz, 12000 MHz e 22000 MHz são, respectivamente, 31 minutos, 7,5 minutos e 3,5 minutos.

A mensagem será avaliada com cuidado por um comitê multidisciplinar, para garantir que não sejam reveladas as coordenadas da Terra em relação à Via Láctea. Entre os três canais, a transmissão nas frequências mais altas de 12000 MHz e 22000 MHz será minimizada para reduzir as chances de que a fonte da transmissão seja determinada com precisão.

IV.

Mensagem para civilizações extraterrestres
Primeiro rascunho [**Texto Completo**]

Atenção, você, que recebeu esta mensagem! Esta mensagem foi enviada por um país que representa a justiça revolucionária na Terra! Antes disso, você talvez já tenha recebido outras mensagens enviadas da mesma direção. Essas mensagens foram enviadas por uma potência imperialista deste planeta. Essa superpotência está disputando o domínio mundial com outra superpotência, a fim de fazer retroceder a história da humanidade. Temos esperança de que você não dê ouvidos às mentiras dessas nações. Apoie a justiça, apoie a revolução!

[**Instruções da Liderança Central**] Isso está uma grande porcaria! Já basta espalharmos cartazes com caracteres garrafais* por todos os lados, mas não deveríamos mandá-los para o espaço. A liderança da Revolução Cultural não pode ter mais nenhum envolvimento com a Costa Vermelha. Uma mensagem de tamanha importância deve ser elaborada com cuidado. Provavelmente seria melhor que um comitê especial redigisse o comunicado, e que depois o texto fosse debatido e aprovado em uma reunião do politburo.

Assinado: xxx Data: xx/xx/196x
Segundo Rascunho [**omitido**]
Terceiro Rascunho [**omitido**]
Quarto Rascunho [**Texto Completo**]

Estendemos a vocês, habitantes de outro mundo, nossos mais calorosos cumprimentos. Após ler a seguinte mensagem, vocês terão uma noção básica da civilização na Terra. Através de muito trabalho e

---

* A crença popular passou a associar cartazes manuscritos com grandes caracteres chineses à Revolução Cultural. No entanto, vem de longa data a história do uso desse material como instrumento de propaganda na China, tanto antes como depois da Revolução Cultural.

criatividade, a raça humana construiu uma civilização esplêndida, que floresceu com uma multiplicidade de culturas. Também começamos a compreender as leis que regem o mundo natural e o desenvolvimento das sociedades humanas. Valorizamos todas as nossas conquistas.

Mesmo assim, nosso mundo ainda tem falhas. Há ódio, assim como preconceito e guerra. Por conta de conflitos entre as forças de produção e as relações de produção, a distribuição de riqueza é extremamente desigual, e grandes parcelas da humanidade vivem na pobreza e na miséria.

As sociedades humanas estão se esforçando muito para resolver as dificuldades e os problemas que enfrentam, lutando para criar um futuro melhor para a civilização da Terra. O país que enviou esta mensagem participa desse esforço. Nós nos dedicamos a desenvolver uma sociedade ideal que respeite na plenitude o trabalho e o valor de cada indivíduo da raça humana, que atenda integralmente as necessidades materiais e espirituais de todos, de modo que a civilização da Terra possa se aperfeiçoar.

Movidos pelas melhores intenções, desejamos estabelecer contato com outras sociedades civilizadas do universo. Desejamos trabalhar junto com vocês para desenvolver uma vida melhor neste vasto universo.

V.
Políticas e estratégias relacionadas

1. Consideração de políticas e estratégias após recepção de mensagem por inteligência extraterrestre [omitido]

2. Consideração de políticas e estratégias após estabelecimento de contato com inteligência extraterrestre [omitido]

[Instruções da Liderança Central] É importante reservar um tempo em nossa agenda cheia para fazer algo sem qualquer relação com nossas necessidades imediatas. Esse projeto permitiu um pouco de reflexão sobre questões que nunca tivemos tempo de analisar. De fato, só podemos ponderar essas questões quando obtivermos um distanciamento suficiente. Isso já basta para justificar o Projeto Costa Vermelha.

Será maravilhoso se o universo realmente tiver outras inteligências e outras sociedades! Observadores externos são os que têm a perspectiva mais clara. Só alguém realmente neutro será capaz de comentar se somos os heróis ou os vilões da história.

Assinado: xxx Data: xx/xx/196x

14. COSTA VERMELHA IV

— Professora Ye — disse Wang Miao —, tenho uma pergunta. Naquela época, o Seti era um ramo de pesquisa marginalizado. Por que o Projeto Costa Vermelha tinha uma classificação de segurança tão alta?

— Essa pergunta foi feita durante o estágio inicial do Projeto Costa Vermelha e continuou sendo feita até o final. Mas agora você já deve saber a resposta. É admirável a forma como a autoridade responsável pelas decisões referentes ao Projeto Costa Vermelha conseguiu pensar adiante.

— É verdade, o responsável pensou muito longe.

Wang fez um gesto solene com a cabeça. Sabia que a reflexão séria e sistemática sobre como e até que ponto as sociedades humanas seriam influenciadas pelo contato com uma inteligência extraterrestre só ganhara espaço em anos recentes. Esses estudos atraíram rápido interesse e apresentaram conclusões preocupantes.

Esperanças ingênuas e idealistas foram destroçadas. Os pesquisadores descobriram que, ao contrário dos anseios da maioria das pessoas, não era uma boa ideia a raça humana estabelecer contato com extraterrestres. O impacto desse contato na sociedade humana seria polarizador, e não um fator de união, apenas intensificando, em vez de mitigar, os conflitos entre culturas diferentes. Em suma, se houvesse contato, as divisões internas da civilização da Terra seriam ampliadas e provavelmente levariam a um desastre. A conclusão mais estarrecedora de todas foi que o impacto não teria nenhuma relação com o grau e o tipo de contato (unidirecional ou bidirecional), nem com a forma e o nível de avanço da civilização alienígena.

Tratava-se da teoria de "contato como símbolo", proposta pelo sociólogo Bill Mathers, da RAND Corporation, em seu livro *A cortina de ferro de 100 000 anos-luz: Sociologia e a busca por inteligência extraterrestre*. Mathers acreditava que o contato com uma civilização alienígena seria apenas um símbolo ou botão. Independente da natureza do encontro, o resultado sempre seria o mesmo.

Digamos que o contato apenas confirmasse a existência de uma inteligência extraterrestre, sem mais nenhuma informação significativa, o que Mathers chama de contato elementar. O impacto seria ampliado pela lente da psicologia de massa e da cultura humana até resultar em influências colossais e significativas para o progresso da civilização. Se esse contato fosse monopolizado por um país ou por uma força política, a relevância seria como uma vantagem insuperável em poderio econômico e militar.

— Como a Costa Vermelha acabou?

— Você deve imaginar.

Wang fez outro gesto com a cabeça. Ele sabia bem que se a Costa Vermelha tivesse tido sucesso, o mundo atual seria muito diferente. Para consolar Ye, ele respondeu:

— Ainda é cedo demais para cravar se o projeto teve sucesso ou não. As ondas de rádio enviadas pela Costa Vermelha ainda não chegaram muito longe no universo.

Ye balançou a cabeça.

— Quanto mais longe avançam, mais fracos os sinais ficam e menor é a probabilidade de alguma civilização extraterrestre captá-los. Claro, se a existência da Terra e da nossa atmosfera rica em oxigênio já tivesse sido detectada por alienígenas e se eles tivessem decidido concentrar equipamentos poderosos especificamente em nós, seria outra história. Porém, estudos apontam que para que nossos sinais pudessem ser detectados por extraterrestres, deveríamos transmitir a uma potência equivalente à emissão energética de uma estrela de tamanho médio.

"Certa vez o astrofísico soviético Nikolai Kardashev propôs uma possível divisão das civilizações em três tipos, com base na quantidade de energia que são capazes de dominar para... digamos que para propósitos de comunicação. Uma civilização de Tipo 1 é capaz de manipular uma quantidade de energia equivalente à energia total produzida pela Terra. Com base nas estimativas dele, a produção energética da Terra é de cerca de 10^{15} a 10^{16} watts. Uma civilização de Tipo 2 pode dominar uma quantidade de energia equivalente à produção de uma estrela média: 10^{26} watts. Já a energia de comunicação de uma civilização de Tipo 3 pode chegar a 10^{36} watts, aproximadamente o mesmo que a produção energética de uma galáxia. A atual civilização da Terra corresponde a mais ou menos um Tipo 0,7, nem sequer um Tipo 1 completo. E as transmissões da Costa Vermelha consumiam apenas cerca de um décimo de milionésimo da quantidade de energia que a Terra era capaz de gerar. Nossa ligação era como um zumbido de mosquito no céu. Ninguém ia escutar."

— Mas, se as civilizações de Tipo 2 e 3 de Kardashev existem mesmo, nós deveríamos ser capazes de escutar as mensagens *delas*.

— Nunca ouvimos nada durante os vinte anos de operação da Costa Vermelha.

— Entendo. Considerando a Costa Vermelha e o Seti, será que no fim das contas todos os nossos esforços só provaram que, no universo inteiro, apenas a Terra possui vida inteligente?

Ye suspirou de leve.

— Teoricamente, talvez nunca haja resposta definitiva para essa pergunta. Agora, a minha impressão, e a de todo mundo que passou pela Costa Vermelha, é de que é isso mesmo.

— É uma pena que a Costa Vermelha tenha sido desativada. Depois de construída, a base devia ter sido mantida em funcionamento. Era realmente uma iniciativa grandiosa.

— O declínio da Costa Vermelha foi gradual. No começo dos anos 1980, aconteceu uma reforma de grande escala, sobretudo com o aprimoramento parcial dos sistemas de transmissão e monitoramento. O sistema de transmissão foi automatizado e o de monitoramento incorporou dois minicomputadores da IBM. A capacidade de processamento de dados ficou muito mais avançada e passou a ser capaz de monitorar simultaneamente quarenta mil canais.

"Mas com o tempo as pessoas foram reavaliando as perspectivas e começaram a entender melhor a dificuldade da busca por inteligência extraterrestre, e a liderança perdeu o interesse na Costa Vermelha. A primeira mudança foi a redução do nível de segurança da base. Como havia um consenso de que o segredo absoluto em torno da Costa Vermelha era desnecessário, a guarnição de segurança na base foi reduzida de uma companhia para um pelotão, até por fim sobrar apenas um grupo de cinco seguranças. Além disso, depois da reforma, embora a Costa Vermelha continuasse sob a alçada administrativa do 2º Corpo de Artilharia, a gestão das atividades científicas foi transferida para o Instituto de Astronomia da Academia Chinesa de Ciências e passou a assumir alguns projetos de pesquisa que não tinham nenhuma relação com a busca por inteligência extraterrestre nem com as Forças Armadas."

— Acredito que a senhora tenha alcançado seus maiores feitos científicos nessa época.

— A princípio, a Costa Vermelha também assumiu alguns projetos de radioastronomia. Naquele tempo, era o maior radiotelescópio da China. Mais tarde, à medida que outros observatórios radioastronômicos foram sendo construídos, a pesquisa feita na Costa Vermelha se voltou para a observação e a análise das atividades eletromagnéticas do sol. Para que isso fosse possível, acrescentaram um telescópio solar. O modelo matemático que criamos para as atividades eletromagnéticas do sol estava na vanguarda da área naquela época e tinha muitas aplicações práticas. Com os resultados dessas pesquisas, o grande investimento na Costa Vermelha teve pelo menos um pouco de retorno.

"Na verdade, o comissário Lei deve receber grande parte do crédito. É claro que tinha seus próprios interesses. Ele percebeu que não havia muito futuro na condição de oficial político em uma unidade técnica. Antes de entrar para o Exército, ele havia estudado astrofísica, então queria voltar a trabalhar com ciência. Todos os projetos de pesquisa assumidos pela Costa Vermelha fora da busca por inteligência extraterrestre foram resultado dos esforços dele."

— Duvido que ele tenha conseguido voltar a trabalhar com tanta facilidade com questões técnicas depois de passar tanto tempo como comissário político. Na época, a senhora ainda não havia sido reabilitada politicamente. Tenho a impressão de que a única coisa que ele fez foi colocar o próprio nome nos resultados da sua pesquisa.

Ye deu um sorriso tolerante.

— Sem Lei, a Base Costa Vermelha teria acabado ainda mais rápido. Depois que ficou decidido que a Costa Vermelha seria convertida para uso civil, as Forças Armadas praticamente a abandonaram. Com o tempo, a Academia Chinesa de Ciências não conseguiu mais manter os fundos necessários para a operação da Costa Vermelha, e a base foi desativada.

Ye não falou muito sobre seu dia a dia na Base Costa Vermelha, e Wang não perguntou. Quatro anos depois de entrar na base, ela se casou com Yang Weining. Tudo correu de modo natural, sem dramas. Mais tarde, um acidente na base levou a vida de Yang e também de Lei. Yang Dong nasceu após a morte do pai, e mãe e filha só saíram do pico do Radar em meados da década de 1980, quando a Base Costa Vermelha finalmente foi desativada. Depois, Ye voltou a lecionar astrofísica em sua faculdade de formação, Tsinghua, onde se aposentou. Wang ouvira tudo isso da boca de Sha Ruishan, no Observatório de Radioastronomia de Miyun.

— A busca por inteligência extraterrestre é uma disciplina única. Exerce uma influência profunda na forma como o pesquisador encara a vida. — Ye falava com um tom de voz didático, como se estivesse contando histórias para uma criança. — Na calada da noite, dava para ouvir no meu headphone o ruído sem vida do universo. O ruído era fraco, mas constante, mais eterno que as estrelas. Às vezes eu achava que parecia o som dos intermináveis ventos de inverno da cordilheira Grande Khingan. Eu sentia muito frio nessas horas, e a solidão era indescritível.

"De vez em quando, eu olhava para as estrelas depois de um turno à noite e pensava que elas pareciam um deserto luminoso e que eu não passava de uma pobre criança abandonada nessa imensidão... Eu achava que a vida era realmente um acidente entre tantos acidentes no universo. O universo era um palácio vazio, e a humanidade, a única formiga no palácio inteiro. Esse tipo de pensamento me levou a passar a segunda metade da minha vida em dúvida: às vezes eu achava que a vida era preciosa e tudo era muito importante. Já em outros momentos eu achava que os seres humanos eram insignificantes e que nada valia a pena. Enfim, passei muitos dias acompanhada dessa sensação estranha e, quando vi, já estava velha..."

Wang queria consolar aquela senhora idosa que havia dedicado a vida a um trabalho solitário, porém grandioso, mas a última parte da fala de Ye o lançou no mesmo estado de espírito melancólico. Ele se deu conta de que não tinha mais nada a falar e se limitou a dizer:

— Professora Ye, algum dia viajarei com a senhora para visitarmos as ruínas da Base Costa Vermelha.

Ye balançou a cabeça devagar.

— Xiao Wang, não sou como você. Tenho idade avançada e minha saúde não é a mesma. É difícil prever o futuro. Vivo a vida um dia de cada vez.

Wang olhou para a cabeça grisalha de Ye Wenjie e percebeu que ela estava pensando outra vez na filha.

15. *TRÊS CORPOS*: COPÉRNICO, FUTEBOL UNIVERSAL E DIA TRISSOLAR

Após sair da casa de Ye, Wang Miao não conseguiu se acalmar. Os acontecimentos dos últimos dois dias e a história da Costa Vermelha, duas tramas sem qualquer relação aparente, agora se entrecruzavam, e da noite para o dia o mundo já não parecia tão familiar.

Quando chegou em casa, para fugir desse estado de espírito, Wang ligou o computador, vestiu o traje v e entrou em *Três Corpos* pela terceira vez.

A tentativa de esquecer tudo deu certo. Assim que apareceu a tela de login, Wang já parecia outra pessoa, alguém cheio de uma empolgação inexplicável. Ao contrário das duas primeiras vezes, agora ele tinha um objetivo: revelar o segredo do mundo de *Três Corpos*.

Ele criou um novo login adequado para esse novo papel: Copérnico.

Ao entrar, Wang se viu de novo naquela planície vasta e desolada, diante da alvorada estranha do mundo de *Três Corpos*. Havia uma pirâmide colossal no leste, mas Wang logo percebeu que já não era a pirâmide do rei Zhou de Shang ou de Mo Zi. O ápice era em estilo gótico, projetando-se no céu matinal, lembrando a igreja de São José em Wangfujing. No entanto, se essa igreja fosse posta do lado daquela pirâmide, não seria nada além de uma cabine de entrada. Wang viu muitos edifícios ao longe que pareciam desidratórios, mas também em estilo gótico, com torres altas e pontiagudas, como se tivessem brotado vários espinhos no chão.

Wang viu uma porta na lateral da pirâmide, iluminada por luzes tremeluzentes vindas do interior. Ele se aproximou. Dentro do túnel havia uma fileira de estátuas de deuses do Olimpo com tochas na mão, escurecidos pela fumaça. Wang entrou no Grande Salão e percebeu que ali estava ainda mais escuro do que no túnel de entrada. Dois candelabros de prata em cima de uma mesa de mármore comprida proporcionavam uma luz tênue.

Havia alguns homens sentados em volta da mesa. Como a luz era fraca, Wang só conseguiu ver o contorno do rosto deles. Ainda que os olhos estivessem ocultos nas sombras de suas profundas órbitas oculares, Wang sentia seus olhares. Os homens pareciam usar mantos medievais. Ao observar com mais atenção, dava para ver que um ou dois deles usavam mantos mais simples, mais parecidos com túnicas gregas clássicas. Em uma das extremidades da mesa estava um homem alto e magro. A coroa dourada na cabeça era a única coisa além das velas que brilhava no Grande Salão. Com algum esforço, Wang notou que o manto dele era diferente dos outros: era vermelho.

Wang percebeu que o jogo selecionava um mundo diferente para cada jogador. Aquele, baseado na Alta Idade Média europeia, foi escolhido pelo programa a partir do login dele.

— Você está atrasado. A reunião já começou há algum tempo — disse o homem de coroa dourada e manto vermelho. — Eu sou o papa Gregório.

Wang tentou lembrar o pouco que sabia da história da Europa medieval para que, com base naquele nome, pudesse deduzir o nível de progresso daquela civilização. Só então se deu conta de que as referências históricas podiam ser extremamente anacrônicas no mundo de *Três Corpos* e decidiu que não valia o esforço.

— Eu sou Aristóteles. Você mudou seu login, mas todos sabemos quem você é. Nas duas civilizações anteriores, você viajou ao Oriente. — A pessoa que falou foi o homem de túnica grega. Ele tinha cachos brancos na cabeça.

— Isso mesmo. — Wang confirmou com a cabeça. — Lá, presenciei a destruição de duas civilizações, uma pelo frio extremo, e a outra, por um sol devastador. Também vi os grandes esforços dos pensadores orientais para tentar desvendar as leis que regem o movimento do sol.

— Rá! — O som veio de um homem cuja barbicha descrevia uma curva para cima. Ele era ainda mais magro que o papa. — Os pensadores orientais tentaram compreender os segredos do movimento solar por meio de meditação, epifanias e até mesmo sonhos. É absolutamente risível!

— Esse é Galileu — disse Aristóteles. — Ele defende uma compreensão do mundo mediante observação e experimentos. Como pensador, carece de imaginação, mas apresenta resultados que exigem nossa atenção.

— Mo Zi também realizava experimentos e observações — disse Wang.

Galileu deu uma bufada cínica.

— O jeito de pensar de Mo Zi também era oriental. Ele não passava de um místico vestido de cientista. Nunca levava as próprias observações a sério, e o modelo que desenvolveu estava baseado em especulação subjetiva. Ridículo! Lamento pelos equipamentos refinados dele. Nós somos diferentes. A partir de grandes quantidades de dados extraídos de observações e de experimentos, elaboramos deduções lógicas rigorosas para formular um modelo do universo. Depois, voltamos à experimentação e à observação para testá-lo.

— Correto — concordou Wang, fazendo um gesto com a cabeça. — Também penso assim.

— Você também nos trouxe um calendário, então? — O tom do papa era de deboche.

— Não tenho nenhum calendário. Trouxe apenas um modelo formulado a partir de dados observados. Mas preciso deixar claro que, mesmo se o modelo estiver certo, nada garante que possa ser usado para dominar os detalhes precisos do movimento solar e criar um calendário. No entanto, é um passo necessário.

Um aplauso solitário ecoou pelo Grande Salão. O som vinha de Galileu.

— Excelente, Copérnico, excelente. A maioria dos acadêmicos carece de seu raciocínio pragmático, adaptado à metodologia experimental, científica. Só isso já faz com que sua teoria mereça ser ouvida.

O papa fez um gesto afirmativo para Wang.

— Prossiga.

Depois de se acalmar, Wang foi até a outra extremidade da mesa comprida.

— Na verdade, é muito simples — disse ele. — O motivo por que o movimento do sol parece desprovido de padrões é que nosso mundo tem três sóis. Sob a influência da atração gravitacional de cada um deles, que afeta mutuamente os três, os movimentos são imprevisíveis: o problema dos três corpos. Quando nosso planeta gira em torno de um dos sóis em uma órbita estável, temos uma Era Estável. Quando um ou mais sóis chega a determinada distância, a força gravitacional deles afastará o planeta da órbita desse sol e o lançará em uma trajetória instável pelos campos gravitacionais dos três sóis. Isso é uma Era Caótica. Após um período indefinido, nosso planeta volta a ser atraído para uma órbita temporária, e assim começa outra Era Estável. É como uma partida de futebol nas dimensões do universo: os jogadores são os três sóis, e nosso planeta é a bola.

Algumas risadas fracas soaram no Grande Salão.

— Joguem ele na fogueira — disse o papa, impassível. Os dois soldados com armaduras enferrujadas parados à porta começaram a andar na direção de Wang como se fossem robôs desajeitados.

— Queimem ele. — Galileu suspirou. — Eu tinha esperança em você, mas você não passa de mais um místico ou feiticeiro.

— Homens assim são um estorvo — concordou Aristóteles.

— Pelo menos me deixem terminar! — Wang afastou as luvas de ferro dos dois soldados.

— Você por acaso já viu três sóis? Ao menos sabe de alguém que tenha visto? — perguntou Galileu.

— Todo mundo já viu.

— Então, tirando o sol que aparece nas Eras Caóticas e nas Eras Estáveis, cadê os outros dois?

— O sol que vemos em momentos diferentes pode não ser sempre o mesmo: é apenas um dos três sóis. Quando os outros dois estão longe, parecem estrelas voadoras.

— Você nem sequer tem conhecimento básico em ciências — disse Galileu, balançando a cabeça. — O sol deve se deslocar continuamente a um ponto distante. Ele não pode saltar pelo espaço intermediário. De acordo com sua hipótese, deveria haver mais uma situação observável: o sol deveria ficar menor do que costuma parecer, mas maior que uma estrela voadora, e aos poucos encolher até o tamanho de uma estrela voadora à medida que se afastasse. Mas nunca vimos o sol se comportar dessa maneira.

— Como você possui conhecimento científico, deve saber algo da estrutura do sol.

— Essa é minha descoberta que mais me dá orgulho. O sol é composto por uma camada externa gasosa esparsa, mas expansiva, e por um núcleo interior denso e quente.

— De fato — disse Wang. — Mas você aparentemente não descobriu a interação ótica especial entre a camada externa gasosa do sol e a atmosfera do nosso planeta. É um fenômeno semelhante à polarização ou à interferência destrutiva. Como resultado, quando vemos o sol de dentro de nossa atmosfera e ele chega a determinada distância de nós, a camada gasosa externa de repente fica completamente transparente e invisível, e assim só vemos o núcleo interior luminoso. O sol então parece ter apenas o tamanho do núcleo interior, uma estrela voadora.

"Esse fenômeno confundiu todos os estudiosos de todas as civilizações da história, impedindo que descobrissem a existência dos três sóis. Agora vocês entendem por que o aparecimento de três estrelas voadoras anuncia um longo período de frio extremo: porque todos os três sóis estão longe."

Pairou um breve silêncio enquanto todos ponderavam a questão. Aristóteles foi o primeiro a falar.

— Você não possui conhecimento básico em lógica. É verdade que às vezes vemos três estrelas voadoras e que isso sempre é seguido de períodos destrutivos de frio extremo. Mas, segundo sua teoria, também deveríamos ver três sóis de tamanho normal no céu. Isso nunca aconteceu. Em toda a história de todas as civilizações, isso nunca ocorreu!

— Esperem! — Um homem com um chapéu de formato estranho e uma barba comprida se levantou e falou pela primeira vez. — Eu sou Leonardo da Vinci.

Pode haver registro histórico disso. Uma civilização viu dois sóis e foi destruída imediatamente pela soma do calor deles, mas o registro era muito vago.

— Estamos falando de três sóis, não de dois! — gritou Galileu. — De acordo com a teoria dele, três sóis precisam aparecer em algum momento, assim como três estrelas voadoras.

— Três sóis apareceram *de fato* — disse Wang, com toda tranquilidade. — E as pessoas viram. Mas quem presenciou a cena não poderia registrar nenhuma informação, porque ver os três sóis significaria no máximo alguns segundos de vida para essas pessoas. Ninguém teria chance de escapar ou sobreviver. Os dias trissolares são as catástrofes mais assustadoras de nosso mundo. Nesses dias, a superfície do planeta se transforma em uma fornalha infernal em um segundo, e o calor é suficiente para derreter pedras. Após a destruição causada por um dia trissolar, leva uma eternidade até ressurgir a vida e a civilização. Esse é mais um motivo para não existirem registros históricos disso.

Silêncio. Todo mundo olhava para o papa.

— Queimem ele — disse o papa, com delicadeza. O sorriso dele parecia um pouco familiar para Wang: era o sorriso do rei Zhou de Shang.

O Grande Salão entrou em frenesi, e todo mundo parecia se preparar para uma festa. Galileu e alguns outros trouxeram cantarolando uma estaca de um canto escuro. Eles tiraram e descartaram o cadáver carbonizado que ainda estava preso nela, antes de firmá-la na posição vertical. Outro grupo animado fez uma pilha de lenha em volta da estaca. Só Leonardo ignorou a agitação. Sentado à mesa, ele refletia e, de vez em quando, usava uma pena para calcular algo na mesa.

— Giordano Bruno — disse Aristóteles, apontando para o corpo enegrecido. — Como você, ele também veio aqui e só falou absurdos.

— Deixem o fogo baixo — disse o papa, com a voz fraca.

Dois soldados começaram a amarrar Wang Miao na estaca com cordas de amianto. Wang usou a mão ainda livre para apontar para o papa.

— Você não é nada além de um programa. Quanto aos outros, ou vocês são programas, ou não passam de idiotas. Eu vou entrar de novo no jogo!

— Você não pode voltar. Desaparecerá para sempre do mundo de *Três Corpos*. — Galileu riu.

— Então *você* deve ser um programa. Com certeza uma pessoa de carne e osso teria noções básicas de internet. O máximo que o jogo pode fazer é registrar meu endereço MAC. Eu posso trocar de computador e criar um login novo. Vou anunciar que sou eu quando voltar.

— O sistema registrou sua retina pelo traje v — disse Leonardo, olhando para Wang, antes de voltar para os cálculos.

Wang Miao foi tomado por um terror indefinível.

— Não façam isso! — gritou ele. — Deixem-me sair. Eu estou falando a verdade!

— Se você estiver falando a verdade, não vai ser queimado. O jogo recompensa as pessoas que estão no caminho certo.

Aristóteles sorriu, pegou um isqueiro Zippo prateado, abriu com um gesto complicado e acendeu.

Quando ele estava prestes a atear fogo na pilha de lenha em volta de Wang, uma luz vermelha intensa preencheu o túnel de entrada, acompanhada por uma onda de calor e fumaça. Um cavalo veio em disparada da luz e entrou no Grande Salão. O corpo do animal já estava em chamas e, conforme galopava, foi sendo transformado em uma bola de fogo pelo vento. O cavaleiro que montava, de armadura pesada incandescente por causa do calor, trazia um fio de fumaça branca atrás de si.

— O mundo acabou! O mundo acabou! Desidratar! Desidratar!

Enquanto o cavaleiro gritava, o animal embaixo dele caiu e se transformou em uma fogueira. O cavaleiro foi lançado longe e rodou até a estaca, onde parou de se mexer. Uma fumaça branca continuava saindo pelas brechas da armadura. A gordura fervilhante do homem morto escorreu para o chão e pegou fogo, dando à armadura um par de asas flamejantes.

Todos que estavam no Grande Salão seguiram para o túnel de entrada e se espremeram nele, saindo para a luz vermelha do lado de fora. Wang Miao se esforçou ao máximo para se soltar das cordas. Desviando-se do cavalo e do cavaleiro em chamas, atravessou às pressas o Grande Salão e correu pelo túnel abrasador até sair da pirâmide.

O chão estava vermelho como um pedaço de metal no forno de um ferreiro. Riachos de lava incandescente se espalhavam pela terra vermelho-escura, formando uma rede de fogo que se estendia até o horizonte. Inúmeras colunas de fogo subiam aos céus: os desidratórios estavam em chamas. Os corpos desidratados dentro deles davam às labaredas um tom azulado estranho.

Não muito longe, Wang viu mais ou menos doze colunas de fogo da mesma cor. Eram as pessoas que haviam acabado de sair da pirâmide: o papa, Galileu, Aristóteles, Leonardo e os demais. As colunas ígneas em volta deles eram de um azul translúcido, e Wang via o rosto e o corpo deles se deformando aos poucos nas chamas. Estavam com os olhos fixos em Wang, que havia acabado de sair do túnel. Mantendo a mesma postura de antes e levantando os braços para o céu, eles falaram em coro:

— Dia trissolar...

Wang olhou para cima e viu três sóis gigantescos girando lentamente em volta de um centro invisível, como um ventilador imenso de três pás soprando um vento letal mundo abaixo. Os três sóis preenchiam quase o céu inteiro e, à medida que avançavam para o oeste, foram mergulhando no horizonte, até que somente metade da formação estivesse visível. O ventilador gigantesco continuou girando, e de vez em quando uma das pás se erguia do horizonte para dar ao planeta moribundo mais um breve amanhecer e pôr do sol. Ao fim de um pôr do sol, o chão brilhava com um tom avermelhado, e o amanhecer logo depois inundava tudo com seus intensos raios paralelos.

Quando os três sóis se puseram de vez, as nuvens densas formadas com a água evaporada continuaram refletindo o brilho deles. O céu queimava, exibindo uma infernal e enlouquecedora beleza.

Quando os últimos raios de luz da destruição enfim desapareceram e as nuvens brilharam apenas com uma suave luminescência vermelha refletida do incêndio infernal no solo, surgiram algumas linhas gigantes de texto:

A civilização número 183 foi destruída por um dia trissolar. Esta civilização havia avançado até a Idade Média.

Depois de muito tempo, a vida e a civilização vão recomeçar e voltarão a progredir no mundo imprevisível de *Três Corpos*.

Porém, nesta civilização, Copérnico conseguiu revelar a estrutura básica do universo. A civilização de *Três Corpos* dará seu primeiro salto. O jogo agora entra na segunda fase.

Convidamos você a entrar para a segunda fase de *Três Corpos*.

16. O PROBLEMA DOS TRÊS CORPOS

Assim que Wang saiu do jogo, o telefone tocou.

Era Shi Qiang, que pedia para Wang procurá-lo com urgência em sua sala na Divisão de Crimes. Wang olhou para o relógio: eram três da manhã.

Ele chegou à sala caótica de Da Shi e viu que o lugar já estava tomado por uma densa nuvem de fumaça de cigarro. Uma policial jovem que dividia a sala com Da Shi balançava um caderno na frente do nariz para afastar a fumaça. Da Shi apresentou a colega como Xu Bingbing, especialista em informática da Divisão de Segurança de Informações.

Wang ficou surpreso com a terceira pessoa na sala. Era Wei Cheng, o recluso e misterioso marido de Shen Yufei, da Fronteiras da Ciência. O cabelo de Wei estava uma bagunça. Ele olhou para Wang, mas parecia ter esquecido que já se conheciam.

— Desculpe incomodar você a essa hora, mas pelo menos parece que você não estava dormindo — disse Da Shi. — Tenho que lidar com algo que ainda não comuniquei ao Centro de Comando em Batalha e preciso de uma consultoria sua. — Ele se virou para Wei Cheng. — Diga a ele o que você me falou.

— Minha vida está em perigo — disse Wei, com o rosto inexpressivo.

— Que tal começar do começo?

— Certo. Vou começar, mas não venha me chamar de prolixo. Para ser sincero, ultimamente tenho pensado muito em falar com alguém... — Wei se virou para Xu Bingbing. — Você não precisa tomar nota ou algo do tipo?

— Por enquanto não — cortou Da Shi. — Você não tinha ninguém com quem conversar antes?

— Não, não é isso. Eu tinha preguiça demais de falar. Sempre fui preguiçoso.

A HISTÓRIA DE WEI CHENG

Desde pequeno, sempre fui indolente. Quando estudava em um internato, eu nunca lavava a louça nem fazia a cama. Nunca me animava com nada. Tinha preguiça demais de estudar, preguiça demais até de brincar, e passava o dia inteiro sem fazer nada.

Mas eu sabia que tinha alguns talentos especiais que outros não tinham. Por exemplo, se alguém traçasse uma linha, eu sempre conseguia traçar outra linha que a dividisse exatamente na proporção áurea: 1,618. Meus colegas diziam que eu devia virar carpinteiro, mas eu achava que era mais do que isso, uma espécie de intuição para números e formas. Só que eu tirava notas tão ruins em matemática quanto em outras disciplinas. Eu tinha preguiça demais para me dar ao trabalho de apresentar meu raciocínio. Nas provas, eu só anotava o resultado final nas respostas. Em mais ou menos oitenta ou noventa por cento das vezes eu acertava, mas mesmo assim minhas notas eram medíocres.

Quando eu estava no segundo ano do ensino médio, um professor de matemática reparou em mim. Na época, muitos professores de ensino médio tinham um currículo acadêmico impressionante, já que durante a Revolução Cultural diversos pesquisadores talentosos acabaram indo dar aula em colégios. Meu professor era um caso desses.

Um dia, ele me fez ficar depois da aula. Passou mais ou menos doze sequências numéricas no quadro-negro e me pediu para escrever a notação de somatório de cada uma. Eu escrevi as notações de algumas quase no mesmo instante e percebi só de olhar que as outras sequências eram divergentes.

Meu professor pegou um livro, *Coletânea de casos de Sherlock Holmes*. Abriu uma das histórias — acho que foi "Um estudo em vermelho". Tem uma cena em que Watson chama a atenção de Holmes depois de ver um mensageiro com roupas simples no térreo. Holmes diz: "Ah, você se refere ao sargento reformado dos fuzileiros navais?". Watson fica impressionado com a capacidade de Holmes de deduzir a história do homem, mas Holmes não consegue articular seu raciocínio e precisa refletir um pouco para entender qual foi sua linha de deduções. Ele se baseou na mão do sujeito, em seus movimentos etc. Holmes diz a Watson que isso não tem nada de estranho: a maioria das pessoas não consegue explicar como é que elas sabem que dois e dois são quatro.

Meu professor fechou o livro e me disse:

— Você é exatamente assim. Sua derivação é tão rápida e instintiva que você não consegue nem dizer como descobriu a resposta. — Depois, ele me perguntou: — O que você sente quando vê uma série de números? Estou falando de sensações.

— Qualquer combinação de número parece ter uma forma tridimensional para mim — respondi. — É claro que não sei descrever o formato dos números, mas eles aparecem mesmo como formas.

— E o que acontece quando você vê figuras geométricas? — perguntou o professor.

— É exatamente o contrário. Na minha cabeça, não existem formas geométricas. Tudo se transforma em números. É que nem quando você olha bem de perto uma foto no jornal e tudo se transforma em um monte de pontinhos.

— Você tem mesmo um dom nato para a matemática — disse ele —, mas... mas... — O professor acrescentou outros "mas", andando de um lado para o outro como se eu fosse um problema difícil de abordar. — Mas pessoas como você não dão valor para esse dom. — Depois de pensar por algum tempo, ele pareceu desistir e disse: — Que tal você se inscrever no campeonato de matemática do distrito no mês que vem? Não vou ser seu orientador. Como você é muito bom, eu só estaria perdendo meu tempo. Mas, quando der suas respostas, não se esqueça de escrever seu raciocínio.

Então eu participei do campeonato. Desde o nível distrital até a Olimpíada Internacional de Matemática em Budapeste, tirei o primeiro lugar em todas. Quando voltei, fui aceito em um programa de matemática de uma faculdade de elite sem ter que passar pelas provas de admissão...

Vocês não estão entediados com esse meu falatório todo? Ah, ótimo. Bom, para entender o que aconteceu depois, eu preciso contar tudo isso. Aquele professor de matemática do ensino médio tinha razão. Eu não dava valor para o meu talento. Graduação, mestrado, doutorado... nunca me esforcei muito em nenhum deles, mas consegui passar por todos. No entanto, quando me formei e voltei ao mundo real, percebi que eu era completamente inútil. Fora matemática, eu não sabia de nada. Estava meio adormecido em relação às complexidades dos relacionamentos entre as pessoas. Quanto mais eu trabalhava, pior ficava a minha carreira. Com o tempo, passei a dar aulas em uma faculdade, mas também não consegui ficar muito. Eu não conseguia levar a carreira docente a sério. Eu escrevia no quadro "fácil de provar", e ainda assim meus alunos passavam um bom tempo se esforçando. Mais tarde, quando começaram a dispensar os piores professores, fui demitido.

A essa altura, eu estava farto de tudo. Fiz as malas e fui para um templo budista perdido nas montanhas em algum lugar no Sul da China.

Ah, não fui para virar monge. Preguiça demais para isso. Eu só queria ir morar por algum tempo em um lugar realmente pacífico. O abade lá era um velho amigo do meu pai — um grande intelectual, que se tornou monge depois de idoso. Pelo que meu pai me contou, na situação dele, era a única opção. O abade me convidou para ficar.

— Eu quero achar um jeito pacífico de deixar correr o resto da minha vida — respondi.

— Este lugar não é pacífico de verdade. Recebemos muitos turistas e também muitos peregrinos. Quem é realmente calmo consegue encontrar a paz até em uma cidade efervescente. Para alcançar esse estado, você precisa se esvaziar.

— Já sou bastante vazio. Fama e fortuna não significam nada para mim. Muitos monges neste templo são mais sofisticados do que eu.

O abade balançou a cabeça e respondeu:

— Não, o vazio não é o nada. O vazio é um tipo de existência. Você precisa usar esse vazio existencial para preencher a si mesmo.

Achei aquelas palavras muito esclarecedoras. Mais tarde, depois de pensar um pouco no assunto, percebi que isso não tinha nada de filosofia budista, estava mais ligado a algumas teorias da física moderna. O abade também me disse que não discutiria budismo comigo. O motivo era o mesmo do meu professor da escola: com alguém como eu, seria só uma perda de tempo.

Naquela primeira noite, não consegui dormir no quarto minúsculo do templo. Não imaginei que aquele refúgio isolado do mundo seria tão desconfortável. O cobertor e o lençol ficaram úmidos com a neblina da montanha, e a cama era muito dura. Para me obrigar a dormir, tentei seguir o conselho do abade e me encher de "vazio".

Na minha mente, o primeiro "vazio" que criei foi a infinitude do espaço. Não havia nada nele, nem luz. Mas logo percebi que esse universo vazio não me daria paz. Na verdade, ele me enchia de uma ansiedade generalizada, como se eu fosse um homem que tentava se segurar em qualquer coisa para não morrer afogado.

Então criei uma esfera para mim nesse espaço infinito: não muito grande, mas que tivesse massa. Só que meu estado mental não melhorou. A esfera flutuava no meio do "vazio" — no espaço infinito, qualquer lugar podia ser o meio. O universo não continha nada que pudesse agir na esfera, e ela não podia agir em nada. Ficava lá, imóvel, eterna, como uma releitura perfeita da morte.

Criei uma segunda esfera de massa igual à da primeira. As duas tinham uma superfície completamente reflexiva. Cada uma refletia a imagem da outra, exibindo a única existência do universo além de si mesma. Mas a situação não melhorou muito. Se as esferas não tivessem nenhum movimento inicial — isto é, se não fossem empurradas por mim —, elas logo seriam atraídas pelas respectivas forças gravitacionais. As duas esferas então continuariam juntas e permaneceriam imóveis, um símbolo da morte. Se tivessem um movimento inicial e não colidissem, ficariam orbitando uma à outra sob a influência da gravidade. Independente das condições iniciais, as revoluções acabariam se estabilizando e se tornando imutáveis: a dança da morte.

Então introduzi uma terceira esfera e, para minha surpresa, a situação mudou completamente. Como já disse, na minha cabeça, qualquer figura geométrica se transforma em números. Todos os universos (o sem esferas, o com uma e o com duas) apareciam para mim como uma ou algumas equações, como um punhado de folhas solitárias no final do outono. Mas essa terceira esfera infundiu o "vazio" de vida. As três esferas, ao receberem um movimento inicial, realizavam uma série complexa e aparentemente aleatória de movimentos. Parecia uma chuva torrencial incessante de equações descritivas.

De repente, adormeci. As três esferas continuaram dançando nos meus sonhos, uma dança sem padrões nem repetições. Porém, nas profundezas da minha mente, a dança possuía um ritmo, só que o período de repetição era infinitamente longo. Isso me fascinou. Eu queria descrever o período inteiro, ou pelo menos uma parte.

No dia seguinte, continuei pensando nas três esferas que dançavam no "vazio". Eu nunca tinha ficado tão concentrado. Chegou ao ponto de um dos monges perguntar ao abade se eu tinha problemas mentais. O abade riu e disse:

— Não se preocupe. Ele encontrou o vazio.

Sim, eu havia encontrado o vazio. Agora poderia ficar em paz em uma cidade efervescente. Até mesmo no meio de uma multidão barulhenta, meu coração continuaria completamente tranquilo. Pela primeira vez, gostei de matemática. Estava me sentindo como um libertino que vivia saltando de mulher em mulher até de repente se dar conta de que está apaixonado.

Os princípios da física por trás do problema dos três corpos* são muito simples. É sobretudo um problema matemático.

— Você não ouviu falar de Henri Poincaré? — perguntou Wang Miao, interrompendo Wei.**

---

* O movimento de três corpos, influenciado mutuamente pelas atrações gravitacionais de cada um, é um problema tradicional da mecânica clássica que surgiu como um questionamento natural no estudo da mecânica celeste. Muitos pensadores trabalharam nele desde o século xvi. Euler, Lagrange e pesquisadores mais recentes (com o auxílio de computadores) encontraram soluções para casos específicos do problema dos três corpos. Mais tarde, Karl F. Sundman provou a existência de uma solução geral para o problema dos três corpos na forma de uma série convergente infinita, mas essa série converge a um ritmo tão lento que é praticamente inútil. (N. A.)

** Poincaré demonstrou que o problema dos três corpos apresentava uma dependência sensível em condições iniciais, algo que hoje consideramos que seja característica de um comportamento caótico.

Na época, não. Sim, eu sei que uma pessoa que estuda matemática deveria saber de um gênio como Poincaré, mas eu não idolatrava gênios e não queria me tornar um, então não conhecia o trabalho dele. Porém, mesmo que tivesse conhecido, eu teria continuado insistindo no problema dos três corpos.

Parece que todo mundo acredita que Poincaré provou que o problema dos três corpos não tem solução, mas acho que as pessoas se enganaram. Ele só provou que havia uma dependência sensível em condições iniciais e que o sistema de três corpos não podia ser solucionado por integrais. Mas essa sensibilidade não é o mesmo que completa indeterminabilidade. A questão é que a solução contém uma quantidade maior de formas diferentes. É preciso criar um novo algoritmo.

Naquele tempo, eu só pensava em uma coisa. Vocês já ouviram falar do método Monte Carlo? Ah, é um programa de computador usado com frequência para calcular a área de formas irregulares. Para ser mais específico: o programa coloca a figura de interesse em uma figura de área conhecida, como um círculo, e a golpeia várias vezes com bolinhas minúsculas em pontos aleatórios, sem nunca acertar o mesmo lugar duas vezes. Depois de uma grande quantidade de bolas, a proporção de bolas que cabem na forma irregular em comparação com a quantidade total de bolas usadas para golpear o círculo vai resultar na área da forma. É claro que, quanto menores forem as bolas usadas, mais preciso será o resultado.

Embora o método seja simples, demonstra como é matematicamente possível que a força bruta aleatória supere a lógica precisa. É uma abordagem numérica que usa quantidade para obter qualidade. Essa é a minha estratégia para resolver o problema dos três corpos. Estudo o sistema um momento por vez. A cada momento, os vetores de movimento das esferas podem se combinar em formas infinitas. Trato cada combinação como um ser vivo. O segredo é estabelecer algumas regras: que combinações de vetores de movimento são "saudáveis" e "benéficas" e que combinações são "prejudiciais" e "nocivas". As primeiras levam uma vantagem para a sobrevivência, ao passo que as outras são preteridas. A computação em seguida elimina as combinações preteridas e preserva as que têm vantagem. A combinação final que persiste é a previsão correta para a configuração seguinte do sistema, o momento seguinte no tempo.

— *É um algoritmo evolucionário* — *disse Wang.*
— *Que bom que eu convidei você.* — *Shi Qiang fez um gesto com a cabeça para Wang.*

Sim. Só fui conhecer esse termo muito mais tarde. A característica determinante desse algoritmo é que exige um poder de computação ultra-alto. Para o problema dos três corpos, os computadores que existem hoje não bastam.

Na época, no templo, eu não tinha nem uma calculadora. Precisava ir até a secretaria para pegar um livro-caixa em branco e um lápis. Comecei a elaborar o modelo matemático no papel. Tive que trabalhar muito e logo enchi mais de uma dúzia de livros-caixa. Os monges encarregados da contabilidade não ficaram muito felizes, mas, como era vontade do abade, arranjaram mais papel e caneta para mim. Eu escondia os cálculos concluídos embaixo do travesseiro e jogava as folhas de rascunho no incensário do pátio.

Certa noite, uma moça entrou de repente no meu quarto. Foi a primeira vez que uma mulher aparecia onde eu morava. Ela estava segurando uns pedaços de papel com as bordas queimadas, as folhas de rascunho que eu tinha jogado fora.

— Disseram que isto aqui é seu. Você está estudando o problema dos três corpos? — Por trás dos óculos grandes, os olhos dela pareciam estar pegando fogo.

Fiquei surpreso com a mulher. Eu não estava usando matemática convencional, e minhas derivações davam saltos grandes. Mas o fato de que ela tivesse conseguido identificar meu tema de estudo a partir de um punhado de rascunhos indicava que ela possuía um talento incomum para a matemática e que, como eu, se dedicava muito ao problema dos três corpos.

Eu não tinha uma boa impressão dos turistas e peregrinos. Os turistas não faziam ideia do que estavam visitando, só ficavam correndo de um lado para o outro e tirando fotos. Já os peregrinos pareciam ainda mais pobres que os turistas, como se vivessem em um estado letárgico, com o intelecto inibido. Só que aquela mulher era diferente. Ela parecia uma acadêmica. Mais tarde, descobri que havia chegado com um grupo de turistas japoneses.

Sem esperar eu responder, ela acrescentou:

— Sua abordagem é brilhante. Vínhamos procurando um método assim, que pudesse transformar o complicado problema dos três corpos em uma questão de computação maciça. Claro, para isso seria necessário um computador muito potente.

Falei a verdade para ela:

— Mesmo se usássemos todos os computadores do mundo, não seria suficiente.

— Mas você precisa ter um ambiente de pesquisa adequado, e não tem nada disso por aqui. Posso conseguir um supercomputador para você e também um minicomputador. Venha embora junto comigo amanhã de manhã.

A mulher, claro, era Shen Yufei. Assim como hoje, era autoritária e de poucas palavras, mas na época era mais atraente. De modo geral, sou uma pessoa fria. Eu tinha menos interesse em mulheres do que os monges à minha volta. Só que com aquela mulher, que não se encaixava nas ideias convencionais de feminilidade, era diferente: eu a achava atraente. Como não tinha mais nada para fazer mesmo, concordei.

Naquela noite, não consegui dormir. Coloquei uma camisa e saí para o pátio. Ao longe, avistei Shen no salão pouco iluminado do templo. Ela estava ajoelhada na frente do Buda, com varetas de incenso acesas, e todos seus gestos pareciam piedosos. Eu me aproximei sem fazer barulho e, quando cheguei até a porta do templo, ouvi Shen murmurando uma oração:

— Buda, por favor, ajude meu Senhor a escapar do mar de infortúnio.

Achei que tinha ouvido errado, mas ela repetiu a oração.

— Buda, por favor, ajude meu Senhor a escapar do mar de infortúnio.

Eu não entendia de religião e não me interessava por nenhuma, mas realmente não conseguia imaginar nenhuma oração mais estranha que aquela.

— O que você está dizendo? — perguntei, de repente.

Ela me ignorou. Ficou de olhos quase fechados, com as mãos juntas na frente do corpo, como se estivesse vendo a oração subir com a fumaça do incenso até o Buda. Depois de um bom tempo, ela enfim abriu os olhos e se virou para mim.

— Vá dormir. Precisamos levantar cedo.

Ela nem olhou para mim.

— Esse "Senhor" que você mencionou faz parte do budismo? — indaguei.

— Não.

— Então...?

Shen não disse nada, só saiu às pressas. Não tive chance de fazer mais nenhuma pergunta. Repeti a oração para mim mesmo várias vezes, e ela parecia ficar ainda mais estranha. Depois de um tempo, fiquei assustado. Corri até o quarto do abade e bati à porta.

— O que significa quando alguém reza para o Buda para ajudar outro Senhor? — E contei os detalhes do que tinha visto.

O abade olhou para o livro que estava em suas mãos e não disse nada: estava pensando no que eu falei, não lendo. Depois, disse:

— Por favor, preciso ficar sozinho um pouco. Preciso refletir.

Eu me virei e saí, sabendo que aquilo não era comum. O abade era muito erudito. Normalmente, conseguia responder qualquer pergunta sobre religião, história e cultura sem precisar refletir. Fiquei esperando do lado de fora do quarto mais ou menos uns cinco minutos, e então o abade me chamou.

— Acho que só existe uma possibilidade. — Ele estava com uma expressão grave.

— O quê? O que pode ser? Será que existe alguma religião cuja divindade, para ser salva, precisa que os devotos rezem aos deuses de outras religiões?

— O Senhor dela existe de verdade.

Essa resposta me deixou confuso.

— Então... o Buda não existe?

Assim que falei isso, me dei conta de como soou grosseiro. Pedi desculpas. O abade balançou a mão devagar para mim.

— Já falei, nós dois não podemos conversar sobre o budismo. A existência do Buda é de um tipo que não pode ser compreendida. Mas o Senhor de que ela estava falando existe de um jeito que é possível compreender... Não posso falar mais nada sobre esse assunto. Só posso aconselhar que você não vá embora com ela.

— Por quê?

— É só uma sensação. Estou com a sensação de que, por trás dela, existem coisas que nem eu nem você somos capazes de imaginar.

Saí do quarto do abade, atravessei o templo e caminhei até o meu quarto. Era noite de lua cheia. Olhei para cima, e a lua parecia um olho prateado estranho me encarando, carregado de uma frieza perturbadora.

No dia seguinte, fui embora com Shen — afinal, eu não podia ficar no templo para sempre. Mas não achei que, nos anos seguintes, eu acabaria tendo a vida dos meus sonhos. Shen cumpriu a promessa. Eu tinha um minicomputador e um ambiente confortável. Até saí do país algumas vezes para usar supercomputadores — não em esquema de tempo compartilhado, mas com o processador todo só para mim. Ela tinha muito dinheiro, mas eu não sabia de onde vinha.

Mais tarde, a gente se casou. Não havia muito amor ou paixão, só conveniência mútua. Nós dois queríamos realizar alguma coisa. Quanto a mim, os anos seguintes poderiam ser descritos como um único dia. O tempo passou tranquilamente para mim. Na casa dela, eu tinha tudo de mão beijada e, como não precisava me preocupar com comida ou roupas, podia me dedicar ao estudo do problema dos três corpos. Shen nunca se metia na minha vida. A garagem tinha um carro, que eu podia dirigir para qualquer lugar. Com certeza ela nem teria se importado se eu tivesse levado outra mulher para casa. Shen só prestava atenção na minha pesquisa, e o único assunto que a gente discutia no dia a dia era o problema dos três corpos.

— *Você sabe o que mais Shen anda fazendo?* — *perguntou Shi Qiang.*

— *Só a Fronteiras da Ciência. Ela está sempre ocupada com isso. Muita gente aparece todo dia.*

— *Ela não convidou você para participar?*

— *Nunca. Ela nem fala sobre isso comigo. Eu também não ligo. Esse é o meu jeito. Não ligo para nada. Ela sabe e diz que eu sou um homem indolente, sem nenhuma motivação de verdade. A organização não combina comigo e acabaria interferindo na minha pesquisa.*

— *Você fez algum avanço no problema dos três corpos?* — *perguntou Wang.*

Em comparação com a situação geral da área, meu avanço poderia ser considerado grande. Alguns anos atrás, Richard Montgomery, da Universidade da Califórnia em Santa Cruz, e Alain Chenciner, da Universidade Paris Diderot, descobriram outra solução periódica estável para o problema dos três corpos. A partir de condições iniciais adequadas, os três corpos vão correr um atrás do outro ao longo de uma curva fixa em forma de oito. Depois disso, todos começaram a tentar encontrar essas configurações estáveis especiais, e cada descoberta era recebida com alegria. Só foram encontradas umas três ou quatro configurações dessas.

Mas meu algoritmo evolucionário já revelou mais de cem configurações estáveis. O traçado das órbitas delas encheria uma galeria de arte pós-moderna, mas meu objetivo não é esse. A verdadeira solução para o problema dos três corpos é criar um modelo matemático que permita a previsão de todos os movimentos do sistema de três corpos, seja qual for a configuração inicial com vetores conhecidos. É isso que Shen Yufei deseja também.

Mas minha vida pacífica acabou ontem.

— Esse é o crime que você está denunciando? — perguntou Shi Qiang.

— Sim. Um homem ligou ontem e disse que, se eu não interrompesse minha pesquisa, eu seria morto.

— Quem era?

— Não sei.

— Número de telefone?

— Não sei. O identificador de chamadas não mostrou.

— Mais alguma informação relevante?

— Não sei.

Da Shi riu e jogou a guimba do cigarro em um cinzeiro.

— Você ficou falando sem parar e, no fim das contas, a única coisa que tinha para relatar era uma frase e um punhado de "não sei"?

— Se eu não tivesse me prolongado, vocês teriam compreendido a importância dessa ligação? Por sinal, se fosse só isso, eu nem teria vindo aqui. Sou preguiçoso, lembram? Aconteceu outra coisa, no meio da noite, não sei se hoje ou ontem. Eu estava deitado, oscilando entre o sono e a vigília, quando senti algo frio se mexendo no meu rosto. Abri os olhos, vi Shen Yufei e quase morri de susto.

— O que tem de tão apavorante ver sua esposa no meio da noite?

— Ela estava me encarando de um jeito que eu nunca tinha visto antes. A luz que vinha do lado de fora da casa estava pegando no rosto dela, e Shen parecia um fantasma. Estava com alguma coisa na mão: uma arma! Ela passou o cano na frente do meu rosto e disse que eu precisava continuar trabalhando no problema dos três corpos. Senão, ela me mataria.

— Ah, agora está ficando interessante.

Da Shi fez um gesto satisfeito com a cabeça e acendeu outro cigarro.

— Interessante? Escute, eu não tenho para onde ir. Foi por isso que procurei vocês.

— Diga o que exatamente ela falou para você.

— Ela disse: "Se você conseguir resolver o problema dos três corpos, vai ser o salvador do mundo. Se parar agora, será um pecador. Se alguém viesse a salvar ou destruir a raça humana, sua possível contribuição ou pecado seria exatamente duas vezes maior que a dele".

Da Shi soltou uma nuvem densa de fumaça e ficou encarando Wei Cheng até ele desviar os olhos. Pegou um bloco e uma caneta da mesa bagunçada.

— Você queria que nós tomássemos notas, não é? Repita o que acabou de falar.

Wei obedeceu.

— O que ela falou é mesmo estranho — disse Wang. — O que ela quis dizer com exatamente duas vezes maior?

Wei piscou.

— Acho que é bastante sério. Quando cheguei, o policial de plantão me mandou imediatamente para cá. Parece que você já estava de olho em Shen e em mim.

Da Shi assentiu com a cabeça.

— Deixa eu fazer outra pergunta: você acha que a arma que sua mulher estava segurando era de verdade? — Ele percebeu que Wei não sabia responder. — Você sentiu cheiro de lubrificante?

— Sim, tinha mesmo um cheiro de óleo.

— Ótimo. — Da Shi, que estava sentado na escrivaninha, pulou para o chão. — Finalmente temos uma brecha. Suspeita de posse ilegal de armas já dá para justificar um mandado de busca e apreensão. Vou deixar a papelada para amanhã, porque temos que andar rápido. — Ele se virou para Wang. — Não tem descanso. Preciso que você venha junto e preste um pouco mais de consultoria. — E então se virou para Xu Bingbing, que havia permanecido calada o tempo inteiro. — Bingbing, agora estou só com dois homens de plantão, o que não é o suficiente. Sei que a Divisão de Segurança de Informações não costuma ir a campo, mas preciso que você venha também.

Xu assentiu, feliz de sair da sala cheia de fumaça.

Além de Da Shi e Xu, a equipe encarregada de executar a busca e apreensão era composta por Wang Miao, Wei Cheng e outros dois policiais da Divisão de Crimes. Os seis rasgaram a escuridão que precede a alvorada em duas viaturas, seguindo para o bairro de Wei, na periferia da cidade.

Xu e Wang estavam no banco traseiro. Assim que o carro deu partida, ela murmurou para Wang:

— Professor Wang, sua reputação no *Três Corpos* é muito alta.

Alguém falou de Três Corpos *no mundo real!* Wang ficou empolgado e logo sentiu afinidade com a jovem policial.

— Você joga?

— Sou responsável por monitorar e rastrear o jogo. Uma tarefa desagradável.

— Pode me falar da história do jogo? — perguntou Wang, ansioso. — Quero muito saber.

Com a luz fraca que entrava pela janela do carro, Wang viu Xu abrir um sorriso misterioso.

— A gente também quer saber. Mas todos os servidores ficam situados no exterior. Como o sistema e o firewall são muito seguros, fica difícil invadir. Não sabemos muito, mas temos certeza de que o foco não está no lucro. O software é de uma qualidade incomum, bem elevada, e a quantidade de informação contida nele é ainda mais incomum. Nem parece um jogo.

— Já apareceu algum... — Wang escolheu as palavras certas com cuidado. — ... indício *sobrenatural*?

A noite de Wang fora cheia de coincidências. Ele tinha sido chamado para discutir o problema dos três corpos com Wei Cheng imediatamente após solucionar o jogo *Três Corpos*. E agora Xu estava dizendo que ela monitorava o jogo. Algo não estava cheirando bem.

— Acho que não. Muitas pessoas no mundo inteiro participaram do desenvolvimento do jogo. O método de colaboração não parece diferente de outras práticas populares de código aberto, como a usada para fazer o sistema operacional Linux. Mas com certeza eles estão utilizando algumas ferramentas avançadas. Agora, quanto ao conteúdo do jogo, vai saber de onde tiraram... Parece mesmo um pouco... sobrenatural, como você disse. *Porém*, ainda acreditamos na famosa regra do capitão Shi: tudo isso deve ser obra de pessoas. Nossos esforços de rastreamento são eficazes, e teremos os resultados em pouco tempo.

A jovem não sabia mentir direito, e seu último comentário fez Wang perceber que ela estava omitindo grande parte da verdade.

— Essa "regra" é famosa, é? — Wang olhou para Da Shi, no banco do motorista.

Quando chegaram à casa de Shen, o sol ainda não tinha nascido. Era mais ou menos o mesmo horário em que Wang havia visto Shen jogar *Três Corpos*. Uma janela estava acesa no segundo andar, mas todas as outras estavam escuras.

Assim que saiu do carro, Wang ouviu barulhos que vinham do andar de cima. Parecia algo batendo na parede. Da Shi, que também havia acabado de sair do carro, ficou alerta na mesma hora. Ele chutou o portão do quintal e entrou correndo na casa, com uma agilidade surpreendente para seu tamanho, sendo seguido de perto pelos três colegas.

Wang e Wei também correram para dentro da casa. Eles subiram a escada, entraram no quarto com a luz acesa e pisaram em uma poça de sangue. Shen estava caída no meio do quarto, e ainda jorrava sangue dos dois ferimentos à bala em seu peito. Uma terceira bala tinha atravessado a sobrancelha esquerda, deixando o rosto dela todo ensanguentado. Não muito longe do corpo havia uma arma no meio de uma poça vermelha.

Quando Wang entrou, Da Shi e um dos outros policiais saíram às pressas e entraram no quarto escuro do outro lado do corredor. A janela estava aberta, e Wang ouviu o barulho de um carro dando partida do lado de fora. Um policial começou a telefonar para alguém. Xu Bingbing ficou um pouco afastada, observando ansiosa. Assim como Wang e Wei, ela provavelmente nunca havia visto uma cena como aquela.

Um momento depois, Da Shi voltou. Ele guardou a arma no coldre e disse para o policial com o telefone:

— Um Santana preto com um homem sozinho. Não consegui ver a placa. Diga para bloquearem todos os acessos ao anel rodoviário S50. Merda. Ele talvez até consiga escapar.

Da Shi olhou ao redor e viu os buracos de bala na parede. Deu uma conferida nos cartuchos caídos no chão e acrescentou:

— O homem deu cinco tiros e acertou três. Ela disparou duas vezes e errou as duas.

Ele então se abaixou para examinar o corpo com o outro policial. Xu ficou afastada, dando uma olhada de relance em Wei Cheng, que estava a seu lado. Da Shi também olhou para ele.

O rosto de Wei tinha um traço de choque e um traço de pesar, mas só um traço. A costumeira expressão neutra continuava estampada em seu semblante. Ele estava muito mais calmo que Wang.

— Você não parece estar muito abalado — disse Da Shi para Wei. — Eles provavelmente vieram aqui para matá-lo.

Wei abriu um sorriso pálido.

— O que é que eu vou fazer? Até hoje, ainda não sei nada sobre ela. Cansei de falar para ela levar uma vida simples. Estou pensando no conselho que o abade me deu naquela noite. Mas... ah.

Da Shi se levantou e estacou na frente de Wei. Ele pegou um cigarro e acendeu.

— Estou achando que você ainda não contou tudo o que sabe.

— Algumas coisas que eu tinha preguiça demais de falar.

— Então é melhor você se esforçar mais dessa vez!

Wei pensou por um instante e respondeu:

— Hoje... não, ontem à tarde... ela discutiu com um homem na sala. Era aquele Pan Han, o ambientalista famoso. Os dois já haviam discutido outras vezes antes, em japonês, como se tivessem medo de que eu bisbilhotasse. Mas ontem não deram a mínima e discutiram em chinês. Escutei alguns trechos.

— Tente dizer o que exatamente você ouviu.

— Certo. Pan Han disse: "Embora pareça que estamos na mesma barca, na verdade somos inimigos irreconciliáveis". Shen disse: "Sim, você está tentando usar o poder de nosso Senhor contra a humanidade". Pan disse: "Até que sua opinião faz algum sentido. Queremos que nosso Senhor venha a este mundo para punir aqueles que há muito merecem castigo. Só que você está trabalhando para impedir a vinda de nosso Senhor, e isso não podemos tolerar. Se você não parar por bem, *obrigaremos* você a parar por mal!". Shen disse: "O comando estava cego ao permitir que você entrasse para a organização!". Pan disse: "Falando nisso, você sabe se o comando está do lado dos adventistas ou dos redentistas? O comando quer que a humanidade seja eliminada ou salva?". Essas palavras de Pan calaram Shen por um tempo, e depois os dois não discutiram mais tão alto. Não escutei mais nada.

— Como era a voz do homem que fez a ameaça para você no telefone?

— Você quer saber se a voz parecia ser de Pan Han? Não sei. Ele estava falando muito baixo, não sei mesmo dizer.

Chegaram diversas outras viaturas da polícia, com a sirene berrando. Um grupo de policiais com luvas brancas subiu com câmeras, e a casa se encheu de agitação. Da Shi disse para Wang voltar para casa e descansar um pouco.

Em vez disso, Wang entrou na sala com o minicomputador para falar com Wei.

— Você pode me descrever por alto seu algoritmo evolucionário do problema dos três corpos? Eu quero... apresentá-lo a algumas pessoas. Sei que meu pedido é repentino. Se não puder, não se preocupe.

Wei pegou um CD e entregou para Wang.

— Está tudo aí: o modelo inteiro e outros documentos. Por favor, publique em seu nome. Seria uma grande ajuda.

— Não, não! Como é que eu faria uma coisa dessas?

Wei apontou para o disco na mão de Wang e disse:

— Professor Wang, você me chamou a atenção desde a primeira vez que veio aqui. É um homem bom, um homem com noção de responsabilidade. É por isso que aconselho a ficar longe disso. O mundo está prestes a mudar. Todos deveriam procurar viver o resto da vida em paz. Seria melhor. Não se preocupe muito com outras questões. Não adianta nada mesmo.

— Você parece saber ainda mais do que contou.

— Eu passei todos os dias com ela. É impossível não desconfiar.

— Então por que não fala para a polícia?

Wei deu um sorriso de desdém.

— A polícia é inútil. Mesmo se Deus estivesse aqui, não adiantaria nada. Toda a raça humana chegou ao ponto em que ninguém está escutando nossas orações.

Wei estava perto de uma janela com vista para o leste. Do outro lado do vidro, para além da paisagem distante da cidade, o céu estava se iluminando com os primeiros raios da aurora. Por algum motivo, a luz levou Wang a se lembrar da estranha alvorada que ele via sempre que entrava em *Três Corpos*.

— Na verdade, não sou tão desapegado. Faz alguns dias que não consigo dormir à noite. Todo dia de manhã, quando vejo o sol nascer, tenho a sensação de estar vendo o pôr do sol. — Ele se virou para Wang e, depois de um longo silêncio, acrescentou: — E tudo porque Deus, ou o Senhor de quem ela falava, é incapaz de proteger até a Si mesmo.

17. *TRÊS CORPOS*: NEWTON, VON NEUMANN, O PRIMEIRO IMPERADOR E SIZÍGIA TRISSOLAR

O começo da segunda fase de *Três Corpos* não era muito diferente do da primeira: a mesma alvorada fria estranha, a mesma pirâmide colossal. No entanto, dessa vez, a pirâmide tinha voltado a ser egípcia.

Wang ouviu o som agudo de metais se chocando. As batidas só ressaltavam o silêncio do amanhecer frio. Tentando descobrir a origem do barulho, ele avistou duas sombras tremeluzindo na base da pirâmide. Lampejos metálicos atravessavam as trevas em meio à luz fraca: uma luta de espadas.

Quando seus olhos se acostumaram à escuridão, Wang viu as figuras com mais nitidez. Considerando o formato da pirâmide, aquele lugar devia ser alguma versão do Oriente no *Três Corpos*, embora os dois espadachins fossem europeus vestidos com trajes dos séculos XVI e XVII. O mais baixo dos dois se abaixou para evitar um golpe de espada, e sua peruca grisalha caiu no chão. Depois de mais alguns golpes e contragolpes, outro homem saiu de um canto da pirâmide e correu na direção dos dois que estavam lutando. Ele tentou apartar a briga, mas as lâminas que cortavam o ar impediam qualquer tentativa de aproximação.

— Parem! — gritou ele. — Vocês não têm nada melhor para fazer, não? Não têm responsabilidade? Se a civilização não tem futuro, que diferença faz a suposta glória dessa disputa?

Os dois espadachins ignoraram aquelas palavras, concentrados no duelo. O mais alto deu um grito de dor, e sua espada caiu no chão com um barulho alto. Ele se virou e fugiu correndo, segurando o braço ferido. O outro o perseguiu por alguns passos e cuspiu na direção do derrotado.

— Covarde! — Ele se abaixou para pegar a peruca e, quando se levantou, viu Wang. Apontou na direção do homem que fugiu e disse: — Ele teve a pretensão de alegar que inventou o cálculo! — O homem vestiu a peruca, levou a mão ao peito e fez uma reverência cortês para Wang. — Isaac Newton, a seu dispor.

— Então o homem que fugiu era Leibniz? — perguntou Wang.

— Exato. Um homem sem escrúpulos. Não dou muita importância a essa pretensão de fama. Inventar as três leis da dinâmica já me alçou quase à altura de Deus. Desde os movimentos planetários até a divisão das células, tudo segue as três grandes leis. Agora, com esse instrumento matemático poderoso que é o cálculo, será só questão de tempo até dominarmos o padrão dos movimentos dos três sóis.

— Não é tão simples — disse o homem que havia tentado apartar a luta. — Você já considerou o volume de cálculos necessários? Eu vi as equações diferenciais que você relacionou e acho que não é possível uma solução analítica, só uma numérica. No entanto, é preciso ter uma capacidade de cálculo tão grande que suponho que, mesmo se todos os matemáticos do mundo trabalhassem juntos sem parar, ainda assim não daria para terminar os cálculos antes do fim do mundo. É claro que, se não conseguirmos descobrir o padrão dos movimentos dos sóis, o fim do mundo pode não estar muito distante. — Ele também fez uma reverência para Wang, um gesto mais moderno. — Von Neumann.

— Você não nos fez atravessar milhares de quilômetros até o Oriente só para resolver o problema de como calcular essas equações? — perguntou Newton. Ele então se virou para Wang. — Norbert Wiener e aquele crápula que acabou de fugir também vieram conosco. Demos com alguns piratas perto de Madagascar. Wiener enfrentou os piratas sozinho para que pudéssemos escapar e morreu com bravura.

— Por que vocês precisaram vir ao Oriente para construir um computador? — perguntou Wang a Von Neumann.

Von Neumann e Newton trocaram um olhar confuso.

— Computador? Uma *máquina de computação*! Existe algo assim?

— Você não conhece os computadores? Então como você pensava concluir a quantidade imensa de cálculos?

Von Neumann arregalou os olhos e encarou Wang, como se a pergunta dele não fizesse o menor sentido.

— Com pessoas, é óbvio. O que mais além de pessoas seria capaz de realizar cálculos?

— Mas você acabou de dizer que nem todos os matemáticos do mundo seriam suficientes.

— Em vez de matemáticos, vamos usar trabalhadores comuns. Mas precisaremos de muitos, pelo menos trinta milhões. Vamos fazer as contas com táticas de ondas humanas.

— Trabalhadores comuns? Trinta milhões? — Wang estava impressionado. — Ora, se me lembro bem, nessa época noventa por cento da população era analfabeta. E você quer encontrar trinta milhões de pessoas que entendam de cálculo?

— Você já ouviu a piada do exército de Sichuan? — Von Neumann pegou um charuto grosso, mordeu fora uma das pontas e acendeu. — Alguns soldados estavam em treinamento e, como não tinham nenhuma instrução, não sabiam seguir nem a ordem simples do instrutor de marchar ESQUERDA-DIREITA-ESQUERDA. Então o instrutor bolou uma solução. Fez todos os soldados usarem um sapato de palha no pé esquerdo e um de pano no direito. Durante a marcha, ele gritava — Von Neumann começou a falar com o sotaque de Sichuan — PALHA-PANO--PALHA-PANO... É desse tipo de soldado que nós precisamos. Só que precisamos de trinta milhões.

Ao ouvir essa piada, Wang percebeu que o homem à sua frente era uma pessoa de verdade, não um programa, e com certeza quase absoluta ele era chinês.

— É difícil imaginar um exército tão grande — comentou Wang, balançando a cabeça.

— É por isso que viemos ver Qin Shi Huang, o Primeiro Imperador. — Newton apontou para a pirâmide.

— Ele ainda está no governo? — Wang passou em revista a redondeza. Percebeu que os soldados de guarda na entrada da pirâmide estavam mesmo equipados com a armadura de couro simples e as alabardas chinesas características da dinastia Qin. Ele já não ficava surpreso com a mistura anacrônica de elementos históricos em *Três Corpos*.

— O mundo inteiro será dominado por ele, porque o imperador tem um exército de mais de trinta milhões se preparando para conquistar a Europa. Certo, vamos lá fazer uma visita. — Von Neumann olhou para Newton. — Solte a espada. — Newton obedeceu.

Os três entraram na pirâmide e, quando estavam prestes a sair do túnel para o Grande Salão, um guarda insistiu para que tirassem todas as roupas. Newton se opôs.

— Somos pensadores famosos. Ninguém de nossa estatura portaria armas escondidas!

Enquanto os dois continuavam nesse impasse, uma voz masculina grave ressoou do Grande Salão.

— Esse é o estrangeiro que descobriu as três leis do movimento? Que entre com seus companheiros!

Eles entraram no Grande Salão. O Primeiro Imperador estava andando de um lado para o outro, e seu manto e a famosa espada longa se arrastavam no chão atrás dele. Quando o imperador se virou para os três pensadores, Wang reparou que os olhos dele eram iguais aos do rei Zhou de Shang e do papa Gregório.

— Já sei qual é o motivo da visita. Vocês são europeus. Por que não vão atrás de César? O império dele é vasto. Sem dúvida ele é capaz de providenciar trinta milhões de homens para vocês.

— Mas, venerável imperador, o senhor sabe que tipo de exército ele possui? Sabe em que estado esse exército se encontra? Na magnífica cidade eterna de

Roma, até mesmo o rio que atravessa a cidade está extremamente poluído. O senhor sabe qual é a causa?

— Produção militar industrial?

— Não, Grande Imperador, é o vômito dos romanos após as orgias de comilança e purgação. Os nobres que vão a essas orgias encontram espreguiçadeiras já prontas para eles embaixo das mesas. Depois de se empanturrarem a ponto de não conseguirem mais se mexer, os criados os levam para casa. O império inteiro se afundou em um atoleiro de extravagância e é incapaz de mudar. Ainda que César fosse capaz de organizar um exército de trinta milhões de pessoas, ele não teria nem a qualidade nem a força necessárias para realizar esse grande cálculo.

— Sei disso — falou Qin Shi Huang. — Mas César está abrindo os olhos e revigorando seu exército. A sabedoria dos ocidentais é assustadora. Vocês não são mais inteligentes que os homens do Oriente, mas conseguem enxergar o caminho certo. Por exemplo, Copérnico foi capaz de perceber que existem três sóis, e *você* foi capaz de criar as suas três leis. São realizações muito impressionantes. Aqui no Oriente, por enquanto, não somos capazes de chegar a esse nível. Eu não tenho capacidade de conquistar a Europa. Meus navios não são bons o bastante, e os pontos de reabastecimento não resistiriam por tempo suficiente para um avanço por terra.

— É por isso que seu império precisa continuar se desenvolvendo, Grande Imperador! — Von Neumann aproveitou a oportunidade. — Se o senhor for capaz de dominar o padrão dos movimentos dos sóis, poderá tirar o máximo proveito de cada Era Estável e também evitar os estragos acarretados pelas Eras Caóticas. Dessa forma, seu progresso será muito mais rápido que o da Europa. Confie em nós, somos acadêmicos. Contanto que possamos usar as três leis do movimento e o cálculo para prever com precisão os movimentos dos sóis, não importa quem conquistará o mundo.

— É claro que eu preciso prever os movimentos dos sóis. Mas, se vocês querem que eu reúna trinta milhões de homens, precisam pelo menos demonstrar como esses cálculos vão ser conduzidos.

— Vossa Majestade Imperial, por favor, ceda três soldados para mim. Eu demonstrarei. — Von Neumann ficou animado.

— Três? Só três? Posso ceder três mil sem problemas. — Qin Shi Huang lançou um olhar desconfiado para Von Neumann.

— Vossa Majestade Imperial, o senhor mencionou há pouco a insuficiência da mentalidade oriental em relação ao raciocínio científico. Isso ocorre porque o senhor não percebeu que até mesmo os objetos mais complicados do universo são compostos de elementos muito simples. Só preciso de três.

Qin Shi Huang fez um aceno, e três soldados se adiantaram. Eram todos muito jovens. Como outros soldados da dinastia Qin, eles se mexiam como máquinas obedientes.

— Não sei o nome de vocês — disse Von Neumann, dando um toque no ombro de dois dos soldados. — Vocês dois serão responsáveis pela entrada de sinais, então vou chamá-los de "Entrada 1" e "Entrada 2". — Ele apontou para o último soldado. — Você será responsável pela saída de sinais, então vou chamá-lo de "Saída". — Von Neumann ajeitou o posicionamento dos soldados do jeito que desejava. — Formem um triângulo. Assim. Saída é o topo. Entrada 1 e Entrada 2 formam a base.

— Você podia ter falado para eles assumirem a Formação em Cunha — disse Qin Shi Huang, olhando para Von Neumann com uma expressão de desdém.

Newton pegou seis bandeirolas: três brancas, três pretas. Von Neumann as entregou para os três soldados de modo que cada um tivesse uma bandeira preta e uma branca.

— Branco representa 0; preto representa 1. Ótimo. Agora, prestem atenção. Saída, você se vira e olha para Entrada 1 e Entrada 2. Se os dois levantarem bandeiras pretas, você levanta a bandeira preta também. Em qualquer outra circunstância, você levanta a branca.

— Acho que você devia usar alguma outra cor — disse Qin Shi Huang. — Branco significa rendição.

Entusiasmado, Von Neumann ignorou o imperador e gritou ordens para os três soldados:

— Começar operação! Entrada 1 e Entrada 2, podem levantar a bandeira que quiserem. Ótimo. Levantar! Ótimo. Levantar de novo! Levantar!

Entrada 1 e Entrada 2 levantaram a bandeira três vezes: na primeira, preto-preto; na segunda, branco-preto; e na terceira, preto-branco. Saída reagiu corretamente em todas as vezes, erguendo a bandeira preta uma vez e a branca duas.

— Muito bem. Vossa Majestade Imperial, seus soldados são muito inteligentes.

— Até um idiota seria capaz disso. Diga, o que eles estão fazendo afinal? — Qin Shi Huang parecia confuso.

— Os três soldados formam um componente de computação. É um tipo porta E.

Von Neumann parou por um instante para esperar o imperador digerir a informação.

— Não estou impressionado — disse Qin Shi Huang, impassível. — Continue.

Von Neumann se virou para os soldados de novo.

— Vamos formar outro componente. Você, Saída: se você vir Entrada 1 ou Entrada 2 levantarem uma bandeira preta, você levanta a bandeira preta. São três situações válidas: preto-preto, branco-preto, preto-branco. Quando for branco-

-branco, você levanta a bandeira branca. Entendido? Muito bem, você é mesmo muito esperto. Você é o segredo para o bom funcionamento da porta. Trabalhe muito, e será recompensado pelo imperador! Vamos começar a operação. Levantar! Ótimo, levantar de novo! Levantar de novo! Perfeito. Vossa Majestade Imperial, esse componente se chama porta OU.

Em seguida, Von Neumann usou os três soldados para formar uma porta NÃO--E, uma porta NÃO-OU, uma porta OU-EXCLUSIVO, uma porta NÃO-OU-EXCLUSIVO e uma porta *tristate*. Por fim, com apenas dois soldados, simulou a porta mais simples, uma porta NÃO, ou um inversor: Saída sempre levantava a bandeira de cor contrária à da erguida por Entrada.

Von Neumann fez uma reverência para o imperador.

— Agora, Vossa Majestade Imperial, todos os componentes de porta foram demonstrados. Não são simples? Qualquer trio de soldados consegue dominar a prática após uma hora de treino.

— Eles não precisam aprender mais? — perguntou Qin Shi Huang.

— Não. Podemos formar dez milhões de portas como estas e, depois, organizar os componentes em um sistema. Esse sistema será capaz de executar os cálculos necessários e resolver as equações diferenciais para prever os movimentos dos sóis. Poderíamos chamar esse sistema de... hum...

— Computador — disse Wang.

— Ah, ótimo! — Von Neumann fez um gesto de positivo com o polegar para Wang. — Computador. É um nome ótimo. O sistema inteiro é uma grande máquina, a mais complexa da história mundial.

O tempo do jogo foi acelerado. Passaram-se três meses.

Qin Shi Huang, Newton, Von Neumann e Wang estavam na plataforma do topo da pirâmide. Essa plataforma era semelhante àquela em que Wang havia conhecido Mo Zi. Ela estava cheia de instrumentos astronômicos, e alguns eram projetos europeus recentes. Abaixo, no chão, havia uma falange magnífica de trinta milhões de soldados da dinastia Qin. A formação inteira estava inserida em um quadrado de seis quilômetros de cada lado. Quando o sol nasceu, a falange permaneceu imóvel, como um tapete gigantesco feito de trinta milhões de guerreiros de terracota. Porém, quando um bando de pássaros passou por cima da falange, as aves sentiram imediatamente o perigo de morte abaixo e se dispersaram em um caos ansioso.

Wang fez algumas contas de cabeça e percebeu que, mesmo se toda a população da Terra fosse organizada em uma falange como aquela, a formação inteira caberia no bairro Huangpu, de Shanghai. Embora poderosa, a falange também revelava a fragilidade da civilização.

— Vossa Majestade Imperial — disse Von Neumann —, seu exército é mesmo incomparável. Em um tempo extremamente curto, concluímos esse treinamento tão complexo.

Qin Shi Huang segurava a empunhadura de sua espada longa.

— Embora o todo seja complexo, o que cada soldado precisa fazer é muito simples. Não é nada em comparação com o treinamento a que foram submetidos para aprender a romper a falange macedônica.

— E Deus nos abençoou com duas Eras Estáveis consecutivas para treiná-los e prepará-los — acrescentou Newton.

— Meu exército continua treinando mesmo durante uma Era Caótica. Eles completarão seus cálculos mesmo em uma Era Caótica. — Qin Shi Huang olhou para a falange cheio de orgulho.

— Então, Vossa Majestade Imperial, por favor, dê a grande ordem! — A voz de Von Neumann tremia de empolgação.

Qin Shi Huang assentiu. Um guarda correu até ele, pegou o cabo da espada do imperador e deu um passo para trás. A espada de bronze era tão longa que era impossível que fosse puxada da bainha pelo próprio imperador. O guarda se ajoelhou e entregou a espada ao imperador. Qin Shi Huang ergueu a espada para os céus e gritou:

— Formação de Computador!

Quatro caldeirões gigantes de bronze nos cantos da plataforma ganharam vida ao mesmo tempo, com chamas intensas. De pé ao lado da pirâmide, um grupo de soldados voltado para a falange entoou em coro:

— Formação de Computador!

No chão, as cores da falange começaram a mudar e se deslocar. Padrões de circuito complicados e detalhados apareceram e, aos poucos, se espalharam por toda a formação. Dez minutos depois, o exército havia criado uma placa-mãe de computador, com trinta e seis quilômetros quadrados.

Von Neumann apontou para a gigantesca placa de circuitos humana abaixo da pirâmide e começou a explicar:

— Vossa Majestade Imperial, chamamos esse computador de QIN 1. Veja, ali no centro está a CPU, o componente central de processamento, formado por suas cinco melhores divisões. Tomando este diagrama por referência, é possível localizar os somadores, os registradores e a memória linear. A parte que parece muito regular e fica em volta dela é a memória. Quando construímos aquela parte, percebemos que não tínhamos uma quantidade suficiente de soldados. Mas, felizmente, o trabalho dos elementos que fazem parte desse componente é o mais simples, então treinamos cada soldado para segurar mais bandeiras coloridas. Cada homem agora pode realizar o trabalho que antes exigia vinte homens. Isso nos permitiu aumentar a capacidade da memória para atender aos requisitos básicos do sistema operacional QIN 1.0. Observe também o corredor aberto que atravessa a formação inteira e a cavalaria ligeira à espera de ordens nesse corredor: é o barramento do sistema, responsável por transmitir informações entre os componentes do sistema todo.

"A arquitetura do barramento é uma grande invenção. Novos componentes conectados, possíveis de serem formados por até dez divisões, podem ser acrescentados rapidamente ao barramento de operação principal. Assim, o hardware do QIN I pode ser expandido e aprimorado com facilidade. Olhe ainda mais adiante... o senhor talvez precise usar o telescópio para isso. Ali está a memória externa, que chamamos de 'disco rígido' por sugestão de Copérnico. Ela é formada por três milhões de soldados mais instruídos que a média. Quando o senhor mandou sepultar vivos todos os acadêmicos após unificar a China, fez bem em ter poupado aqueles! Cada um tem uma caneta e um bloco, e eles são responsáveis por registrar os resultados dos cálculos. Claro, o principal trabalho deles é atuar como memória virtual e armazenar resultados intermediários dos cálculos. Eles são o gargalo da velocidade de computação. Por fim, a parte que está mais perto de nós é o monitor, que é capaz de nos mostrar em tempo real os parâmetros mais importantes da computação."

Von Neumann e Newton trouxeram um rolo de pergaminho grande, do tamanho de uma pessoa, e o abriram diante de Qin Shi Huang. Quando chegaram ao fim do rolo, Wang ficou tenso ao se lembrar da lenda do assassino que escondeu uma adaga em um rolo de mapa que mostraria ao imperador. Mas a adaga imaginária não apareceu. Eles estavam diante de uma simples folha de papel cheia de símbolos do tamanho da cabeça de uma mosca. Os símbolos, tão aglomerados, eram uma visão tão fascinante quanto a formação de computador no chão abaixo.

— Vossa Majestade Imperial, este é o sistema operacional que desenvolvemos, o QIN 1.0. O software responsável pelos cálculos será executado nisto. Aquilo lá embaixo — Von Neumann apontou para a formação humana de computador — é o hardware. O que está neste papel é o software. O hardware está para o software como uma cítara *guqin* está para uma partitura.

Em seguida, ele e Newton abriram mais um rolo, tão grande quanto o primeiro.

— Vossa Majestade Imperial, este é o software que usa métodos numéricos para resolver aquelas equações diferenciais. Quando inserirmos os vetores de movimento dos três sóis em determinado momento obtido a partir de observações astronômicas, a operação do software nos dará uma previsão dos movimentos subsequentes dos sóis em qualquer momento do futuro. Nosso primeiro trabalho será calcular todas as posições dos sóis para os próximos dois anos. Os conjuntos de valores de saída terão intervalos de cento e vinte horas.

Qin Shi Huang confirmou com a cabeça.

— Ótimo. Comecem.

Von Neumann levantou as mãos e entoou com uma voz solene:

— Pelas ordens do grande imperador, liguem o computador! Autoteste do sistema!

Uma fileira de soldados na metade da lateral da pirâmide repetiu a ordem, com sinais de bandeirolas. Logo depois, a placa-mãe composta de trinta milhões de homens pareceu se transformar em um lago cheio de luzes cintilantes. Dezenas de milhões de bandeirolas minúsculas tremularam. Na formação de monitor, mais próxima da base da pirâmide, uma barra de progresso feita de várias bandeiras verdes avançou lentamente, indicando o percentual de conclusão do autoteste. Dez minutos depois, a barra de progresso chegou ao fim.

— Autoteste concluído! Começar sequência de inicialização! Carregar sistema operacional!

Abaixo deles, a cavalaria ligeira no barramento principal que atravessava toda a extensão da formação de computador começou a se mexer rapidamente. O barramento principal logo se transformou em um rio turbulento. Ao longo de seu curso, o rio abastecia diversos afluentes estreitos, infiltrando-se em todas as subformações modulares. Pouco tempo depois, a marola de bandeiras pretas e brancas se intensificou até formar ondas velozes por toda a placa-mãe. A área central da cpu era a mais tumultuada, como pólvora pegando fogo.

No entanto, de repente, como se a pólvora tivesse se esgotado, os movimentos na cpu perderam ímpeto e acabaram cessando. A partir da cpu no centro, a estagnação se propagou em todas as direções, como um mar que estivesse congelando. Por fim, a placa-mãe inteira parou de se mexer, e só alguns componentes isolados piscavam sem vigor em loops infinitos. O centro da formação de monitor ficou vermelho.

— Sistema travado! — gritou um oficial de sinalização.

Em pouco tempo foi revelada a causa do defeito: houve um erro na operação de uma das portas do registro de status da cpu.

— Reiniciar sistema! — ordenou Von Neumann, confiante.

— Esperem! — Newton impediu o oficial de sinalização. Ele se virou com uma expressão maliciosa no rosto e disse para Qin Shi Huang: — Vossa Majestade Imperial, para um aprimoramento da estabilidade do sistema, é preciso adotar certas medidas de manutenção relativas a componentes defeituosos.

Qin Shi Huang empunhou a espada e disse:

— Substituam o componente defeituoso e decapitem todos os soldados que compunham essa porta. De agora em diante, todos os defeitos receberão o mesmo tratamento!

Von Neumann olhou para Newton cheio de desgosto. Eles observaram alguns cavaleiros correrem pela placa-mãe com espadas em punho. Depois do "conserto" do componente defeituoso, foi dada a ordem para reiniciar. Dessa vez a operação correu muito bem. Vinte minutos depois, a formação humana de computador arquitetada por Von Neumann em *Três Corpos* começou a operar plenamente com o sistema operacional QIN 1.0.

— Executar software de computação de órbita solar TRÊS CORPOS 1.0! — gritou Newton com todas as forças. — Começar o módulo-mestre de computação! Carregar o módulo de análise de elementos finitos! Carregar o módulo de método espectral! Inserir parâmetros de condição inicial... e começar cálculos!

A placa-mãe cintilava enquanto a formação de monitor exibia indicadores multicoloridos. A formação humana de computador começou a longa computação.

— Isso é muito interessante — disse Qin Shi Huang, apontando para o cenário espetacular. — Embora o comportamento de cada indivíduo seja muito simples, juntos eles são capazes de produzir um todo imenso e complexo! Os europeus criticam meu domínio tirânico e alegam que eu suprimo a criatividade. Mas, na realidade, uma legião de homens subjugados por uma disciplina rigorosa também pode produzir grande sabedoria quando unida.

— Grande Primeiro Imperador, isto é apenas a operação mecânica de uma máquina, não sabedoria. Cada um desses indivíduos inferiores não passa de um zero. O todo só ganha significado quando alguém como o senhor é acrescentado à frente, como o um. — O sorriso de Newton era cativante.

— Filosofia asquerosa! — disse Von Neumann, olhando para Newton. — Se os resultados finais computados de acordo com sua teoria e seu modelo matemático não baterem, você e eu seremos menos que zeros.

— É verdade. Se isso acontecer, vocês não serão nada!

Qin Shi Huang deu as costas e saiu da plataforma.

O tempo passou depressa. A formação humana de computador operou durante um ano e quatro meses. Descontando o tempo gasto para ajustar a programação, o tempo efetivo de processamento foi de aproximadamente um ano e dois meses. Durante esse período, o processamento precisou ser interrompido duas vezes por conta de condições climáticas extremas em Eras Caóticas. Mas o computador armazenou os dados em cada desligamento e pôde retomar os cálculos depois das pausas. Quando Qin Shi Huang e os pensadores europeus voltaram a subir pela pirâmide, a primeira fase da computação já estava concluída. Os resultados descreviam com precisão as órbitas dos três sóis ao longo dos dois anos seguintes.

Fazia frio naquela manhã. As tochas que mantiveram a placa-mãe iluminada ao longo da noite tinham apagado. Após o último cálculo, QIN I entrou em modo de espera. As ondas turbulentas na placa-mãe se acalmaram e viraram marolas suaves.

Von Neumann e Newton apresentaram a Qin Shi Huang o pergaminho com os resultados da computação.

— Grande Primeiro Imperador — disse Newton —, os cálculos foram concluídos há três dias. Esperamos até este momento para apresentar os resultados porque eles demonstram que a noite longa está prestes a terminar. Logo veremos o primeiro amanhecer de uma longa Era Estável, que vai durar mais de um ano. Tendo em vista os parâmetros orbitais, o clima será extremamente ameno e confortável. Por favor, reviva seu império e dê a ordem para que todos sejam reidratados.

— Desde o início dessa computação, meu império nunca foi desidratado — disse Qin Shi Huang, com um tom desdenhoso. Ele pegou o pergaminho. — Dediquei todos os recursos do meu império para manter o funcionamento do computador, e nossos estoques de suprimentos se esgotaram. Em nome desse computador, muitas pessoas morreram de fome, frio e calor.

Qin apontou para o horizonte com o rolo de pergaminho. Sob a luz fraca do amanhecer, eles viram dezenas de linhas brancas irradiando nas extremidades da placa-mãe em todas as direções e desaparecendo com a distância. Eram as rotas de abastecimento de todos os cantos do império.

— Vossa Majestade Imperial, o senhor verá que os sacrifícios valeram a pena — disse Von Neumann. — Após dominar as órbitas dos sóis, o império se desenvolverá aos saltos e ficará muito mais poderoso do que antes.

— De acordo com os cálculos, o sol está prestes a nascer. Grande Primeiro Imperador, prepare-se para receber sua glória!

Como se fosse uma resposta às palavras de Newton, a beirada de um sol vermelho despontou no horizonte, banhando a pirâmide e a formação de computador com uma luz dourada. Uma onda de gritos de alegria emergiu da placa-mãe.

Um homem veio em disparada até eles. Estava correndo tanto que, ao se ajoelhar, teve dificuldade para recuperar o fôlego. Era o ministro de Astronomia do imperador.

— Meu senhor, os cálculos estavam errados. Estamos diante do desastre!

— Do que você está falando? — Sem nem sequer esperar o imperador falar, Newton deu um chute no sujeito. — Não percebeu que o sol está nascendo no momento exato previsto por nossos cálculos precisos?

— Mas... — O ministro se endireitou um pouco e apontou para o sol com uma das mãos. — Quantos sóis vocês estão vendo?

Todos olharam para o sol nascente, em confusão.

— Ministro, o senhor recebeu uma boa instrução no Ocidente e obteve um doutorado na Universidade de Cambridge — disse Von Neumann. — No mínimo deve saber contar. É claro que só há um sol no céu. E a temperatura está muito agradável.

— Não. São três! — gritou o ministro, com o rosto coberto de lágrimas. — Os outros dois estão atrás!

Todos voltaram a olhar para o sol, ainda em confusão.

— O Observatório Imperial acaba de confirmar que estamos presenciando um fenômeno extremamente raro de sizígia trissolar. Os três sóis estão em uma linha reta, movendo-se ao redor de nosso planeta com a mesma velocidade angular! Por isso, nosso planeta e os três sóis estão formando uma linha reta, e nosso mundo é uma das extremidades!

— Você tem certeza de que essa observação não está equivocada? — Newton pegou o ministro de Astronomia pelo colarinho.

— Certeza absoluta. A observação foi conduzida pelos astrônomos ocidentais do Observatório Imperial, incluindo Kepler e Herschel. Eles estão usando o maior telescópio do mundo, importado da Europa.

Newton largou o ministro e se levantou. Wang viu que ele estava pálido, mas sua expressão era de pura alegria. Ele juntou as mãos na frente do corpo e disse para Qin Shi Huang:

— Ó, Grandioso, Venerável Imperador, este é o sinal mais propício de todos! Agora que os três sóis estão orbitando nosso planeta, seu império é o centro do universo. Essa é a recompensa de Deus pelos nossos esforços. Peço apenas permissão para conferir os cálculos mais uma vez. Vou provar!

Aproveitando que os outros continuavam atordoados, Newton escapou. Mais tarde, pessoas afirmariam que Sir Isaac havia roubado um cavalo e fugido para um destino desconhecido.

Depois de um momento de silêncio angustiante, Wang disse, de repente:

— Vossa Majestade Imperial, por favor, desembainhe sua espada.

— O que você quer? — perguntou Qin Shi Huang, espantado.

Ainda assim, ele fez um gesto para o soldado a seu lado, e o homem puxou a espada da bainha.

— Por favor, tente brandir a espada — disse Wang.

Qin Shi Huang ergueu e mexeu a espada. Seu rosto passou a estampar surpresa.

— Ora, por que está tão leve?

— O traje v do jogo não tem como simular a sensação de gravidade reduzida. Caso contrário, teríamos sentido que também estamos muito mais leves.

— Olhem! Lá embaixo! Olhem para os cavalos e para os homens! — gritou alguém.

Todos olharam para baixo e viram uma coluna de cavalaria se mexendo ao pé da pirâmide. Os cavalos pareciam flutuar, e cada um avançava por uma boa distância até os quatro cascos voltarem ao chão. Todos viram também vários homens correndo. A cada passo, os homens saltavam mais de dez metros, antes de voltar lentamente ao chão. Em cima da pirâmide, um soldado tentou pular e chegou a três metros de altura com facilidade.

— O que está acontecendo? — Qin Shi Huang olhou para o soldado que estava descendo lentamente.

— Meu senhor, os três sóis estão acima de nosso planeta em uma linha reta, então existe uma soma de suas forças gravitacionais... — O ministro de Astronomia tentou explicar, mas percebeu que seus pés já haviam saído do chão e seu corpo estava na horizontal. Os outros também estavam flutuando no ar, arqueados em ângulos diversos. Como homens que tivessem caído dentro da água sem saber nadar, eles agitavam os braços de maneira atabalhoada, tentando se estabilizar, mas só batendo uns nos outros.

O chão abaixo deles passou a rachar como uma teia de aranha. As rachaduras aumentaram depressa e, em meio a estrondos imensos e um céu escurecido pela poeira, a pirâmide embaixo deles começou a se decompor. Atrás dos blocos gigantescos que flutuavam lentamente, Wang viu o Grande Salão se desfazer. O imenso caldeirão que havia cozinhado Fu Xi e a estaca de ferro à qual ele fora preso estavam no ar.

O sol subiu até o meio do céu. Tudo que estava flutuando — homens, blocos de pedra colossais, instrumentos astronômicos, caldeirões de bronze — começou a subir devagar e ganhou velocidade. Wang olhou para a formação humana de computador e viu um cenário aterrorizante: os trinta milhões de soldados que haviam composto a placa-mãe estavam se afastando do solo e subindo, como uma infinitude de formigas sendo sugadas por um aspirador de pó. O chão que deixavam para trás exibia com clareza as marcas dos circuitos da placa-mãe. As marcações complexas e intricadas, que só podiam ser vistas a partir de uma altitude elevada, se tornariam um sítio arqueológico que, em um futuro distante, confundiria a civilização seguinte de *Três Corpos*.

Wang olhou para cima. O céu estava escurecido por uma estranha camada irregular de nuvens, compostas de poeira, pedras, pessoas e outros detritos. O sol brilhava atrás delas. Ao longe, Wang avistou uma grande cordilheira transparente também subindo. As montanhas eram completamente translúcidas, brilhavam e mudavam de formato — eram formadas pelo oceano, que também estava sendo atraído para o espaço.

Tudo na superfície do mundo de *Três Corpos* se ergueu rumo ao sol.

Wang olhou ao redor e viu Von Neumann e Qin Shi Huang. À deriva, Von Neumann gritava para Qin Shi Huang, mas não se ouvia nada. Apareceu uma legenda pequena: *Descobri! Elementos eletrônicos! Podemos usar elementos eletrônicos para construir circuitos de portas e combiná-los para montar computadores! Esses computadores serão muito mais rápidos e ocuparão muito menos espaço. Calculo que bastará um edifício pequeno... Vossa Majestade Imperial, está me ouvindo?*

Qin Shi Huang brandiu a espada na direção de Von Neumann. O pensador chutou um bloco gigantesco de pedra que estava flutuando por perto e se esquivou do golpe. A espada longa acertou a pedra, provocando faíscas e se quebrando em dois pedaços. Logo em seguida, o bloco gigantesco de pedra colidiu com outro, com Qin Shi Huang no meio. Voaram fragmentos de pedra, carne e sangue para todos os lados, uma imagem pavorosa.

Só que Wang não ouviu o barulho das pedras. À sua volta, tudo era um silêncio absoluto. Como a atmosfera tinha desaparecido, já não havia mais som. À medida que os corpos flutuavam, o sangue ferveu no vácuo e os órgãos internos foram expelidos, até que todo mundo se transformou em bolhas estranhas cercadas por nuvens cristalinas compostas do líquido expelido. Além disso, pela falta de atmosfera, o céu ficou completamente escuro. Tudo que havia flutuado no mundo de *Três Corpos* refletia a luz solar e formava uma nuvem brilhante e estrelada no espaço. A nuvem se transformou em um vórtice gigante e voou para sua tumba: o sol.

Wang agora viu o sol mudar de forma. Percebeu que, na verdade, estava vendo os outros dois sóis aparecendo por trás do primeiro. Por essa perspectiva, os três sóis empilhados formavam um luminoso olho no universo.

Diante do fundo dos três sóis em sizígia, apareceu um texto:

A civilização número 184 foi destruída pela atração gravitacional acumulada de uma sizígia trissolar. Essa civilização havia avançado até a Revolução Científica e a Revolução Industrial.

Nessa civilização, Newton estabeleceu a mecânica clássica não relativística. Além disso, em virtude da invenção do cálculo e da arquitetura de computador de Von Neumann, foram estabelecidas as bases para a análise matemática quantitativa do movimento de três corpos.

Depois de muito tempo, a vida e a civilização vão recomeçar e voltarão a progredir no mundo imprevisível de *Três Corpos*.

Convidamos você a entrar novamente.

Assim que Wang saiu do jogo, um desconhecido ligou para ele. A voz no telefone pertencia a um homem muito carismático.

— Olá! Em primeiro lugar, gostaríamos de agradecer por você ter informado um número de contato verdadeiro. Sou um administrador de sistemas do jogo *Três Corpos*.

Wang ficou empolgado e ansioso.

— Por favor, informe idade, escolaridade, local de trabalho e cargo ocupado. Você não preencheu esses campos quando fez o cadastro.

— O que isso tem a ver com o jogo?

— Quando você chega a esta fase, precisa dar essas informações. Se não aceitar os termos de uso, *Três Corpos* ficará bloqueado em caráter permanente para você.

Wang respondeu às perguntas do administrador sem mentir.

— Muito bem, professor Wang. Você atende aos requisitos para continuar em *Três Corpos*.

— Obrigado. Posso fazer algumas perguntas?

— Não. Mas amanhã à noite haverá um encontro de jogadores de *Três Corpos*. Você está convidado a comparecer.

O administrador passou o endereço a Wang.

18. ENCONTRO

Os jogadores de *Três Corpos* se encontraram em uma cafeteria pequena e afastada. Wang sempre imaginara que eventos de videogame eram ocasiões animadas e cheias de gente, mas aquele encontro tinha a participação de apenas sete jogadores, contando com ele. Assim como Wang, os outros seis também não pareciam viciados em games. Só dois eram relativamente jovens. Outros três, incluindo uma mulher, eram de meia-idade. Havia também um senhor idoso, que parecia ter cerca de sessenta ou setenta anos.

Wang tinha imaginado que, assim que o grupo se reunisse, começaria uma discussão animada sobre *Três Corpos*, mas não foi o que aconteceu. O conteúdo complexo e estranho de *Três Corpos* havia causado um impacto psicológico nos jogadores. Todos, inclusive o próprio Wang, não conseguiam tocar no assunto e se limitaram a fazer breves apresentações pessoais. O senhor idoso pegou um cachimbo elegante, encheu de fumo e ficou circulando pela cafeteria, pitando e admirando os quadros nas paredes. Os demais ficaram sentados em silêncio, esperando o organizador do encontro aparecer. Eles tinham chegado cedo.

Na verdade, dos outros seis, Wang já conhecia dois. O idoso era um intelectual de renome que ganhara fama imbuindo a filosofia oriental de elementos da ciência moderna. A mulher de roupa estranha era uma escritora famosa, uma daquelas raras pessoas que escreviam com um estilo de vanguarda, mas também eram sucesso de público. Dava para começar a ler um livro dela a partir de qualquer página.

Dos dois homens de meia-idade, um era vice-presidente na maior empresa de desenvolvimento de softwares da China; estava usando roupas simples, um estilo casual, e ninguém na rua desconfiaria de sua posição. O outro era um executivo do alto escalão da Empresa Estatal de Energia. Dos dois rapazes, um era repórter em uma importante empresa da mídia e o outro fazia doutorado na área de ciências. Wang se deu conta de que, assim como ele, era provável que boa parcela de jogadores de *Três Corpos* fizesse parte da elite social.

O organizador não demorou muito para aparecer. O coração de Wang disparou assim que ele viu o sujeito: era Pan Han, o principal suspeito do assassinato de Shen Yufei. Wang pegou o celular quando ninguém estava olhando e começou a escrever uma mensagem de texto para Shi Qiang.

— Haha, todo mundo chegou cedo! — Pan cumprimentou os jogadores com tranquilidade, como se estivesse tudo bem. Em geral, quando saía na mídia, ele sempre parecia ter um aspecto desleixado, como se fosse um mendigo, mas naquele dia Pan estava muito bem vestido, com terno e sapato social. — Vocês são exatamente como eu imaginei. *Três Corpos* é voltado para pessoas da classe de vocês porque o público geral não é capaz de entender o significado e o espírito do jogo. Para se dar bem, é preciso ter conhecimento e um nível de compreensão que as pessoas comuns não têm.

Wang enviou a mensagem: *Vi Pan Han. Cafeteria Yunhe em Xicheng.*

— Todo mundo aqui é excelente no *Três Corpos* — continuou Pan. — Vocês têm as pontuações mais altas e se dedicam ao jogo. Acredito que *Três Corpos* já seja uma parte importante da vida de vocês.

— É uma das minhas razões de viver — disse o jovem doutorando.

— Eu vi sem querer no computador do meu neto — comentou o filósofo idoso, levantando a piteira do cachimbo. — O rapaz abandonou a partida depois de tentar um pouco, falando que era difícil demais. Mas eu achei interessante. É estranho, terrível, mas também belo. Existe muita informação oculta por trás de uma representação simples.

Alguns jogadores, Wang inclusive, concordaram com a descrição e assentiram com a cabeça.

Wang recebeu a resposta de Da Shi: *Também estamos vendo. Não esquente. Continue. Banque o viciado na frente deles, mas não exagere para não dar pinta.*

— Sim — concordou a escritora, gesticulando com a cabeça. — Eu gosto dos elementos literários de *Três Corpos*. As ascensões e quedas de 203 civilizações evocam as qualidades dos épicos em um novo formato.

Ela mencionou 203 civilizações, mas Wang só havia visto 184. Isso indicava que *Três Corpos* avançava de maneira independente para cada jogador, talvez com mundos diferentes.

— Estou um pouco cansado do mundo real — disse o jovem repórter. — *Três Corpos* já é minha segunda realidade.

— É mesmo? — perguntou Pan, interessado.

— Eu também — disse o vice-presidente da empresa de softwares. — Em comparação com *Três Corpos*, a realidade é muito banal e monótona.

— Que pena que é só um jogo — disse o executivo da estatal de energia.

— Que bom — disse Pan. Wang percebeu que os olhos dele estavam brilhando de empolgação.

— Eu queria fazer uma pergunta e acho que todo mundo está curioso para saber a resposta — disse Wang.

— Eu sei qual é. Mas pode perguntar.

— *Três Corpos* é só um jogo?

Os outros jogadores assentiram com a cabeça. Era evidente que eles também estavam com essa dúvida na cabeça.

Pan se levantou e disse, solene:

— O mundo de *Três Corpos*, ou Trissolaris, existe de verdade.

— Onde ele fica? — perguntaram vários jogadores ao mesmo tempo.

Pan olhou para cada um deles e se sentou.

— Algumas perguntas eu posso responder. Outras, não. De qualquer maneira, se for o destino de vocês permanecer com Trissolaris, todas as suas perguntas serão respondidas em algum momento.

— Então... o jogo realmente é uma representação fiel de Trissolaris? — perguntou o repórter.

— Em primeiro lugar, a capacidade dos trissolarianos de se desidratar ao longo dos muitos ciclos de civilização é real. Para se adaptar ao ambiente natural imprevisível e evitar condições climáticas extremas e inadequadas para a vida, eles podem expelir toda a água do corpo e se transformar em objetos secos e fibrosos.

— Como é a aparência dos trissolarianos?

Pan balançou a cabeça.

— Não sei. Não sei mesmo. A cada ciclo de civilização, a aparência dos trissolarianos muda. No entanto, o jogo representa outra coisa que também existiu de verdade em Trissolaris: a formação de computador trissolariana.

— Engraçado! Achei que esse tinha sido o aspecto menos realista — disse o vice-presidente da empresa de softwares. — Cheguei a fazer um teste com mais de cem funcionários na minha empresa. Mesmo se a ideia funcionasse, um computador feito de gente provavelmente seria mais devagar do que a computação manual.

Pan deu um sorriso misterioso.

— Tem razão. Mas imagine que, dos trinta milhões de soldados que formavam o computador, cada um fosse capaz de erguer e baixar as bandeiras pretas e brancas cem vezes por segundo. Imagine também que os soldados da cavalaria ligeira no barramento principal conseguissem correr a uma velocidade várias vezes maior que a do som, ou até mais rápido. Aí, o resultado seria muito diferente.

"Você perguntou agora há pouco sobre a aparência dos trissolarianos. De acordo com alguns indícios, o corpo dos trissolarianos que formavam o computador era coberto por uma superfície completamente reflexiva, provável traço evolutivo para permitir a sobrevivência em condições extremas de iluminação solar. A superfície espelhada podia assumir qualquer formato, e os indivíduos se comunicavam entre si direcionando luz com o próprio corpo. Esse tipo de fala por luz permitia a transmissão de informações a uma velocidade extremamente rápida e foi a base da formação de computador trissolariana. Claro, ainda era uma máquina muito ineficiente, mas podia realizar cálculos semidifíceis de ser feitos manualmente. De fato, em Trissolaris o computador apareceu primeiro como formação de pessoas, antes de ser mecânico e, por fim, eletrônico."

Pan se levantou e ficou andando por trás dos jogadores.

— Como jogo, *Três Corpos* só aproveita a história da sociedade humana para simular o desenvolvimento de Trissolaris. Isso acontece para proporcionar aos jogadores um ambiente mais familiar. O mundo real de Trissolaris é muito diferente do mundo do jogo, mas os três sóis existem de verdade e são a base do ambiente trissolariano.

— O desenvolvimento do jogo deve ter consumido uma quantidade imensa de esforço — disse o vice-presidente. — Mas, claramente, o objetivo não é gerar lucro.

— O objetivo de *Três Corpos* é muito simples e puro: reunir pessoas como nós, que têm ideais em comum — disse Pan.

— Quais são exatamente os ideais que temos em comum? — Na mesma hora, Wang se arrependeu de perguntar, com medo de ter parecido hostil.

Pan examinou todos com um olhar significativo e, por fim, disse em voz baixa:

— O que vocês achariam se a civilização trissolariana entrasse em nosso mundo?

— Eu ficaria feliz. — O jovem repórter foi o primeiro a romper o silêncio.
— Perdi minha fé na humanidade depois do que tenho visto nos últimos anos. A sociedade humana é incapaz de melhorar por conta própria, e precisamos da intervenção de uma força externa.

— Concordo! — gritou a escritora, muito empolgada, como se enfim tivesse encontrado uma forma de extravasar sentimentos reprimidos. — A raça humana é um horror. Passei metade da vida examinando essa feiura com o bisturi da literatura, mas agora estou até cansada do trabalho de dissecação. Desejo que a civilização trissolariana traga beleza verdadeira para este mundo.

O filósofo idoso gesticulou com o cachimbo, que tinha se apagado.

— Vamos discutir a questão um pouco mais a fundo — disse, com um tom sério. — Qual é a impressão que você tem dos astecas?

— Sombrios e sanguinários — disse a escritora. — Pirâmides encharcadas de sangue e iluminadas por fogueiras insidiosas no meio de florestas escuras. Essa é a minha impressão.

O filósofo assentiu com a cabeça.

— Muito bem. Então tente imaginar: se os conquistadores espanhóis não tivessem interferido, qual teria sido a influência dessa civilização na história da humanidade?

— Você está invertendo as coisas — interrompeu o vice-presidente da empresa de softwares. — Os conquistadores que invadiram as Américas não passavam de assassinos e saqueadores.

— Ainda assim, pelo menos eles evitaram que os astecas se desenvolvessem sem limite e transformassem as Américas em um grande império de sangue e sombras. Aí a civilização que conhecemos não teria aparecido no continente, e a democracia teria demorado muito mais para florescer. Na verdade, talvez ela nem tivesse existido. O cerne da questão é: seja lá o que os trissolarianos forem, sua chegada será uma boa notícia para a doença fatal da raça humana.

— Mas você já refletiu que os astecas foram completamente destruídos pelos invasores ocidentais? — perguntou o executivo da estatal de energia, olhando para os outros jogadores como se estivesse vendo aquelas pessoas pela primeira vez. — Seus pensamentos são muito perigosos.

— Você quis dizer profundos! — respondeu o doutorando, de dedo em riste. Ele balançou a cabeça, cumprimentando o filósofo. — Pensei a mesma coisa, mas não sabia como expressar. Você falou muito bem!

Depois de um instante de silêncio, Pan se virou para Wang.

— Os outros seis já manifestaram suas opiniões. E você?

— Concordo com eles — disse Wang, apontando para o repórter e o filósofo. Sua resposta foi simples. *Quanto menos eu falar, melhor.*

— Muito bem — disse Pan, que se voltou para o vice-presidente da empresa de softwares e para o executivo da estatal de energia. — A presença de vocês dois não é mais aceita no encontro. Vocês não são jogadores adequados para *Três Corpos.* Seus logins serão deletados. Por favor, se retirem agora. Obrigado.

Os dois se levantaram e trocaram um olhar. Em seguida, olharam para os lados, confusos, e saíram.

Pan estendeu a mão para os cinco que ficaram e cumprimentou cada um. Por fim, disse, solene:

— Somos camaradas agora.

19. *TRÊS CORPOS*: EINSTEIN, O MONUMENTO DO PÊNDULO E O GRANDE RASGO

Na quinta vez em que Wang Miao entrou em *Três Corpos*, era manhã como sempre, mas o mundo parecia irreconhecível.

A grande pirâmide das primeiras quatro vezes fora destruída na sizígia trissolar. No lugar dela havia um edifício alto e moderno, e Wang se lembrou da fachada cinza-escura: a sede da Organização das Nações Unidas.

Ao longe, havia muitos outros edifícios daquele tamanho, aparentemente desidratórios. Todos apresentavam superfícies completamente espelhadas. À luz do amanhecer, pareciam plantas de cristal gigantes brotando da terra.

Wang ouviu um violino tocando alguma melodia de Mozart. O músico não parecia muito habilidoso, mas passava um encanto especial, como se dissesse: *Eu toco só para mim.* O violinista era um mendigo idoso sentado na escada em frente à sede da ONU, e seu cabelo branco bagunçado esvoaçava no vento. Havia um chapéu velho com alguns trocados a seus pés.

De repente, Wang reparou no sol. Mas ele estava nascendo no lado contrário da luz da alvorada, e o céu ao redor continuava imerso em escuridão total.

O sol era muito grande, e o disco parcialmente visível ocupava um terço do horizonte. Wang sentiu o coração bater mais acelerado: um sol daquele tamanho só podia ser o prenúncio de mais uma grande catástrofe. Porém, quando Wang se virou, o mendigo continuava tocando como se não houvesse nada de estranho. Seu cabelo branco reluzia ao sol, como se estivesse em chamas.

O sol era branco, como o cabelo do velho, e lançava uma luz fraca, mas Wang não sentia calor algum. Ele olhou para o astro, que já estava alto no céu. No gigantesco disco branco, ele enxergou linhas que pareciam veios de madeira: cordilheiras.

Wang percebeu que o disco não emitia luz, apenas refletia a luz do sol de verdade, que estava abaixo do horizonte, no outro lado do céu. O que havia nascido não era nenhum sol, e sim uma lua gigante, que subia depressa pelo céu a uma velocidade perceptível a olho nu. No processo, ela passou gradualmente da fase cheia para a minguante.

A melodia tranquilizante do violino do mendigo se espalhava pela brisa fria da manhã, e a imagem majestosa do universo parecia a materialização da música. Wang se sentia inebriado.

A gigantesca lua minguante começou a se pôr sob a luz da alvorada e ficou muito mais luminosa. Quando restavam apenas duas pontas brilhantes acima do horizonte, Wang imaginou que fossem os chifres de algum touro titânico que investia contra o sol.

— Honrado Copérnico, descanse seus pés cansados aqui um pouco — disse o velho, depois que a lua gigante se pôs. — Aí, quando você tiver desfrutado um pouco de Mozart, talvez eu possa comer alguma coisa.

— Se não me engano... — Wang olhou para o rosto todo enrugado. As rugas eram grandes e faziam curvas suaves, como se tentassem criar alguma forma de harmonia.

— Não se engana. Eu sou Einstein, um homem miserável cheio de fé em Deus, mas que Ele abandonou.

— O que é aquela lua gigante? Nunca vi aquilo nas outras vezes que joguei.

— Ela já esfriou.

— O quê?

— A grande lua. Quando eu era pequeno, ela ainda estava quente e, sempre que subia até o meio do céu, dava para ver o brilho vermelho na planície central. Só que agora já esfriou... Você não ouviu falar do grande rasgo?

— Não. O que é isso?

Einstein suspirou e balançou a cabeça.

— Melhor não falar a respeito. Vamos esquecer o passado. O meu passado, o passado da civilização, o passado do universo... dói muito lembrar tudo isso.

— Como é que você ficou assim?

Wang enfiou a mão no bolso até achar alguns trocados, se inclinou e colocou as moedas no chapéu.

— Obrigado, sr. Copérnico. Espero que Deus não o abandone, mas não tenho muita fé nisso. Acho que o modelo que você, Newton e os demais criaram no Oriente com a ajuda da formação humana de computador chegou muito perto de acertar. Mas o errinho que sobrou foi um abismo intransponível para Newton e os outros.

"Eu sempre acreditei que, se não tivesse descoberto a relatividade restrita, outras pessoas acabariam descobrindo. Mas a relatividade geral é diferente. Newton não considerou o efeito que a curvatura gravitacional do espaço-tempo exercia na órbita planetária conforme a relatividade geral. Embora o erro causado por isso fosse pequeno, o impacto nos resultados da computação foi fatal. Acrescentar às equações clássicas o fator de correção para a perturbação da curvatura do espaço-tempo resultaria no modelo matemático certo. O volume de poder de computação necessário excede em muito o que vocês realizaram no Oriente, mas pode ser proporcionado com facilidade por computadores modernos."

— Os resultados da computação foram confirmados por observação astronômica?

— Se tivessem sido, você acha que eu estaria aqui? Mas, pela perspectiva da estética, eu devo estar certo e o universo deve estar errado. Deus me abandonou, então outros também me abandonaram. Ninguém quer saber de mim. Princeton me demitiu do corpo docente. A Unesco não me aceitou nem como consultor científico. Antes, eu não teria ido nem se eles tivessem implorado de joelhos. Eu até pensei em ir para Israel ser presidente, mas eles mudaram de ideia e disseram que eu era uma fraude...

Einstein começou a tocar de novo, retomando a música do mesmo ponto em que tinha parado. Depois de passar um tempo escutando, Wang caminhou até o prédio da ONU.

— Não tem ninguém ali dentro — disse Einstein, sem parar de tocar. — Todo mundo da sessão da Assembleia Geral está atrás do prédio, na Cerimônia de Iniciação do Pêndulo.

Wang contornou o prédio e se viu diante de algo de tirar o fôlego: um pêndulo colossal, que parecia se estender entre o céu e a terra. Na verdade, Wang já havia visto aquilo se insinuando por trás do prédio, mas não sabia o que estava olhando.

O pêndulo lembrava aqueles construídos por Fu Xi para hipnotizar o deus sol durante o Período dos Reinos Combatentes, na primeira vez em que Wang entrou em *Três Corpos*. No entanto, o pêndulo que estava ali fora completamente modernizado. Os dois pilares de sustentação eram de metal e mais altos que a torre Eiffel. O peso também era de metal, aerodinâmico, com uma superfície lisa, espelhada e galvanizada. O fio do pêndulo, feito de algum material ultraforte, era tão fino que parecia quase invisível, e o peso parecia flutuar no espaço entre as duas torres.

Debaixo do pêndulo havia muitas pessoas de terno, provavelmente os líderes dos diversos países que marcavam presença nessa sessão da Assembleia Geral. Eles estavam distribuídos em grupos pequenos e conversavam entre si em voz baixa, como se esperassem algo.

— Ah, Copérnico, o homem que atravessou cinco eras! — gritou alguém. Os outros o cumprimentaram.

— Você é um dos que viu os pêndulos do Período dos Reinos Combatentes com seus próprios olhos! — Um homem simpático segurou e apertou a mão de Wang. Alguém o apresentou como o secretário-geral da ONU, da África.

— Sim, eu vi — disse Wang. — Mas por que estamos construindo outro agora?

— É um monumento para Trissolaris e também uma lápide. — O secretário--geral olhou para o pêndulo. Visto dali de baixo, ele parecia grande como um submarino.

— Uma lápide? Para quem?

— Para uma aspiração, um anseio que durou quase duzentas civilizações: o esforço para resolver o problema dos três corpos, para descobrir o padrão dos movimentos solares.

— O esforço acabou?

— Sim. A partir de agora, acabou de vez.

Wang hesitou um pouco antes de pegar um maço de papéis, o modelo matemático de três corpos de Wei Cheng.

— Eu... eu vim aqui por causa disto. Trouxe um modelo matemático que resolve o problema dos três corpos. Tenho motivos para acreditar que ele deve funcionar.

Assim que Wang disse isso, as pessoas ao redor perderam o interesse. Elas voltaram a seus grupinhos e continuaram conversando. Wang percebeu que alguns até balançaram a cabeça e deram risada ao virar as costas para ele. O secretário-geral pegou o documento e, sem nem olhar para os papéis, entregou a um homem magro de óculos do lado dele.

— Em respeito à sua grande reputação, pedirei para meu consultor científico dar uma olhada. Na verdade, todos aqui demonstraram respeito por você. Se qualquer outra pessoa tivesse dito o que você acabou de falar, eles estariam rindo.

O consultor científico folheou o documento.

— Algoritmo evolucionário? Copérnico, você é um gênio. Qualquer pessoa capaz de pensar um algoritmo assim é um gênio. Isso exige não apenas um domínio superior da matemática, mas também imaginação.

— Você parece sugerir que alguém já criou um modelo matemático parecido.

— Sim. Existem dezenas de modelos matemáticos como este. Mais da metade é mais avançado que o seu. Todos foram implementados e executados em computadores. Ao longo dos últimos dois séculos, esse volume imenso de computação foi a principal atividade deste mundo. Todo mundo esperava os resultados como se estivesse aguardando o Dia do Juízo Final.

— E?

— Provamos definitivamente que o problema dos três corpos não tem solução.

Wang olhou para o pêndulo gigantesco acima de sua cabeça. Na luz da manhã, ele parecia brilhar. A superfície espelhada retorcida refletia tudo como se fosse o olho do mundo. Naquele lugar, em uma era distante, separada do aqui e do agora por muitas civilizações, ele e o rei Wen atravessaram uma floresta de pêndulos gigantes a caminho do palácio do rei Zhou. De uma hora para a outra, a história havia completado um grande círculo e voltado ao ponto de partida.

— É exatamente como havíamos imaginado muito tempo atrás — disse o consultor científico. — O sistema de três corpos é um sistema caótico. Perturbações ínfimas podem ser amplificadas eternamente. Na prática, os padrões de movimento não podem ser previstos pela matemática.

Wang sentiu que todo o seu conhecimento científico e seu método de raciocínio se tornaram um borrão em um instante. Tudo foi substituído por uma confusão que nunca havia experimentado.

— Se até mesmo uma disposição extremamente simples como o sistema de três corpos é um caos imprevisível, que esperança temos de descobrir as leis do complicado universo?

— Deus é um velho sem vergonha que fica fazendo apostas. Ele nos abandonou! — O dono daquela voz era Einstein, que brandia o violino. Wang não sabia quando ele havia chegado.

O secretário-geral fez um gesto lento com a cabeça.

— Sim, Deus gosta de apostar. A única esperança da civilização trissolariana é fazer o mesmo.

A essa altura, a lua gigante estava se erguendo de novo no lado escuro do horizonte. A imensa e prateada imagem aparecia refletida na superfície do peso do pêndulo. A luz estremecia de um jeito curioso, como se o peso e a lua tivessem desenvolvido uma sintonia misteriosa.

— Esta civilização parece ter se desenvolvido até um estado muito avançado — disse Wang.

— Sim. Conquistamos a energia do átomo e chegamos à Era da Informação. — O secretário-geral não parecia muito satisfeito com as próprias palavras.

— Então existe esperança: ainda que seja impossível prever o padrão dos movimentos solares, a civilização pode continuar se desenvolvendo até atingir um nível em que seja capaz de se proteger e de escapar sã e salva das catástrofes devastadoras das Eras Caóticas.

— Antigamente as pessoas pensavam como você. Essa crença era uma das forças que impulsionava a civilização trissolariana a insistir incessantemente. Mas a lua nos fez perceber como essa ideia é ingênua. — O secretário-geral apontou para a lua gigante que subia no céu. — Você provavelmente está vendo a lua pela primeira vez. Na verdade, como ela tem cerca de um quarto do tamanho de nosso planeta, não é mais uma lua, e sim a companheira de nosso mundo em um sistema de planetas duplos. Ela foi o resultado do grande rasgo.

— Grande rasgo?

— O desastre que dizimou a última civilização. Em comparação com as civilizações anteriores, eles tiveram bastante tempo para prever o desastre. Com base em documentos preservados, os astrônomos da civilização 191 detectaram uma estrela voadora paralisada muito antes.

Wang sentiu um aperto no coração ao ouvir a última frase. Uma estrela voadora paralisada era um presságio terrível para Trissolaris. Quando uma estrela voadora, ou um sol distante, parece ficar completamente imóvel no fundo estrelado, significa que os vetores de movimento do sol e do planeta estão alinhados. O fenômeno admite três possíveis interpretações: o sol e o planeta estão se movendo na mesma direção com a mesma velocidade; o sol e o planeta estão se afastando um do outro; e o sol e o planeta estão se aproximando. Antes da civilização 191, essa última possibilidade era apenas teórica, um desastre que nunca havia acontecido. Porém, o medo e a desconfiança do povo não perderam força, a tal ponto que "estrela voadora paralisada" se tornou uma expressão que significava azar extremo em muitas civilizações trissolarianas. Uma única estrela voadora que ficasse imóvel já bastava para deixar todo mundo apavorado.

— E aí as três estrelas voadoras pararam ao mesmo tempo. As pessoas da civilização 191 ficaram olhando, impotentes, as três estrelas voadoras paralisadas, os três sóis que caíam bem em direção ao mundo. Alguns dias depois, um dos sóis se deslocou para uma distância que permitiu que sua camada gasosa externa ficasse visível. No meio de uma noite tranquila, a estrela de repente se transformou em um sol ardente. A intervalos de mais ou menos trinta horas, os outros dois sóis também apareceram em uma sequência rápida. Não era um dia trissolar normal. Quando a última estrela voadora se transformou em um sol, o primeiro sol já havia passado pelo planeta a uma distância extremamente curta. Logo depois, os outros dois sóis passaram por Trissolaris a distâncias ainda mais curtas, bem dentro do limite de Roche* do planeta, de tal forma que as forças de maré impostas a Trissolaris pelos três sóis excederam a força autogravitacional do planeta. O primeiro sol abalou a estrutura geológica mais profunda do planeta; o segundo abriu uma grande fenda que chegou até o núcleo; e o terceiro rasgou o planeta em dois.

O secretário-geral apontou para a lua gigante no céu.

— Aquele é o pedaço menor. Ainda existem ruínas da civilização 191 lá, mas é um mundo sem vida. Foi o desastre mais terrível de toda a história de Trissolaris. Depois que o planeta foi destroçado, os dois pedaços irregulares voltaram a ter uma forma esférica graças à autogravitação. O denso material abrasador do núcleo do planeta jorrou na superfície, e os oceanos ferveram na lava. Os continentes boiaram no magma como icebergs. Quando eles se colidiam, a rocha ficava macia

---

* O astrônomo francês Édouard Roche foi o primeiro a calcular a distância teórica mínima para que um corpo celestial fosse destroçado pelas forças de maré de outro corpo maior. O limite de Roche costuma ser explicado como a razão entre a densidade dos corpos e o raio equatorial do corpo maior. (N. A.)

como os mares. Cordilheiras gigantescas de dezenas de milhares de metros de altura se erguiam e desapareciam de uma hora para outra.

"Por um tempo, os dois pedaços destroçados permaneceram ligados por tiras de lava derretida que se aglutinaram em um rio espacial. A lava por fim resfriou e formou anéis em torno dos planetas, mas, devido às perturbações dos planetas, os anéis eram instáveis. As rochas que compunham esses anéis caíram de volta na superfície em uma chuva de pedregulhos gigantes que durou séculos... Dá para imaginar o inferno que era? A destruição ecológica causada por essa catástrofe foi a mais severa de todos os tempos. Toda a vida no segundo planeta se extinguiu, e por pouco o planeta-mãe não virou um deserto sem vida também. Apesar disso, no final, as sementes da vida conseguiram germinar aqui, e quando a geologia do planeta-mãe se estabilizou, a evolução começou seus passos hesitantes em oceanos novos e em continentes novos, até que a civilização surgisse pela 192ª vez. O processo inteiro levou noventa milhões de anos.

"A situação de Trissolaris no universo é ainda mais catastrófica do que havíamos imaginado. O que vai acontecer na próxima vez em que aparecerem estrelas voadoras paralisadas? É muito provável que nosso planeta não passe apenas de raspão no sol, e sim que mergulhe no mar de fogo do próprio astro. Com o tempo, essa possibilidade vai se transformar em certeza.

"A princípio, isso era só uma especulação trágica, mas uma descoberta astronômica recente fez com que perdêssemos todas as esperanças no destino de Trissolaris. Os pesquisadores estavam tentando restabelecer a história da formação das estrelas e dos planetas com base em sinais neste sistema estelar. Mas acabaram descobrindo que, em um passado remoto, o sistema estelar trissolariano tinha *doze* planetas. E agora só restou este.

"Só existe uma explicação: os outros onze planetas foram todos consumidos pelos três sóis! Nosso mundo é apenas o último sobrevivente de uma Grande Caçada. O fato de que a civilização tenha reencarnado cento e noventa e duas vezes não passou de sorte. Além disso, após mais análises, descobrimos o fenômeno de 'respiração' das três estrelas."

— As estrelas respiram?

— É só uma metáfora. Você descobriu a camada gasosa externa dos sóis, mas não sabia que essa camada gasosa se expande e se contrai em um ciclo extremamente longo, como se fosse uma respiração. Quando a camada gasosa se expande, pode ficar dezenas de vezes mais espessa, o que aumenta em muito o diâmetro do sol, como se fosse uma luva gigantesca que consegue pegar planetas com mais facilidade. Quando um planeta passa perto de um sol, ele entra nessa camada gasosa. Com a fricção, perde velocidade, e no fim, como se fosse um meteoro, cai no mar flamejante do sol, lançando uma grande cauda de chamas.

"Os resultados do estudo demonstram que, na longa história do sistema estelar trissolariano, sempre que as camadas gasosas dos sóis se expandiam, um ou dois planetas eram consumidos. Todos os outros onze planetas caíram em um mar de fogo quando as camadas gasosas estavam com o tamanho máximo. Por enquanto, as camadas gasosas dos três sóis estão em um estágio contraído; caso contrário, nosso planeta já teria caído em um deles na última vez em que os três passaram perto de nós. Mas os astrônomos preveem que a próxima expansão vai acontecer daqui a mil anos."

— Não podemos mais continuar neste lugar horrível — disse Einstein, agachado no chão como se fosse um mendigo velho.

O secretário-geral assentiu com a cabeça.

— Não podemos mais ficar aqui. A única opção que resta à civilização trissolariana é fazer uma aposta com o universo.

— Como? — perguntou Wang.

— Precisamos sair do sistema estelar trissolariano e voar para o grande mar aberto de estrelas. Precisamos migrar para um mundo novo na galáxia.

Wang ouviu um rangido. Ele viu que o peso gigante do pêndulo estava sendo erguido por um cabo fino, preso pela outra extremidade a um guincho elevado. Enquanto o peso subia até a altura máxima, uma lua minguante imensa descia lentamente no céu atrás dele.

O secretário-geral anunciou, solene:

— Começar o pêndulo.

O guincho soltou o cabo preso ao pêndulo, e o peso desceu silenciosamente por um arco amplo. A princípio, desceu devagar, mas acelerou até alcançar a velocidade máxima na base do arco. Conforme ele cortava o ar, o vento ecoava um som grave e retumbante. Quando o barulho parou, o pêndulo já havia seguido o arco até o ponto mais alto do outro lado e, após um instante, começado a descer de novo.

Wang sentiu a grande força gerada pelo movimento do pêndulo, como se o chão fosse sacudido pelos arcos. Ao contrário de um pêndulo no mundo real, o período daquele pêndulo gigante não era estável: ele variava constantemente, em decorrência das diversas mudanças de atração gravitacional da lua gigante. Quando a lua estava de um lado do planeta, sua gravidade anulava parcialmente a do planeta, fazendo com que o pêndulo ficasse menos pesado. Quando estava do outro lado do mundo, a gravidade dela se somava à do planeta, aumentando o peso do pêndulo, quase até o mesmo nível que ele teria antes do grande rasgo.

Enquanto observava o balanço espantoso do Monumento do Pêndulo trissolariano, Wang se perguntou: *Será que ele representa o desejo de se ter ordem ou a rendição ao caos?* Ele também pensou no pêndulo como um gigantesco punho metálico, agitando-se eternamente contra o universo insensível, berrando em silêncio o grito de guerra indomável da civilização trissolariana...

Quando as lágrimas turvaram seus olhos, Wang viu uma linha de texto aparecer na frente do pêndulo oscilante:

> Quatrocentos e cinquenta e um anos depois, a civilização número 192 foi destruída pelas chamas de dois sóis que apareceram simultaneamente. Essa civilização havia avançado até a Era Atômica e a Era da Informação.
>
> A civilização número 192 foi um marco da civilização trissolariana. Ela enfim provou que o problema dos três corpos não tinha solução, desistiu do esforço inútil que havia se estendido cento e noventa e um ciclos e determinou o caminho das civilizações futuras. Desse modo, o objetivo de *Três Corpos* mudou.
>
> O novo objetivo é: rumar para as estrelas e encontrar um novo lar.
>
> Convidamos você a entrar novamente.

Após sair de *Três Corpos*, Wang se sentia exausto, assim como em todas as sessões anteriores. No entanto, dessa vez, ele só descansou por meia hora e se conectou de novo.

Agora, diante de um fundo completamente preto, apareceu uma linha de texto inesperada:

> URGENTE. Os servidores de *Três Corpos* estão prestes a ser desativados. Por favor, conecte-se à vontade no tempo que resta. *Três Corpos* passará diretamente à última cena.

20. *TRÊS CORPOS*: EXPEDIÇÃO

A manhã fria revelou uma paisagem vazia. Não havia pirâmide, nem sede das Nações Unidas, nem sinal do Monumento do Pêndulo. Apenas um deserto escuro se estendia até o horizonte, semelhante ao cenário que Wang vira na primeira vez em que entrou no jogo.

Mas ele logo percebeu que estava enganado. O que imaginou que fossem diversas pedras espalhadas pelo deserto eram, na verdade, cabeças humanas. O chão estava abarrotado de uma multidão imensa.

Visto do morro baixo de onde Wang estava, o mar de gente parecia não ter fim. Ele estimou que em seu campo de visão havia centenas de milhões de pessoas. Provavelmente todos os trissolarianos do planeta estavam reunidos ali.

O silêncio de centenas de milhões de pessoas produzia uma sensação sufocante de estranhamento. *O que eles estão esperando?* Wang observou a multidão e reparou que todos estavam olhando para o céu.

Wang levantou o rosto e percebeu que o céu estrelado apresentava algo impressionante: as estrelas estavam alinhadas em forma de quadrado! No entanto, logo ele se deu conta de que essas estrelas estavam em órbita síncrona com o planeta, movendo-se juntas diante do fundo menos luminoso e mais distante da Via Láctea.

As estrelas que estavam mais perto da direção do amanhecer também eram as mais brilhantes e emitiam uma luz prateada que lançava sombras no chão. As mais afastadas brilhavam menos. Wang contou mais de trinta estrelas ao longo de cada aresta do quadrado, o que significava um total de mais de mil estrelas. O movimento vagaroso da formação evidentemente artificial diante do universo estrelado deixava transparecer um poder solene.

Um homem ao lado de Wang o cutucou de leve e falou com um tom de voz baixo:

— Ah, grande Copérnico, por que você chegou tão tarde? Já se passaram três ciclos de civilizações, e você perdeu muitas façanhas.

— O que é aquilo? — perguntou Wang, apontando para a formação no céu.

— A Frota Interestelar Trissolariana. Ela está prestes a começar a expedição.

— A civilização trissolariana já tem capacidade de realizar viagens interestelares?

— Sim. Todas aquelas esplêndidas naves podem alcançar um décimo da velocidade da luz.

— Isso é uma grande conquista, sem dúvida, mas ainda parece lento demais para uma viagem interestelar.

— Uma jornada de mil quilômetros começa com o primeiro passo. O segredo é encontrar o alvo certo.

— Qual é o destino da frota?

— Uma estrela com planetas a cerca de quatro anos-luz daqui, a estrela mais próxima do sistema trissolariano.

Wang ficou surpreso.

— A estrela mais próxima de nós também fica a cerca de quatro anos-luz de distância.

— De vocês?

— Da Terra.

— Ah, isso não é muito surpreendente. Na maioria das regiões da Via Láctea, a distribuição de estrelas é relativamente regular. Isso se deve à ação dos aglomerados de estrelas pela influência da gravidade. A distância entre a maioria das estrelas é de três a seis anos-luz.

Um grito de alegria irrompeu na multidão. Wang olhou para cima e viu que o brilho de todas as estrelas que formavam o quadrado estava aumentando rapidamente, resultado da luz emitida pelas próprias naves. A iluminação conjunta delas logo superou a alvorada, e mil estrelas se tornaram mil sóis pequenos. Um dia glorioso cobriu Trissolaris, e a multidão levantou as mãos e formou um oceano infinito de braços erguidos.

A Frota Interestelar Trissolariana começou a acelerar, atravessando solenemente o domo celeste, passando pela ponta recém-surgida da lua gigante, lançando uma luz azulada fraca nas montanhas e planícies lunares.

O grito de alegria arrefeceu. O povo de Trissolaris observou em silêncio enquanto a esperança deles desaparecia lentamente no céu do poente. Embora eles não fossem viver para descobrir o resultado da expedição, dali a quatrocentos ou quinhentos anos, seus descendentes receberiam a notícia de um novo mundo, o começo de uma vida nova para a civilização trissolariana. Wang permaneceu ao lado deles, observando em silêncio, até a falange de mil estrelas se reduzir a uma única estrela, e até essa estrela desaparecer no céu noturno ocidental. Depois, apareceu o seguinte texto:

A Expedição Trissolariana para o novo mundo começou. A frota segue viagem...

Três Corpos terminou. Quando você voltar ao mundo real, se continuar fiel à promessa feita, por favor compareça ao encontro da Organização Terra-Trissolaris. Você receberá o endereço por e-mail.

PARTE III

O ocaso da humanidade

21. REBELDES DA TERRA

Dessa vez apareceu muito mais gente do que no último encontro de jogadores. O evento foi realizado no refeitório de uma antiga fábrica de produtos químicos. A fábrica já havia sido transferida, e o interior do edifício, prestes a ser demolido, estava meio acabado, embora fosse espaçoso. Havia cerca de trezentas pessoas ali, e Wang Miao viu muitos rostos conhecidos: celebridades e pessoas influentes de áreas diversas, cientistas famosos, escritores, políticos, entre outros.

A primeira coisa que chamou a atenção de Wang foi o estranho dispositivo no meio do refeitório. Três esferas prateadas, cada uma ligeiramente menor que uma bola de boliche, pairavam e giravam acima de uma base de metal. Wang imaginou que o dispositivo devia funcionar à base de levitação magnética. A órbita das três esferas era completamente aleatória: uma versão do problema dos três corpos na vida real.

As outras pessoas não deram muita atenção à representação artística do problema dos três corpos. Estavam de olho em Pan Han, que tinha ficado de pé em cima de uma mesa quebrada no meio do refeitório.

— Ei, Pan, você matou mesmo a camarada Shen Yufei? — perguntou um homem.

— Matei — respondeu Pan, com perfeita indiferença. — Pessoas como ela, traidores da causa adventista, são responsáveis pela atual crise da organização.

— E desde quando você tinha o direito de matar?

— Só matei porque era meu dever defender a organização.

— Seu dever? Para com isso, você sempre teve um coração carregado de maldade.

— O que você quer dizer com isso?

— O que você fez quando dirigiu a Seção Ambiental? Você foi encarregado de criar problemas ambientais, ou explorar os já existentes, para fazer a população detestar a ciência e a indústria moderna. Mas a verdade é que só usou a tecnologia e as previsões do nosso Senhor para fazer fortuna e fama!

— Você acha mesmo que fiquei famoso por interesse pessoal? Para mim, a humanidade inteira não passa de lixo. Estou me lixando para o que as pessoas pensam. Agora, sem fama, como vou conseguir direcionar e canalizar o pensamento delas?

— Você sempre escolhe os trabalhos mais fáceis. Ambientalistas inexpressivos poderiam ter feito o mesmo que você, talvez até melhor, porque são mais sinceros e dedicados. Com um pouco de orientação, seria fácil tirar proveito das ações desses ativistas. Sua Seção Ambiental deveria ter criado e explorado desastres ambientais: contaminar reservatórios, provocar o vazamento de resíduos tóxicos, coisas assim... Por acaso vocês fizeram algo parecido? Não, nem uma vez sequer!

— Elaboramos muitos planos e incontáveis armações, mas o comando vetou tudo. Bom, mas esses atos teriam sido uma idiotice, pelo menos até agora. A Seção de Biologia e Medicina chegou a tentar criar uma catástrofe através do uso excessivo de antibióticos, porém a coisa foi descoberta cedo. E as ações imprudentes do Destacamento Europeu quase colocaram os holofotes sobre nós.

— Olha quem está falando... você acabou de matar uma pessoa!

— Escutem, camaradas! Mais cedo ou mais tarde isso acabaria acontecendo, era inevitável. Vocês provavelmente já sabem que todos os governos estão se preparando para a guerra. Na Europa e na América do Norte, a organização já está sendo atacada. Quando os ataques começarem por aqui, com certeza aqueles que acreditam na redenção vão ficar do lado do governo. Então nossa prioridade é eliminar os redentistas da organização.

— Você não tem autoridade para decidir isso.

— É claro que a palavra final é do comando. Só que já vou avisando, camaradas: a comandante é adventista!

— Agora você está inventando coisas. Todo mundo sabe que a comandante tem muito poder. Se ela fosse mesmo adventista, os redentistas já teriam sido eliminados há muito tempo.

— De repente ela sabe de algo que nós não sabemos. Talvez seja esse o motivo do encontro.

Depois disso, a atenção das pessoas se desviou de Pan Han. Um cientista famoso, que tinha recebido o prêmio Turing, subiu na mesa e começou a falar.

— A hora de discutir já passou. Camaradas, qual deve ser o nosso próximo passo?

— Começar uma rebelião global!

— Isso é pedir para morrer.

— Vida longa ao espírito de Trissolaris! Vamos perseverar como a vegetação implacável que volta a brotar depois de cada incêndio na floresta.

— Uma rebelião vai enfim revelar nossa existência para o mundo. Com um plano de ação adequado, com certeza podemos receber o apoio de muita gente.

Esse último comentário partiu de Pan Han e foi aplaudido por muitas pessoas.

— A comandante chegou! — gritou alguém.

A multidão abriu caminho.

Wang olhou na mesma direção que os demais e perdeu o chão. O mundo pareceu ficar preto e branco, e a única cor vinha da pessoa que acabara de aparecer.

Cercada por um grupo de guarda-costas jovens, Ye Wenjie, comandante-chefe dos rebeldes da Organização Terra-Trissolaris, caminhava a passos firmes pela multidão.

Ye parou no meio do espaço que haviam aberto para ela, levantou um punho magro e, com uma determinação e uma força que Wang tinha dificuldade de acreditar, disse:

— Eliminar a tirania humana!

A multidão reagiu de um jeito claramente ensaiado inúmeras vezes antes:

— O mundo pertence a Trissolaris!

— Olá, camaradas — disse Ye. A voz dela retomou a delicadeza que Wang conhecia. Só nesse momento ele teve certeza de que era mesmo Ye. — Como não tenho me sentido muito bem ultimamente, não pude passar muito tempo com vocês. Mas agora a situação é urgente, e sei que todos estão enfrentando muita pressão, por isso vim.

— Comandante, cuide da sua saúde — disse uma voz na multidão. Wang percebeu que a preocupação era sincera.

— Antes de avançarmos para assuntos mais importantes — disse Ye —, vamos resolver um pequeno detalhe. Pan Han... — Ye não tirou os olhos da multidão ao pronunciar o nome dele.

— Aqui, comandante. — Pan apareceu no meio das pessoas. Ele tinha tentado dar um perdido, sem sucesso. Parecia calmo, mas era óbvio que estava horrorizado: a comandante não o chamara de *camarada*, o que não era um bom sinal.

— Você cometeu uma violação grave das regras da organização. — Ye não olhou para Pan ao falar. Sua voz continuava gentil, como se ela estivesse lidando com uma criança malcriada.

— Comandante, a organização está em crise, lutamos pela sobrevivência! Chegou a hora de a gente adotar medidas drásticas e eliminar os traidores e inimigos em nossas fileiras. Caso contrário, vamos perder tudo!

Ye olhou para Pan com uma expressão de piedade. Mas ele segurou a respiração por alguns segundos.

— O ideal da OTT é perder tudo. Tudo que hoje pertence à raça humana, incluindo nossas próprias vidas. Esse é o objetivo definitivo.

— Então a senhora deve ser adventista! Comandante, por favor, declare abertamente suas filiações, isso é muito importante. Não tenho razão, camaradas? Muito importante! — gritou ele, sacudindo um braço e olhando para os lados. Mas a multidão permaneceu calada.

— Não cabe a você fazer esse pedido. Você violou gravemente nosso código de conduta. Se quiser fazer um apelo, agora é a hora. Caso contrário, deverá arcar com as consequências. — Ye falou devagar, articulando cada palavra, como se por receio de que a criança que estava sendo educada tivesse dificuldade para entender.

— A minha intenção era acabar com Wei Cheng, aquele geniozinho da matemática. A decisão foi tomada pelo camarada Evans e ratificada de maneira unânime pelo comitê. Se ele acabar conseguindo criar um modelo matemático que forneça uma solução completa para o problema dos três corpos, nosso Senhor não virá, e a grande investida de Trissolaris na Terra irá por água abaixo. Só atirei em Shen Yufei porque ela atirou em mim primeiro. Eu agi em legítima defesa.

Ye assentiu com a cabeça.

— Vamos acreditar nisso. Afinal, essa não é a questão mais importante. Espero que possamos continuar confiando em você. Agora, por favor, repita o pedido que você fez há pouco.

Pan ficou atordoado por um instante. Não parecia ter relaxado com o fato de que Ye havia mudado de assunto.

— Eu... pedi para a senhora declarar abertamente que é adventista. Afinal, o plano de ação dos adventistas é o mesmo que o seu.

— E qual seria esse plano de ação?

— A sociedade humana já não é capaz de resolver seus problemas nem de frear sua insanidade por conta própria. Por isso, pedimos para nosso Senhor vir a este mundo e, com seu poder, olhar por nós e nos transformar à força para criar uma civilização humana nova e perfeita.

— Os adventistas acreditam fielmente nesse plano?

— Claro! Comandante, por favor, não acredite nos falsos boatos.

— Não é um boato falso! — gritou um homem, indo até a frente. — Meu nome é Rafael e sou israelense. Três anos atrás, meu filho de catorze anos morreu em um acidente. Eu doei o rim dele para uma menina palestina que sofria de falência renal, em um gesto de esperança de que os dois povos pudessem conviver em paz. Eu estava disposto a dar a minha vida por esse ideal. Muitos, muitos israelenses e palestinos também se dedicavam com sinceridade a esse objetivo. Mas foi tudo em vão. Continuamos presos em um atoleiro de ciclos de vingança.

"Com o tempo, perdi minha fé na humanidade e entrei para a OTT. O desespero me fez deixar de ser pacifista e me transformar em extremista. Além disso, provavelmente porque eu doei muito dinheiro para a organização, passei a fazer parte do núcleo dos adventistas. E posso afirmar: os adventistas têm interesses secretos.

"A linha de raciocínio é a seguinte: a humanidade é má, a civilização humana cometeu crimes imperdoáveis contra a Terra e precisa ser castigada. O objetivo definitivo dos adventistas é pedir que nosso Senhor execute este castigo divino: a destruição de toda a humanidade."

— O verdadeiro projeto dos adventistas já não é mais segredo para ninguém — gritou alguém.

— Pode até não ser, mas o que vocês não sabem é que esse projeto não foi adotado aos poucos. Essa meta foi estabelecida desde o começo: é o grande sonho de Mike Evans, o idealizador dos adventistas. Ele mentiu para a organização e enganou todo mundo, inclusive a comandante! Evans vem perseguindo esse objetivo desde o início. Ele transformou os adventistas em um reino de terror povoado por ambientalistas extremistas e loucos que odeiam a humanidade.

— Só muito mais tarde fiquei sabendo das verdadeiras intenções de Evans — disse Ye. — Ainda assim, tentei resolver as diferenças para permitir que a OTT permanecesse unida. Só que atos cometidos recentemente pelos adventistas inviabilizaram esse esforço.

— Comandante — disse Pan —, os adventistas são o núcleo da OTT. Sem nós, não existe nenhuma organização Terra-Trissolaris.

— Mas isso não é desculpa para monopolizar todas as comunicações entre nosso Senhor e a organização.

— Como nós construímos a Segunda Base Costa Vermelha, é claro que deveríamos operá-la.

— Os adventistas se aproveitaram disso para cometer uma traição imperdoável contra a organização: vocês interceptaram as mensagens do nosso Senhor, mas repassaram apenas uma pequena parte para nós, e ainda por cima com o conteúdo distorcido. Sem falar que, com a Segunda Base Costa Vermelha, vocês enviaram uma grande quantidade de informações ao nosso Senhor sem a aprovação da organização.

O silêncio se abateu sobre os presentes como se fosse uma figura monstruosa. Wang começou a sentir um arrepio na nuca.

Pan não respondeu. Ele assumiu uma expressão fria, como se dissesse: *Finalmente, chegou a hora!*

— Existem muitas provas da traição dos adventistas. A camarada Shen Yufei era uma das testemunhas. Embora ela fizesse parte do núcleo dos adventistas, no fundo continuava acreditando na redenção. Vocês só descobriram isso agora, quando ela já sabia demais. Evans enviou você para aquela casa para matar duas pessoas, não uma.

Pan olhou para os lados e pareceu reavaliar sua situação. O gesto não passou despercebido por Ye.

— Como pode ver, a maioria dos camaradas deste encontro pertence à facção dos redentistas, e acredito que os poucos adventistas que vieram ficarão do lado da organização. De qualquer maneira, homens como Evans e você já não têm salvação. Para proteger o programa e os ideais da OTT, devemos resolver de uma vez por todas o problema dos adventistas.

O silêncio voltou a reinar. Alguns instantes depois, um dos guarda-costas, uma mulher jovem, sorriu. Ela saiu de perto de Ye e começou a andar casualmente na direção de Pan.

A expressão no rosto de Pan mudou. Ele enfiou a mão no paletó, mas a jovem foi mais rápida. Antes de qualquer reação, ela passou um dos braços magros em volta do pescoço de Pan, colocou a outra mão em cima da cabeça dele e, com habilidade, aplicando uma força inesperada no ângulo certo, fez a cabeça de Pan girar cento e oitenta graus. O som das vértebras cervicais se quebrando ecoou em meio ao silêncio completo.

As mãos da jovem se soltaram um segundo depois, como se a cabeça de Pan estivesse quente demais. Pan desabou no chão, e a arma que havia matado Shen Yufei caiu debaixo da mesa. O corpo do adventista continuou tendo espasmos, os olhos permaneceram abertos e a língua ficou para fora, mas a cabeça não se mexia mais, como se nunca tivesse feito parte do resto do corpo. Alguns homens apareceram para levá-lo embora, e o sangue que escorria de sua boca deixou um rastro no chão.

— Ah, Xiao Wang, você também veio. Como tem passado? — Ye voltou o olhar para Wang Miao. Ela deu um sorriso gentil e fez um gesto afirmativo com a cabeça. Depois, virou-se para os demais presentes. — Esse é o professor Wang, membro da Academia Chinesa de Ciências e meu amigo. Ele realiza pesquisa com nanomateriais, a primeira tecnologia que nosso Senhor deseja que seja eliminada da Terra.

Ninguém olhou para Wang, e ele não teve forças para falar. Para não cair, se segurou na manga da camisa da pessoa que estava ao lado, mas o homem afastou a mão com um gesto leve.

— Xiao Wang, que tal eu contar o resto da história da Costa Vermelha que comecei no outro dia? Todos os camaradas presentes podem ouvir também. Não é perda de tempo. Este momento extraordinário é uma ótima oportunidade para reviver a história de nossa organização.

— Costa Vermelha... você não tinha me contado tudo? — perguntou Wang, com ingenuidade.

Ye se aproximou devagar do modelo dos três corpos, aparentemente concentrada no movimento das esferas prateadas. A luz do poente entrava pelas janelas quebradas até as esferas flutuantes do modelo, que se refletia no corpo da comandante rebelde de maneira intermitente, como fagulhas de uma fogueira.

— Não. Era só o começo — respondeu Ye, em voz baixa.

22. COSTA VERMELHA V

Desde que entrou na Base Costa Vermelha, Ye Wenjie nunca pensou em sair. Quando descobriu o verdadeiro objetivo do Projeto Costa Vermelha, uma informação ultrassecreta que muitos quadros de nível intermediário da base desconheciam, ela rompeu sua ligação espiritual com o mundo exterior e se entregou de corpo e alma ao trabalho. A partir de então, tornou-se ainda mais importante para o núcleo técnico da Costa Vermelha e começou a assumir temas de pesquisa mais importantes.

O comissário Lei nunca esqueceu que o chefe Yang fora o primeiro a confiar em Ye, mas não se incomodava de passar temas importantes para ela. Em virtude do status de Ye, ela não tinha direito aos resultados de sua pesquisa. Lei, que havia estudado astrofísica, era um oficial político e um intelectual ao mesmo tempo, algo raro naquela época. Por isso, ele podia receber o crédito por todos os resultados de pesquisa e artigos de Ye e se apresentar como um oficial político exemplar, com saber técnico e fervor revolucionário.

A princípio, o Projeto Costa Vermelha tinha convidado Ye por causa de um artigo dela publicado durante a pós-graduação no *Journal of Astrophysics*. O trabalho postulava um modelo matemático do sol: em comparação com a Terra, o astro era um sistema físico muito mais simples, composto quase que todo de hidrogênio e hélio. Embora os processos físicos fossem violentos, tinham complexidade relativamente baixa, limitando-se à fusão do hidrogênio para formar o hélio. Logo, era provável que um modelo matemático pudesse descrever o sol com bastante precisão. O artigo era elementar, mas Lei e Yang viram no estudo uma esperança de resolver uma dificuldade técnica que ocorria no sistema de monitoramento da Costa Vermelha.

Interferências solares, um problema comum para as comunicações via satélite, sempre afetaram as operações de monitoramento da Costa Vermelha.

Quando a Terra, um satélite artificial e o sol ficam alinhados, o sol aparece atrás do satélite pela perspectiva da antena situada no solo. O sol é uma fonte gigantesca de radiação eletromagnética e, por consequência, as transmissões entre o satélite e o solo sofrem interferência da radiação solar. Continua sendo impossível resolver definitivamente esse problema, mesmo no século XXI.

A interferência que a Costa Vermelha enfrentava era semelhante, mas a fonte de interferência (o sol) estava entre a fonte da transmissão (o espaço sideral) e o receptor no solo. Em comparação com os satélites de comunicação, as interferências solares sofridas pela Costa Vermelha eram mais frequentes e severas. Além disso, como as estruturas da Base Costa Vermelha eram muito mais modestas do que na planta do projeto original, os sistemas de transmissão e de monitoramento usavam a mesma antena. Por isso, os momentos disponíveis para as atividades de monitoramento eram ainda mais preciosos, e a interferência solar, um problema ainda mais sério.

Lei e Yang tinham uma ideia muito simples para eliminar a interferência: determinar o espectro de frequências e as características da radiação solar na faixa monitorada e compensar isso digitalmente. Os dois tinham formação técnica, rara e fortuita coincidência para a época, na medida em que era comum que ignorantes liderassem os instruídos. Porém Yang não era especialista em astrofísica, e Lei tinha seguido uma carreira de oficial político, o que o impedira de aprofundar seu conhecimento técnico. Na verdade, a radiação eletromagnética do sol apenas é estável no segmento limitado entre o quase ultravioleta e as frequências intermediárias da faixa infravermelha (incluindo a luz visível). Nas demais faixas, a radiação é muito volátil e imprevisível.

Para não criar expectativas exageradas, já em seu primeiro relatório de pesquisa, Ye deixou claro que era impossível eliminar a interferência durante períodos de atividade solar intensa — manchas ou explosões solares, ejeções de massa coronal etc. Desse modo, o objeto de pesquisa deveria ser restrito à radiação dentro das faixas de frequência monitoradas pela Costa Vermelha em períodos de atividade solar normal.

As condições de pesquisa na base não eram ruins. A biblioteca podia obter material sobre o assunto em outras línguas, incluindo os mais recentes periódicos acadêmicos da Europa e dos Estados Unidos. Naqueles anos, isso não era fácil. Ye também podia usar a linha telefônica militar para entrar em contato com os dois grupos que estudavam o sol na Academia Chinesa de Ciências e obter os resultados das observações deles por fax.

Depois de meio ano de estudos, Ye já não tinha nenhum fio de esperança. Ela logo descobriu que a radiação solar flutuava imprevisivelmente na faixa de frequências monitoradas pela Costa Vermelha. Quando analisou uma grande quantidade de dados observados, se deparou com um mistério curioso. Às vezes, durante uma das flutuações súbitas de radiação solar, a superfície do sol ficava calma. Como toda radiação de ondas curtas e de micro-ondas com origem no núcleo do Sol era absorvida por centenas de milhares de quilômetros de matéria solar, a radiação devia ter saído de atividades na superfície, de modo que deveria haver atividades observáveis quando essas flutuações aconteciam. Se não havia nenhuma perturbação condizente na superfície, o que causava essas mudanças repentinas nas bandas estreitas? Quanto mais ela pensava, mais misteriosa a questão parecia.

Com o tempo, Ye acabou ficando sem hipóteses e decidiu desistir. No último relatório, ela admitiu que não conseguia resolver a questão. Em princípio, isso não seria nenhum problema: as Forças Armadas pediram que vários grupos em universidades e na Academia Chinesa de Ciências pesquisassem a mesma questão, e nenhum teve sucesso. Só que Yang queria tentar mais uma vez, contando com o talento extraordinário de Ye.

Os interesses de Lei eram ainda mais simples: ele só queria o artigo de Ye. O tópico da pesquisa era muito teórico e seria uma demonstração da capacidade e do conhecimento dele. Como o caos da sociedade chinesa enfim tinha começado a amainar, as exigências impostas aos quadros também estavam mudando, e havia uma necessidade urgente de homens como ele, politicamente maduros e bem-sucedidos academicamente. Era óbvio que seu futuro seria brilhante. Quanto ao problema das interferências solares, ele não se importava muito.

No entanto, no fim das contas, Ye não entregou o relatório. Ela achava que, se o projeto de pesquisa fosse encerrado, a biblioteca da base não receberia mais periódicos estrangeiros nem outros materiais de pesquisa. Como nesse caso Ye perderia acesso a uma fonte abundante de referências em astrofísica, ela fingiu continuar a pesquisa mas, na verdade, passou a tentar refinar seu modelo matemático do sol.

Certa noite, como de costume, Ye estava sozinha na fria sala de leitura da biblioteca da base. Na mesa comprida à sua frente havia uma infinidade de documentos e periódicos abertos. Após completar uma série de cálculos matriciais tediosos e trabalhosos, ela assoprou as mãos para se aquecer e pegou a edição mais recente do *Journal of Astrophysics*, para arejar um pouco. Enquanto folheava as páginas, um texto curto sobre Júpiter chamou sua atenção:

Na edição anterior, em "Uma fonte nova e potente de radiação dentro do sistema solar", o dr. Harry Peterson do Observatório de Monte Wilson publicou um conjunto de dados obtidos por acaso, enquanto ele observava a precessão de Júpiter em 12 de junho e em 2 de julho e detectou radiação eletromagnética intensa, com duração de 81 segundos e 76 segundos, respectivamente. Os dados incluíam as faixas de frequências da radiação, entre outros parâmetros. Durante as emissões de rádio, Peterson observou também certas alterações na Grande Mancha Vermelha. Essa descoberta atraiu muito interesse de cientistas planetários. Nesta edição, o artigo de G. McKenzie defende que isso foi um sinal do início de fusões no núcleo de Júpiter. Na próxima edição, publicaremos o artigo de Inoue Kumoseki, que atribui as emissões de rádio jupiterianas a um mecanismo mais complexo — a movimentação de placas internas de hidrogênio metálico — e oferece uma descrição matemática completa.

Ye se lembrava com nitidez das duas datas indicadas no artigo. Durante aquelas interferências, o sistema de monitoramento da Costa Vermelha também havia recebido muita interferência do sol. Ela conferiu o diário de operações e confirmou a lembrança. Os períodos eram próximos, mas as interferências solares ocorreram dezesseis minutos e quarenta e dois segundos após a chegada das emissões de rádio de Júpiter na Terra.

Os dezesseis minutos e quarenta e dois segundos são fundamentais! Ye tentou acalmar o coração acelerado e pediu para o bibliotecário entrar em contato com o Observatório Nacional e obter as efemérides da posição da Terra e de Júpiter durante esses dois períodos.

No quadro-negro, ela traçou um triângulo grande com o sol a Terra e Júpiter nos vértices, marcou as distâncias nos três lados e anotou os tempos de chegada do lado da Terra. Pela distância entre a Terra e Júpiter, era fácil descobrir o tempo que as emissões de rádio levaram para fazerem o trajeto. Em seguida, calculou o tempo que levaria para as emissões de rádio viajarem de Júpiter até o sol, e depois do sol até a Terra. A diferença entre os dois era de exatamente dezesseis minutos e quarenta e dois segundos.

Ye recorreu a seu modelo matemático da estrutura solar e tentou arranjar uma explicação teórica. Seu olhar se voltou para a descrição do que ela havia chamado de "espelhos de energia" na zona de radiação solar.

A princípio, as reações no núcleo do sol produzem raios gama de alta energia. A zona radiativa, que é a região interna em volta do núcleo solar, absorve esses fótons de alta energia e os reemite a um nível energético ligeiramente menor. Depois de um longo período de absorções e reemissões consecutivas (um fóton pode demorar mil anos para sair do sol), os raios gama se transformam em radiação x, ultravioleta extrema, ultravioleta e, por fim, luz visível e outras formas de radiação.

Isso era o que se sabia a respeito do sol. Mas o modelo de Ye levava a um novo resultado: conforme a radiação solar percorria essas frequências variadas ao atravessar a zona radiativa, ela passava por fronteiras entre as subzonas correspondentes a cada tipo de radiação. Quando a energia atravessava uma fronteira, a frequência da radiação passava por uma redução brusca. Isso contrariava a noção tradicional de que as frequências de radiação se reduziam gradativamente no caminho do núcleo para fora. Os cálculos dela demonstraram que essas fronteiras refletiam a radiação que saía do lado de frequência menor, e por isso Ye chamou essas fronteiras de "espelhos de energia".

Ela havia analisado com cuidado essas superfícies fronteiriças membranosas no oceano de plasma de alta energia do Sol e descobriu diversas propriedades maravilhosas. Deu o nome de "reflexividade de ganho" para uma das características mais incríveis. No entanto, a característica era tão estranha que era difícil confirmá-la, e nem Ye conseguia acreditar que aquilo fosse verdade. Parecia mais provável se tratar de algum erro nos cálculos complexos e confusos.

No entanto, naquele momento, Ye deu o primeiro passo para confirmar seu palpite sobre a reflexividade de ganho dos espelhos de energia solares: os espelhos de energia não apenas refletiam a radiação que vinha da camada de frequência menor, como também a amplificavam. Todas as misteriosas flutuações repentinas nas bandas estreitas de frequência que Ye havia observado eram resultado da amplificação de outras radiações oriundas do espaço, após serem refletidas em um espelho de energia do sol.

Daquela vez, quando as emissões de rádio de Júpiter chegaram ao sol, elas foram reemitidas, como se tivessem batido em um espelho, e ampliadas em cerca de cem milhões de vezes. A Terra recebeu as duas emissões, antes e depois da amplificação, com um intervalo de dezesseis minutos e quarenta e dois segundos.

O sol era um amplificador de ondas de rádio.

Porém havia uma dúvida: o sol deve receber radiação eletromagnética do espaço o tempo todo, incluindo ondas de rádio emitidas pela Terra. Por que só algumas das ondas eram amplificadas? A resposta era simples: além da seletividade dos espelhos de energia quanto às frequências refletidas, o principal motivo era o efeito de blindagem da zona convectiva do sol, a camada líquida mais externa, eternamente em ebulição em volta da camada radiativa. As ondas de rádio oriundas do espaço precisam antes penetrar a zona convectiva para chegar aos espelhos de energia na zona radiativa, onde seriam amplificadas e refletidas de volta para fora. Assim, para chegar aos espelhos de energia, a potência das ondas precisaria exceder um valor mínimo. A imensa maioria de fontes de rádio na Terra não tinha capacidade para superar esse valor, mas a emissão de rádio jupiteriana teve...

E a potência máxima de transmissão da Costa Vermelha também era superior ao valor mínimo.

O problema das interferências solares não tinha sido resolvido, mas surgiu outra possibilidade empolgante: os seres humanos poderiam usar o sol como uma superantena e, a partir dele, transmitir ondas de rádio para o universo. As ondas de rádio seriam enviadas com o poder do sol, centenas de milhões de vezes maior do que a potência total de transmissão disponível na Terra.

A civilização terrestre tinha capacidade de transmissão correspondente a uma civilização do Tipo 2 de Kardashev.

O passo seguinte seria comparar as formas de onda das duas emissões jupiterianas com as formas de ondas das interferências solares recebidas pela Costa Vermelha. Se fossem iguais, seria mais uma confirmação da hipótese de Ye.

Ye encaminhou à liderança da base uma solicitação para entrar em contato com Harry Peterson e obter os dados sobre as formas de onda das duas emissões de rádio de Júpiter. Não foi fácil. Era difícil encontrar as vias de comunicação apropriadas, e uma extensa burocracia exigia diversas etapas de papelada formal. Qualquer erro poderia levantar suspeitas de que Ye estivesse agindo como espiã estrangeira. Assim, ela não podia insistir muito e teve que esperar os trâmites normais.

Mas havia uma forma mais direta de comprovar essa hipótese. A própria Costa Vermelha podia transmitir ondas de rádio para o sol com uma potência superior ao valor mínimo.

Ye encaminhou mais uma solicitação à liderança da base, mas não se atreveu a informar o verdadeiro motivo — era fantástico demais, e com certeza o pedido teria sido negado. Ela explicou que queria fazer um experimento para sua pesquisa sobre o sol: o sistema de transmissão da Costa Vermelha seria usado como um radar de exploração solar, e os ecos seriam analisados em busca de informações sobre a radiação solar. Como Lei e Yang tinham conhecimento científico, não seria fácil enganá-los. Porém o experimento que Ye descreveu tinha precedentes genuínos nas pesquisas solares feitas no Ocidente: na verdade, sua sugestão era tecnicamente mais fácil do que a exploração por radar de planetas rochosos que já vinha sendo conduzida.

— Ye Wenjie, você está se excedendo — comentou o comissário Lei. — Sua pesquisa deveria se concentrar na teoria. Precisamos mesmo fazer isso tudo?

— Comissário — implorou Ye —, é possível que aconteça uma grande descoberta. Os experimentos são absolutamente necessários. Por favor, eu só quero tentar uma vez.

— Comissário Lei — disse Yang —, talvez devêssemos tentar uma vez. Não parece nada muito difícil em termos operacionais. Receber os ecos depois da transmissão demoraria...

— Dez, quinze minutos — disse Lei.

— Então a Costa Vermelha tem tempo suficiente para se alternar entre o modo de transmissão e o de monitoramento.

Lei balançou a cabeça de novo.

— Eu sei que é técnica e operacionalmente viável. Mas você... ah, chefe Yang, você não tem sensibilidade para esse tipo de coisa. Quer apontar um feixe de rádio superpotente para o sol vermelho. Já pensou no simbolismo político de um experimento desses?*

Tanto Yang quanto Ye ficaram completamente estarrecidos. Eles não acharam que a objeção de Lei fosse ridícula, pelo contrário: os dois estavam horrorizados por não terem pensado nisso antes. Naqueles anos, a busca por simbolismo político havia alcançado níveis absurdos. Os relatórios de pesquisa que Ye entregava precisavam ser revisados com cuidado por Lei, para que até mesmo termos técnicos relativos ao sol pudessem ser conferidos várias vezes a fim de eliminar riscos políticos. Termos como "manchas solares" eram proibidos.** É claro que um experimento que enviava uma transmissão potente de rádio na direção do sol podia render mil interpretações positivas, mas bastaria uma única negativa para causar um desastre político para todos. O motivo da recusa de Lei era realmente incontestável.

Apesar disso, Ye não desistiu. Na verdade, contanto que não se arriscasse demais, não seria difícil realizar o objetivo. O transmissor da Costa Vermelha era ultrapotente, mas todos os componentes haviam sido produzidos internamente na China durante a Revolução Cultural. Como não tinham uma qualidade muito boa, o índice de falhas era bem alto. A cada quinze transmissões, o sistema inteiro precisava ser desmontado, e depois a base sempre fazia uma transmissão-teste. Poucas pessoas participavam desse teste, e os alvos e demais parâmetros eram escolhidos de modo arbitrário.

Certa vez, quando estava de plantão, Ye foi designada para trabalhar em uma dessas transmissões-teste depois de uma desmontagem. Como as transmissões--teste pulavam várias etapas operacionais, só havia cinco outras pessoas presentes além de Ye. Três eram operadores de baixo escalão que não sabiam muito sobre os princípios por trás do equipamento. Os outros dois eram um técnico e um engenheiro, exaustos e um pouco desatentos depois de dois dias de trabalho de desmontagem. Ye começou ajustando a potência máxima do sistema de transmissão da Costa Vermelha para superar o valor mínimo previsto por sua teoria dos espelhos de energia com reflexividade de ganho. Em seguida, estabeleceu o valor da frequência que tinha mais chances de ser amplificada pelo espelho de energia e, com a desculpa de testar os componentes mecânicos, apontou a antena para o sol poente no oeste. O conteúdo da transmissão era o mesmo de sempre.

Foi uma tarde clara do outono de 1971. Posteriormente, Ye recordaria o dia muitas vezes, mas não se lembraria de nenhum sentimento especial além de ansiedade,

---

* O presidente Mao era comparado com frequência ao "sol vermelho", sobretudo durante os anos da Revolução Cultural.
** O termo em chinês para "mancha solar" (太阳黑子) significa literalmente "manchas solares pretas". O preto era a cor dos contrarrevolucionários.

um desejo de que a transmissão acabasse rápido. Mais que tudo, Ye tinha medo de ser flagrada pelos colegas. Embora tivesse preparado algumas desculpas, não era comum usar a potência máxima para uma transmissão-teste, porque causaria um desgaste nos componentes. Além do mais, o equipamento de posicionamento do sistema de transmissão da Costa Vermelha não fora projetado para mirar o sol. Ye sentiu o visor esquentar: se o aparelho queimasse, ela estaria em sérios apuros.

Ye precisava acompanhar o sol à medida que o astro descia lentamente no Oeste. Era um procedimento manual, e a antena da Costa Vermelha parecia um girassol gigante naquele momento, virando-se aos poucos para acompanhar o sol poente. Quando a luz vermelha que indicava o fim da transmissão se acendeu, Ye já estava encharcada de suor.

Ela olhou para os lados. Os três operadores no painel de controle estavam desligando o equipamento, uma peça de cada vez, de acordo com as instruções do manual de operações. O engenheiro bebia água em um canto da sala de controle, e o técnico estava cochilando na cadeira. Historiadores e escritores mais tarde tentariam descrever a cena com pompa, mas a verdade é que foi algo completamente prosaico.

Depois que a transmissão foi concluída, Ye saiu correndo da sala de controle e entrou na sala de Yang Weining.

— Diga para a estação da base começar a monitorar o canal de doze mil mega-hertz! — pediu ela, tentando recuperar o fôlego.

— O que a gente poderia receber por lá? — perguntou o chefe Yang, surpreso. Ele olhou para Ye, que estava com fiapos de cabelo colados no rosto suado. Em comparação com o sistema de monitoramento extremamente sensível da Costa Vermelha, o rádio militar convencional (usado em geral para a comunicação da base com o mundo exterior) não passava de um brinquedo.

— Talvez a gente receba algo. Não dá tempo de mudar os sistemas da Costa Vermelha para o modo de monitoramento! — Em geral, alternar e aquecer o sistema de monitoramento levava pouco mais de dez minutos. No entanto, naquele momento, o sistema também estava sendo desmontado: muitos módulos tinham sido retirados e ainda não estavam reinstalados. Eles ficariam fora de operação por algum tempo.

Yang ficou olhando para Ye por alguns segundos e então tirou o telefone do gancho e deu ordens para que a seção de comunicações seguisse as instruções de Ye.

— Considerando a baixa sensibilidade daquele rádio, provavelmente só vamos receber sinais de extraterrestres da lua.

— O sinal vem do sol — disse Ye. Pela janela, já se via a beirada do sol chegando perto das montanhas no horizonte, vermelho como sangue.

— Você usou a Costa Vermelha para enviar um sinal para o sol? — perguntou Yang, preocupado.

Ye confirmou com a cabeça.

— Não fale para mais ninguém. Isso não pode acontecer nunca mais. Nunca! — Yang olhou para trás, para ver se não havia ninguém na porta.

Ye fez outro gesto com a cabeça.

— De que adianta? A onda do eco deve ser extremamente fraca, muito além da sensibilidade de um rádio convencional.

— Não. Se meu palpite estiver certo, vamos receber um eco extremamente forte. Vai ser mais potente do que... nem consigo imaginar. Desde que a potência de transmissão supere determinado limite, o sol pode amplificar o sinal em cem milhões de vezes.

Yang olhou para Ye com uma expressão estranha estampada no rosto. Ela ficou quieta. Os dois esperaram, em silêncio. Yang conseguia escutar sem dificuldade a respiração e o coração de Ye. Ele nem havia prestado muita atenção no que ela disse, mas os sentimentos reprimidos durante muitos anos voltaram à tona. O máximo que ele podia fazer era se conter e esperar.

Vinte minutos depois, Yang pegou o telefone, ligou para a seção de comunicações e fez algumas perguntas simples.

Ele colocou o telefone de volta no gancho.

— Não receberam nada.

Ye soltou o suspiro que estava segurando havia muito tempo e, por fim, assentiu com a cabeça.

— Mas aquele astrônomo americano respondeu.

Yang pegou um envelope grosso coberto de selos da alfândega e entregou a Ye. Ela abriu o envelope e deu uma olhada na carta de Harry Peterson. Na correspondência, Harry dizia que nunca imaginara que haveria colegas na China estudando eletromagnetismo planetário e que gostaria de trocar mais informações e colaborações no futuro. O envelope continha também duas pilhas de papel: o registro completo das formas de onda da emissão de rádio jupiteriana. Obviamente, tinham sido fotocopiadas da fita de gravação extensa do sinal, de modo que seria preciso juntar as folhas.

Ye pegou todas aquelas folhas de papel fotocopiado e começou a alinhá-las em duas colunas no chão. No meio do esforço, já não tinha mais nenhuma esperança: ela conhecia muito bem as formas de onda das duas interferências solares, e aquelas folhas não batiam.

Ye reuniu as folhas lentamente no chão. Yang se abaixou para ajudá-la e, quando entregou a pilha de folhas para aquela mulher que amava de todo o coração, viu que ela sorria. O sorriso era tão triste que partiu o coração de Yang.

— Qual é o problema? — perguntou ele, sem perceber que nunca havia falado com ela com tanta doçura.

— Nada. Só estou acordando de um sonho.

Ye sorriu de novo, juntou a pilha de fotocópias e o envelope e saiu da sala. Voltou para o quarto, pegou a marmita e caminhou até o refeitório. Só tinham sobrado alguns pãezinhos *mantou* e pepinos em conserva e, como a equipe do refeitório disse sem delicadeza que eles estavam fechando, Ye se viu obrigada a sair com a marmita. Ela foi até a beirada do penhasco, sentou-se na grama e ficou mastigando o *mantou* frio.

O sol já havia se posto. A cordilheira Grande Khingan parecia sem cor nem definição, exatamente como a vida de Ye. Naquela vida cinzenta, os sonhos sempre pareciam ganhar cor e luz especiais. Só que as pessoas sempre acordam dos sonhos, assim como o sol — que, embora fosse nascer de novo, não simbolizava nenhuma esperança renovada. Naquele momento, Ye viu o resto de sua vida imerso em um cinza interminável.

Com os olhos marejados, ela sorriu de novo e continuou comendo o *mantou* frio.

Ye não sabia que, naquele momento, o primeiro grito de uma civilização terrestre que podia ser ouvido pelo espaço já estava se distanciando do sol à velocidade da luz. Uma onda de rádio potencializada pelo sol, como uma onda majestosa, já havia cruzado a órbita de Júpiter.

Naquele instante, na frequência de doze mil megahertz, o sol era a estrela mais luminosa da Via Láctea inteira.

23. COSTA VERMELHA VI

Os oito anos seguintes foram alguns dos mais pacíficos da vida de Ye Wenjie. O horror vivido durante a Revolução Cultural foi aplacando gradualmente, e ela enfim conseguiu relaxar um pouco. O Projeto Costa Vermelha concluiu as fases de teste e iniciação e passou a se limitar a operações de rotina. Sobravam cada vez menos problemas técnicos, e tanto o trabalho quanto a vida se regularizaram.

Em paz, tudo que fora reprimido pela ansiedade e pelo medo começou a despertar de novo, e Ye percebeu que a dor estava só começando. Lembranças pavorosas, como brasas que se reacendiam, queimavam com uma força cada vez mais intensa e flagelavam seu coração. Em casos semelhantes, talvez o tempo pudesse cicatrizar as feridas aos poucos, até porque, durante a Revolução Cultural, muitas pessoas passaram por aquela situação e, em comparação com várias, Ye tivera relativa sorte. Só que Ye pensava como uma cientista e se recusava a esquecer. Ela preferia encarar com uma perspectiva racional a loucura e o ódio que a haviam ferido.

A reflexão racional de Ye sobre o lado maligno da humanidade começou no dia em que leu *Primavera silenciosa*. Como Ye foi se aproximando de Yang Weining, ele conseguia obter para ela muitos clássicos de filosofia e de história em língua estrangeira, com a desculpa de adquirir materiais de pesquisa técnica. Ela ficou chocada com a história sangrenta da humanidade, e as ideias extraordinárias dos filósofos também contribuíram para que entendesse os aspectos mais essenciais e secretos da natureza humana.

De fato, até mesmo no topo do pico do Radar, um lugar que o mundo quase esqueceu, a loucura e a irracionalidade da raça humana estavam sempre em evidência. Ye via que a floresta abaixo deles continuava sendo derrubada pelo desmatamento ensandecido de seus antigos camaradas. Os hectares de terra vazia aumentavam a cada dia, como se parcelas da cordilheira Grande Khingan tivessem perdido pedaços de pele. Quando esses trechos se transformaram em regiões, e depois em um todo interligado, as poucas árvores que resistiram pareciam até anormais. Para completar o plano de devastação, os campos desmatados foram incendiados, e o pico do Radar virou refúgio para os pássaros, que escapavam do inferno flamejante. Enquanto as chamas rugiam, os desoladores cantos das aves com penas queimadas soavam sem parar.

A insanidade da raça humana havia alcançado o zênite histórico. Era o auge da Guerra Fria. Em fantasmagóricos submarinos nucleares nas profundezas do mar e em incontáveis silos espalhados por dois continentes, mísseis nucleares com capacidade de destruir dez vezes o planeta Terra podiam ser lançados de uma hora para outra. Um único submarino ianque ou soviético transportava uma quantidade de ogivas suficiente para destruir centenas de cidades e matar centenas de milhões de pessoas, mas quase todo mundo seguia a vida como se estivesse tudo bem.

Como astrofísica, Ye era extremamente contra armas nucleares. Sabia que esse poder devia pertencer apenas às estrelas. E sabia também que o universo tinha forças ainda mais terríveis: buracos negros, antimatéria e mais. Em comparação com essas forças, uma bomba termonuclear era só uma vela minúscula. Se os seres humanos dominassem qualquer uma daquelas forças, o mundo talvez fosse vaporizado em um instante. Diante da loucura, a racionalidade era impotente.

Quatro anos depois de entrar na Base Costa Vermelha, Ye se casou com Yang. Ele a amava de verdade. Por amor, Yang abriu mão do próprio futuro.

A fase mais intensa da Revolução Cultural tinha acabado, e o clima político ficou um pouco mais ameno. Yang não chegou a ser processado por causa do matrimônio, mas, como se casou com uma mulher que fora classificada como contrarrevolucionária, foi considerado politicamente imaturo e perdeu o cargo de engenheiro-chefe. Yang e a esposa só tiveram permissão para continuar na base como técnicos comuns porque a base não podia dispensar as competências técnicas dos dois.

Ye aceitou se casar com Yang sobretudo por gratidão. Se ele não a tivesse trazido para aquele porto seguro no momento mais conturbado de sua vida, ela provavelmente não teria sobrevivido. Yang era um homem talentoso, culto e sensato. Ye não achava o marido desagradável, mas seu coração era como um punhado de cinzas, e a chama do amor jamais voltaria a arder.

Ao ponderar sobre a natureza humana, Ye se viu diante de uma perda absoluta de propósito e mergulhou em mais uma crise espiritual. Ela havia sido uma idealista que precisava dar tudo de si para perseguir uma grande meta, mas agora percebia que todos os seus gestos tinham sido em vão e que o futuro também não oferecia nada de valor. À medida que esse estado de espírito persistia, Ye foi se sentindo cada vez mais alienada do mundo. Ela se sentia isolada. Era atormentada pela sensação de que estava vagando pelo deserto espiritual. Ye havia montado uma casa com Yang, mas sua alma não tinha lar.

Certa vez, ela estava trabalhando no turno da noite, o período mais solitário de todos. Nas profundezas do silêncio da meia-noite, o universo se revelava como uma vasta desolação para quem estivesse ouvindo. O que Ye menos gostava de fazer era ver as ondas que se arrastavam vagarosamente na tela, um registro visual do ruído sem significado que a Costa Vermelha captava do espaço. Para Ye, essa onda interminável era uma imagem abstrata do universo: uma extremidade ligada ao passado infinito, a outra, ao futuro infinito, e no meio apenas os altos e baixos do puro acaso — sem vida, sem padrão, picos e vales em alturas diferentes como se fossem grãos irregulares de areia, a curva toda como se fosse um deserto unidimensional em que todos os grãos estão alinhados em uma única fileira, solitária, desolada, infinita a ponto de ser intolerável. Dava para acompanhá-la para um lado ou para o outro, mas seria impossível chegar ao fim.

Porém, nesse dia, Ye viu algo estranho com a forma de onda na tela. Até especialistas tinham dificuldade para identificar a olho nu se uma onda possuía alguma informação. Mas Ye estava tão acostumada com o ruído do universo que conseguiu perceber algo a mais na onda que se deslocava diante de seus olhos. O sobe e desce da curva fina parecia ter uma alma. Ye tinha certeza de que aquele sinal de rádio fora modulado por alguma inteligência.

Ela correu até outro terminal e conferiu a classificação que o computador emitia para a reconhecibilidade do sinal: AAAAA. Antes, nenhum outro sinal de rádio recebido pela Costa Vermelha alcançara uma classificação de reconhecibilidade superior a C. Uma classificação A significava que havia mais de noventa por cento de chance de a transmissão conter alguma informação inteligente. Uma classificação AAAAA era um caso especial extremo: era indicação de que a transmissão recebida usava exatamente a mesma codificação da transmissão enviada pela própria Costa Vermelha.

Ye ativou o sistema de decodificação da Costa Vermelha. O programa tentava decifrar qualquer sinal cuja classificação fosse superior a B. Durante todo o período de operação do Projeto Costa Vermelha, ele nunca havia sido usado em uma circunstância real. Com base em dados de teste, a decodificação de uma transmissão que talvez fosse uma mensagem podia levar alguns dias ou até meses, e na maior parte das vezes o resultado seria erro. No entanto, daquela vez, assim que o arquivo com a transmissão original foi inserido, a tela mostrou que a decodificação estava concluída.

Ye abriu o documento resultante e, pela primeira vez, um ser humano leu uma mensagem enviada de outro mundo.

O conteúdo era diferente do que qualquer um teria imaginado. Era um alerta repetido três vezes.

Não responda!
Não responda!!
Não responda!!!

Ainda embalada pela empolgação e pela confusão vertiginosa, Ye decodificou a segunda mensagem.

Este mundo recebeu sua mensagem.

Eu sou um pacifista. Sua civilização deu sorte que eu tenha sido o primeiro a receber sua mensagem neste mundo. Estou alertando: Não responda! Não responda!! Não responda!!!

Existem dezenas de milhões de estrelas na sua direção. Se você não responder, este mundo não conseguirá determinar a fonte de sua transmissão.

Porém, se você responder, a fonte será localizada imediatamente. Seu planeta será invadido. Seu mundo será conquistado!

Não responda! Não responda!! Não responda!!!

Ao ler o texto na tela verde luminosa, Ye perdeu a capacidade de pensar com clareza. Sua mente, inibida pelo baque e pela empolgação, só compreendia o seguinte: haviam se passado cerca de nove anos desde que ela enviara a mensagem ao sol. Então a fonte daquela transmissão devia estar a cerca de quatro anos-luz de distância e só podia ter vindo do sistema estelar mais próximo do sol: Alfa Centauro.*

O universo não era desolador. Não era vazio. Era cheio de vida! A humanidade havia dirigido seu olhar para os confins do universo, mas não fazia ideia de que a vida inteligente já existia nas estrelas mais próximas da Terra!

Ye olhou para a tela com a onda: o sinal continuava chegando do universo pela antena da Costa Vermelha. Ela abriu outra janela e começou a decodificar em tempo real. As mensagens começaram a aparecer no mesmo instante na tela.

Durante as quatro horas seguintes, Ye leu sobre a existência de Trissolaris, o fato de que a civilização precisava renascer reiteradamente e o plano deles de migrar para as estrelas.

Às quatro da manhã, a transmissão de Alfa Centauro acabou. O sistema de decodificação continuava rodando sem resultado e emitia uma série interminável

---

* Embora a olho nu pareça uma única estrela, na verdade Alfa Centauro é um sistema de duas estrelas (Alfa Centauro A e Alfa Centauro B). Uma terceira estrela, chamada de Próxima Centauro e invisível a olho nu, provavelmente está associada ao sistema de duas estrelas por atração gravitacional. O nome dos objetos em chinês (半人马座三星) deixa claro que a "estrela" na verdade é um sistema de três estrelas.

de códigos de erro. O sistema de monitoramento da Costa Vermelha tinha voltado a ouvir apenas o ruído do universo.

Mas Ye tinha certeza de que o que ela havia acabado de presenciar não tinha sido um sonho.

O sol realmente era uma antena amplificadora. Mas por que o experimento não tinha recebido nada oito anos antes? Por que as ondas das emissões de rádio de Júpiter não batiam com a radiação posterior do sol? Mais tarde, Ye pensou em muitos motivos. Era possível que a seção de comunicações da base não fosse capaz de receber ondas de rádio naquela frequência, ou talvez a seção tivesse recebido o eco, mas soou como ruído e o operador achou que não fosse nada. Quanto às formas de onda, era possível que o Sol acrescentasse mais uma onda ao amplificar as emissões de rádio. Provavelmente seria uma onda periódica que poderia ser compensada com facilidade pelo sistema de decodificação alienígena mas, na falta de instrumentos adequados, para Ye a onda de Júpiter e a do sol pareceriam muito diferentes. Anos depois, quando já não estava mais na Costa Vermelha, Ye conseguiria confirmar a última hipótese: o sol havia acrescentado uma onda senoidal.

Ela olhou para os lados em alerta. Havia três homens na sala de computadores principal. Dois estavam conversando em um canto, e o terceiro cochilava na frente de um terminal. Na seção de análise de dados do sistema de monitoramento, só os dois terminais diante dela eram capazes de ver a classificação de reconhecibilidade de um sinal e acessar o sistema de decodificação.

Tentando manter a compostura, Ye agiu depressa e transferiu todas as mensagens recebidas para um subdiretório invisível com muitas camadas de criptografia. Depois, copiou um segmento de ruído recebido um ano antes para substituir a transmissão recebida nas cinco horas anteriores.

Por fim, usou o terminal para inserir uma mensagem curta no buffer de transmissão da Costa Vermelha.

Ye se levantou e saiu da sala de controle principal de monitoramento. Ela sentiu no rosto febril um vento gelado; a aurora estava começando a iluminar o céu oriental, e ela seguiu meio às escuras pelo caminho de pedrinhas até a sala de controle de transmissão principal. No alto, a antena da Costa Vermelha estava aberta, silenciosa, como uma mão gigantesca espalmada para o universo. Na luz do amanhecer, o guarda na frente da porta era só uma silhueta e, como sempre, não deu atenção a Ye quando ela entrou.

A sala de controle principal de transmissão estava muito mais escura que a de monitoramento. Ye passou por várias fileiras de arquivos até parar na frente do painel de controle e ativar uma dúzia de comutadores com a habilidade da prática e ligar o sistema de transmissão. Os dois homens de plantão perto do painel de controle olharam para ela com cara de sono, e um espiou o relógio. Em seguida, um voltou a cochilar e o outro começou a folhear um jornal velho. Na base, Ye não tinha nenhum status político, mas desfrutava de alguma liberdade de ação em questões técnicas. Era comum ser a encarregada de testar os equipamentos antes de uma transmissão. Embora tivesse chegado cedo naquele dia — a transmissão só estava marcada para dali a três horas —, começar a ligar os sistemas um pouco antes não era algo tão raro.

O período seguinte foi a meia hora mais longa da vida dela. Nesse tempo, Ye ajustou a frequência de transmissão para o valor ótimo de amplificação pelo espelho de energia solar e aumentou ao máximo a potência de transmissão. Depois, de olho no visor do sistema de posicionamento ótico, ela viu o sol subir no horizonte e ativou o sistema de posicionamento da antena, alinhando-o cuidadosamente com o sol. Quando a antena gigantesca se mexeu, o ronco sacudiu a sala de controle principal. Um dos homens de plantão olhou para Ye de novo, mas não falou nada.

O sol já estava todo acima do horizonte. A mira do sistema de posicionamento da Costa Vermelha estava apontada para a beirada superior do sol, a fim de compensar o tempo que levaria até a onda de rádio chegar. O sistema de transmissão estava pronto.

O botão TRANSMITIR era um retângulo comprido — muito parecido com a barra de espaço de um teclado de computador, só que vermelho.

Ye deixou a mão pairando a dois centímetros do botão.

O destino da humanidade inteira dependia daqueles dois dedos finos.

Sem hesitar, Ye apertou o botão.

— O que você está fazendo? — perguntou um dos homens de plantão, ainda sonolento.

Ye sorriu para ele e não disse nada. Apertou um botão amarelo para interromper a transmissão e mexeu na alavanca de controle para apontar a antena em outra direção. Depois, se afastou do painel de controle e foi embora.

O homem olhou para o relógio: estava na hora de encerrar o turno. Ele pegou o diário e pensou em registrar o fato de Ye ter operado o sistema de transmissão. Afinal, não era procedimento comum. Mas, quando viu a fita de papel, percebeu que Ye só havia transmitido por três segundos. Ele largou o diário, bocejou, colocou o quepe na cabeça e saiu.

A mensagem que estava viajando até o sol dizia: *Venham! Vou ajudá-los a conquistar este mundo. Nossa civilização já não consegue mais resolver os próprios problemas. Precisamos que sua força intervenha.*

O sol recém-nascido deixou Ye atordoada. Pouco depois de sair da sala de controle principal, ela caiu no gramado, sem sentidos.

Quando acordou, percebeu que estava na enfermaria da base. Ao lado dela, Yang a olhava com um ar preocupado, como naquela vez no helicóptero, muitos anos antes. O médico falou que Ye precisava tomar cuidado e descansar bastante.

— Você está grávida — disse.

24. REBELIÃO

Depois que Ye Wenjie terminou de contar a história de seu primeiro contato com Trissolaris, o silêncio absoluto continuou reinando no refeitório abandonado. Parecia que muitos dos presentes tinham ouvido o relato completo pela primeira vez. Wang ficou profundamente absorto pela narrativa e, por um instante, se esqueceu do perigo e do terror que estava enfrentando.

— Como a OTT se desenvolveu até as proporções atuais? — perguntou ele, sem conseguir se conter.

— Para responder a essa pergunta, eu precisaria começar falando do momento em que conheci Evans — respondeu Ye. — Mas todos os camaradas aqui já conhecem essa parte da história, então é melhor não perdermos tempo com isso agora. Posso contar para você mais tarde. No entanto, depende de você se chegaremos a ter oportunidade para isso... Xiao Wang, vamos conversar sobre o seu nanomaterial.

— Esse... Senhor de quem vocês falam. Por que ele tem tanto medo de nanomateriais?

— Porque ele vai permitir que os seres humanos escapem da gravidade e desenvolvam a construção espacial em uma escala muito maior.

— O elevador espacial? — De repente, Wang entendeu.

— Sim. Se fosse possível produzir nanomateriais ultrafortes em massa, eles formariam a base técnica para a construção do elevador espacial do solo até um ponto geoestacionário no espaço. Para nosso Senhor, isso é apenas uma invenção irrisória. Já para a humanidade na Terra, teria um grande significado. Com essa tecnologia, os humanos poderiam acessar com facilidade o espaço e construir estruturas defensivas de grande escala. Por isso, essa tecnologia precisa ser eliminada.

— O que acontece quando a contagem regressiva acabar? — perguntou Wang, mencionando a dúvida que mais o assustava.

Ye sorriu.

— Não sei.

— Mas não adianta nada tentar me impedir! Não é pesquisa de base. A partir do que já aprendemos, outra pessoa pode descobrir o resto. — Yang falava com um tom de voz alto, mas ansioso.

— Sim, não adianta nada. É muito mais proveitoso confundir a cabeça dos pesquisadores. Mas, como você sugeriu, não impedimos o progresso a tempo. Afinal, você trabalha com pesquisa aplicada. Nossa técnica é muito mais eficaz com pesquisas de base...

— Por falar em pesquisa de base, como sua filha morreu?

A pergunta fez Ye ficar em silêncio por alguns segundos. Wang percebeu que os olhos dela perderam uma fração mínima de brilho. Ainda assim, ela retomou a conversa logo em seguida.

— Realmente, em comparação com nosso Senhor, que possui forças sem igual, tudo o que realizamos é irrelevante. Só estamos fazendo o possível.

Assim que ela terminou de falar, explosões soaram por todos os lados, e as portas do refeitório se abriram de repente. Uma equipe de soldados com submetralhadoras entrou correndo. Wang reparou que não eram policiais, e sim o próprio Exército. Sem fazer barulho, eles seguiram rente às paredes e em pouco tempo cercaram os rebeldes da OTT. Shi Qiang entrou por último. Estava de paletó aberto e segurava uma pistola pelo cano, fazendo com que o cabo parecesse a cabeça de um martelo.

Da Shi olhou ao redor com um ar de arrogância e, de repente, deu um salto à frente. Com um gesto súbito da mão do policial e um estampido baixo de metal atingindo um crânio, um rebelde da OTT caiu no chão, e a arma que ele tinha tentado sacar foi parar a alguns passos de distância. Vários soldados começaram a atirar para o teto, e caíram fragmentos e poeira. Alguém apanhou Wang Miao, levando-o para longe das fileiras da OTT e para um lugar seguro, atrás de um grupo de soldados.

— Coloquem todas as armas na mesa! Juro que mato o próximo filho da puta que tentar alguma coisa. — Da Shi apontou para as submetralhadoras espalhadas atrás de si. — Sei que nenhum de vocês tem medo de morrer, mas a recíproca é verdadeira. Vou dizer logo de cara: as leis e um processo policial normal não se aplicam a vocês. Nem as leis humanas de guerra valem mais no seu caso. Como vocês decidiram tratar a humanidade inteira como inimiga, temos carta branca para cuidar de vocês.

Houve um pouco de comoção entre os membros da OTT, mas ninguém entrou em pânico. Ye continuou impassível. De repente, três pessoas se afastaram às pressas da multidão, incluindo a jovem que torcera o pescoço de Pan Han, e correram até a escultura de três corpos. Em seguida, cada uma pegou e segurou uma esfera diante do tórax.

A jovem ergueu a esfera metálica brilhante com as mãos, como se estivesse prestes a começar um exercício de ginástica.

— Senhores — disse ela, sorrindo —, em nossas mãos, temos três bombas nucleares, cada uma com poder de destruição de cerca de um quiloton e meio. Como podem ver, não são muito grandes, porque gostamos de brinquedos pequenos. Este é o detonador.

Quase todos no refeitório ficaram petrificados. O único que se mexeu foi Shi Qiang. Ele voltou a colocar a arma no coldre debaixo do braço esquerdo e juntou as mãos, tranquilo.

— Temos uma exigência simples: deixem a comandante ir embora — disse a jovem. — Depois, podemos fazer o jogo que vocês quiserem. — O tom de voz da moça sugeria que ela não tinha nenhum medo de Shi Qiang, nem dos soldados.

— Eu fico com meus camaradas — disse Ye, calma.

— Você tem como confirmar o que ela falou? — perguntou Da Shi a um soldado ao lado dele, especialista em explosivos.

O soldado jogou uma bolsa na frente dos três membros da OTT que estavam segurando as esferas. Um deles pegou a bolsa e tirou uma balança de mola, uma versão ampliada daquele objeto que as pessoas levavam à feira para conferir as coisas que os vendedores pesavam. Ele colocou a esfera de metal na bolsa, prendeu a alça no gancho da balança e segurou esta pela ponta. O medidor se mexeu até o meio da escala e parou.

A jovem deu uma risada. O especialista em explosivos também riu, com desdém.

O integrante da OTT pegou a esfera de novo e a largou no chão. Outro rebelde pegou a balança e a bolsa, repetiu o processo com sua própria esfera e também acabou largando-a no chão.

A jovem riu de novo e pegou a bolsa. Ela colocou a esfera dentro e pendurou a alça no gancho da balança: na mesma hora o medidor foi para a ponta, estendendo ao máximo a mola.

O sorriso do especialista em explosivos desapareceu do rosto.

— Droga! — sussurrou ele para Da Shi. — Eles têm uma mesmo.

Da Shi continuou impassível.

— Podemos confirmar pelo menos que existem elementos pesados, físseis, dentro disso — falou o especialista em explosivos. — Não sabemos se o mecanismo de detonação funciona.

As lanternas acopladas às armas dos soldados apontaram para a moça com a bomba nuclear. Embora segurasse nas mãos o poder destrutivo de um e meio quiloton ela abriu um grande sorriso, como se estivesse recebendo aplausos e elogios sob os holofotes de um palco.

— Tenho uma ideia — cochichou o especialista para Da Shi. — Atire na esfera.

— Isso não vai fazer a bomba explodir?

— Os explosivos convencionais na camada externa vão, mas será uma explosão difusa. Não vai provocar o tipo de compressão precisa do material físsil no miolo necessário para uma explosão nuclear.

Da Shi olhou para a mulher com a bomba e não disse nada.

— Que tal atiradores de elite?

Da Shi balançou a cabeça de maneira quase imperceptível.

— Não tem nenhuma posição boa. Ela é muito esperta. Vai perceber assim que entrar na mira de um atirador de elite.

Da Shi andou para a frente, afastou a multidão e parou no meio do espaço aberto.

— Pare — alertou a jovem, com um olhar firme para Da Shi. O polegar direito dela estava em cima do detonador. Seu rosto já não estava sorrindo diante dos fachos das lanternas.

— Calma — disse Da Shi, parando a sete ou oito metros dela e tirando um envelope do bolso. — Tenho informações que você com certeza vai querer saber. Sua mãe foi encontrada.

Os olhos febris da jovem perderam um pouco do fervor. Naquele momento, seus olhos eram literalmente a janela da alma.

Da Shi avançou dois passos. Ele estava a menos de cinco metros de distância. A jovem levantou a bomba e o alertou com o olhar, mas já estava distraída. Um dos membros da OTT foi até Da Shi para pegar o envelope. Quando o homem ficou entre o campo de visão de Da Shi e da jovem, o policial sacou a arma rápido como um raio. A mulher só viu um lampejo ao lado da orelha do homem que tentou pegar o envelope de Da Shi, e então a bomba em suas mãos explodiu.

Depois de ouvir a explosão abafada, Wang não enxergou mais nada além de escuridão. Alguém o levou para fora do refeitório. Uma fumaça amarelada densa saía pela porta, e dava para ouvir uma cacofonia de gritos e tiros. De vez em quando, algumas pessoas saíam correndo do refeitório em meio à fumaça.

Wang se levantou e tentou voltar para dentro, mas o especialista em explosivos o deteve pelos ombros.

— Cuidado. Radiação!

Com o tempo, o caos foi diminuindo. Mais de doze combatentes da OTT morreram no tiroteio. Os outros — mais de duzentos, incluindo Ye Wenjie — foram presos. A explosão havia transformado a jovem mulher-bomba em uma massa de sangue, porém ela foi a única baixa do explosivo anulado. O homem que tinha tentado pegar o envelope de Da Shi ficou gravemente ferido, mas, como seu corpo servira de proteção a Da Shi, os ferimentos do policial foram leves. No entanto, como todos que continuaram no refeitório depois da explosão, Shi sofreu contaminação severa por radiação.

Da Shi foi levado para uma ambulância. Wang olhava para ele pela janelinha: um ferimento na cabeça do policial ainda sangrava, e a enfermeira que estava preparando um curativo usava um traje de proteção transparente. Da Shi e Wang só podiam se falar por celular.

— Quem era a mãe daquela jovem? — perguntou Wang.

Da Shi sorriu.

— Não faço a menor ideia. Era só um palpite. Meninas como ela provavelmente têm problemas com a mãe. Eu faço isso há mais de vinte anos e fiquei muito bom em ler as pessoas.

— Aposto que você está feliz de mostrar que tinha razão. Realmente havia alguém por trás de tudo. — Wang forçou um sorriso, na esperança de que Da Shi conseguisse ver.

— Meu amigo, você é que tinha razão! — Da Shi riu e balançou a cabeça. — Eu jamais teria imaginado que eram uns putos de uns alienígenas de verdade!

25. A MORTE DE LEI ZHICHENG E YANG WEINING

INVESTIGADOR: Nome?

YE WENJIE: Ye Wenjie.

INVESTIGADOR: Mês e ano de nascimento?

YE: Junho de 1943.

INVESTIGADOR: Profissão?

YE: Professora de astrofísica na Universidade Tsinghua. Aposentada desde 2004.

INVESTIGADOR: Em consideração a seu estado de saúde, a senhora pode pedir um intervalo no interrogatório a qualquer momento.

YE: Obrigada. Estou bem.

INVESTIGADOR: Agora só estamos realizando uma investigação criminal corriqueira e não vamos entrar em questões mais delicadas. Gostaríamos de terminar logo. Esperamos que a senhora coopere.

YE: Eu sei a que o senhor se refere. Sim, vou cooperar.

INVESTIGADOR: Nossa investigação revelou que, quando você trabalhava na Base Costa Vermelha, foi suspeita de assassinato.

YE: Eu realmente matei duas pessoas.

INVESTIGADOR: Quando?

YE: Na tarde do dia 21 de outubro de 1979.

INVESTIGADOR: Nome das vítimas?

YE: Lei Zhicheng, comissário da Base, e Yang Weining, engenheiro da Base e meu marido.

INVESTIGADOR: Explique os motivos para os assassinatos.

YE: Posso... partir do princípio de que o senhor conhece a relevância do contexto?

INVESTIGADOR: Estou a par do básico. Se precisar esclarecer algo, pergunto.

YE: Ótimo. No dia em que a comunicação extraterrestre chegou e eu enviei a resposta, descobri que não fui a única pessoa a receber a mensagem. Lei também recebeu.

* * *

Lei era um quadro político típico daquela época: possuía um faro extremamente apurado para a política e enxergava tudo pelo viés da ideologia. A maioria da equipe técnica da Base Costa Vermelha não sabia, mas ele tinha um pequeno programa rodando direto no computador principal. Esse programa lia constantemente os buffers de transmissão e recepção e armazenava os resultados em um arquivo oculto criptografado. Assim, tudo o que a Costa Vermelha transmitisse ou recebesse seria salvo em uma cópia que só ele poderia ver. Foi por essa cópia que ele descobriu a mensagem extraterrestre.

Na tarde do dia em que eu mandei minha mensagem para o sol nascente, e pouco depois de eu descobrir que estava grávida na enfermaria da base, Lei me chamou em sua sala, e vi na tela do terminal dele a mensagem que eu tinha recebido de Trissolaris na noite anterior...

— Faz oito horas desde que você recebeu a primeira mensagem. Em vez de relatar, você deletou a mensagem original e talvez tenha escondido uma cópia. É isso?

Fiquei de cabeça baixa e não respondi.

— Eu sei qual é seu próximo passo: você pretende responder. Se eu não tivesse descoberto a tempo, você teria arruinado a civilização humana! É claro que não estou dizendo que temos medo de uma invasão interestelar. Mesmo se imaginássemos o pior e isso acontecesse de verdade, com certeza os invasores do espaço sideral se afogariam no oceano da guerra legítima do povo!

Nessa hora percebi que ele não sabia que eu já havia respondido. Quando coloquei a resposta no buffer de transmissão, não usei a interface de arquivo normal. Por sorte, isso evitou o programa de monitoramento dele.

— Ye Wenjie, eu tinha certeza de que você era capaz de algo assim. Você sempre alimentou um ódio profundo pelo Partido e pelo povo. Aproveitaria qualquer oportunidade para se vingar. Você sabe quais são as consequências de suas ações?

Claro que eu sabia, então confirmei com a cabeça. Lei ficou quieto por um instante, mas depois falou algo inesperado.

— Ye Wenjie, não tenho nenhuma pena de você, que sempre foi uma inimiga de classe e encara o povo como um adversário. Mas eu servi durante muitos anos com Yang. Não posso permitir que ele seja destruído junto com você nem admito que o filho dele também seja. Você está grávida, não é?

O que ele disse não era apenas especulação. Naqueles tempos, se meus atos fossem revelados, fatalmente teriam comprometido meu marido, mesmo se ele não tivesse tido nenhum envolvimento.

Lei falou com um tom de voz muito baixo.

— Por enquanto, só você e eu sabemos o que aconteceu. O que precisamos fazer é minimizar o impacto de suas ações. Finja que isso nunca aconteceu e não conte para ninguém, muito menos para Yang. Deixa que eu cuido do resto. Se você cooperar, poderá evitar as consequências desastrosas.

Percebi na hora as intenções de Lei. Ele queria ser o primeiro homem a descobrir a inteligência extraterrestre. Realmente era uma oportunidade excelente de entrar para os livros de história.

Concordei. Quando fechei a porta, eu já havia decidido tudo.

Peguei uma chave inglesa pequena e fui à sala de equipamentos do módulo de processamento do receptor. Como eu precisava inspecionar os equipamentos com frequência, ninguém reparou. Abri a caixa principal e afrouxei com cuidado o parafuso que prendia o fio terra na parte de baixo. A interferência do receptor aumentou de repente, e a resistência do solo passou de 0,6 ohms para 5 ohms. O técnico de plantão achou que fosse um problema com o fio terra, porque esse tipo de defeito acontecia o tempo todo. Era um diagnóstico fácil. Ele jamais teria imaginado que o problema era na parte de cima do fio terra, porque aquele lado estava bem firme, abrigado, e eu falei que tinha acabado de conferir.

O cume do pico do Radar tinha uma peculiaridade geológica: era coberto por uma camada de argila com mais de doze metros de espessura — pouca condutividade. Quando o fio terra não estava bem enterrado, a resistência do solo invariavelmente ficava muito alta. No entanto, o fio terra também não podia ir muito fundo, porque a camada de argila era muito corrosiva e, com o tempo, acabaria danificando o meio do fio terra. No fim das contas, a única solução foi pendurar o fio terra por cima do penhasco até a ponta passar da camada de argila e enterrar a ponta na rocha. Mesmo assim, o aterramento não era muito estável, e a resistência costumava ser excessiva. Quando esse tipo de problema acontecia, sempre tinha relação com a parte do fio cravada no penhasco. Quem fosse enviado para o conserto precisava se pendurar em cordas e descer pelo paredão.

O técnico de plantão informou a situação à equipe de manutenção. Um dos soldados da equipe prendeu uma corda em um poste de ferro e desceu pelo penhasco. Depois de meia hora, subiu de novo, encharcado de suor, e disse que não conseguiu achar o defeito. Parecia que a sessão de monitoramento seguinte teria que ser postergada. Eles precisavam informar o Centro de Comando da Base. Fiquei esperando do lado do poste de ferro em cima do penhasco. Pouco tempo depois, como eu tinha planejado, Lei Zhicheng voltou com o soldado.

A bem da verdade, Lei era muito dedicado e cumpria à risca as expectativas impostas a oficiais políticos naqueles tempos: tornar-se parte das massas e sempre estar na linha de frente. Talvez fosse só teatro, mas ele interpretava muito bem. Quando havia algum trabalho difícil ou perigoso na base, ele sempre se prontificava. Um dos trabalhos que ele fazia mais do que os demais era consertar o fio terra, uma operação perigosa e cansativa. Embora esse reparo não fosse muito difícil em termos técnicos, ter experiência ajudava. Havia muitas causas para os defeitos: um contato podia estar frouxo devido à exposição ao ar — algo difícil de detectar —, o lugar onde o fio terra entrava no penhasco podia estar seco demais etc. Os soldados voluntários responsáveis pela manutenção da parte externa da base eram todos novatos, e ninguém tinha muita experiência. Então imaginei que Lei provavelmente ia aparecer.

Ele prendeu o equipamento de segurança e desceu pela borda do penhasco com a corda, como se eu não existisse. Depois de inventar uma desculpa para me livrar do soldado que tinha vindo com Lei, fiquei sozinha no penhasco e retirei uma serra de arco pequena do bolso. Eu tinha quebrado uma serra maior em três pedaços e juntado tudo lado a lado. Com as serras assim, qualquer corte que eu fizesse ficaria bastante irregular, e não seria óbvio que a corda tinha sido cortada com uma ferramenta.

Nessa hora, meu marido, Yang Weining, apareceu.

Quando expliquei o que tinha acontecido, ele olhou para baixo no penhasco e disse que, para verificar o terminal de aterramento no costado do penhasco, era preciso cavar, e seria trabalho demais para Lei fazer sozinho. Ele queria descer e ajudar, então prendeu o equipamento de segurança que o soldado tinha deixado para trás. Pedi para Yang usar outra corda, mas ele disse que não — a corda de Lei era grossa e resistente e aguentaria sem problema o peso dos dois. Como insisti, ele me mandou buscar outra. Quando voltei correndo com a corda até o penhasco, ele já havia descido pelo costado. Dei uma olhada pela borda e vi que ele e Lei já haviam terminado a inspeção e estavam subindo de volta. Lei vinha na frente.

Eu nunca teria outra chance. Peguei a serra e cortei a corda.

INVESTIGADOR: Quero fazer uma pergunta, mas não vou registrar a resposta nos autos. O que a senhora sentiu na hora?

YE: Calma. Não senti nada quando cortei a corda. Eu tinha enfim descoberto um propósito para dedicar minha vida. Não dava a mínima para o que isso ia custar, fosse para mim ou para outras pessoas. E também sabia que a humanidade toda pagaria um preço sem precedentes por esse propósito. Foi um começo muito insignificante.

INVESTIGADOR: Muito bem. Prossiga.

YE: Escutei uns dois ou três gritos de surpresa e, em seguida, o barulho de corpos batendo nas pedras no fundo do penhasco. Algum tempo depois, vi que o riacho no sopé do penhasco tinha ficado vermelho... Não tenho mais nada a acrescentar.

INVESTIGADOR: Compreendo. Este é o depoimento. Por favor, leia com cuidado. Se não houver erros, por favor, assine.

26. NINGUÉM SE ARREPENDE

A morte de Lei e Yang foi tratada como acidente. Todo mundo na base sabia que Ye e Yang eram um casal feliz, e ninguém desconfiou dela.

A base recebeu um comissário novo, e a rotina retomou a paz de sempre. A vida miúda crescia dentro de Ye a cada dia, e ela também sentiu o mundo exterior mudar.

Certo dia, o comandante do pelotão de segurança pediu para Ye ir até o portão da entrada da base. Quando ela se aproximou da guarita, ficou surpresa ao ver três adolescentes: dois meninos e uma menina, com cerca de quinze ou dezesseis anos. Os três estavam com casacos velhos e gorros de chinchila. O guarda de plantão disse que eles tinham vindo da cidadezinha de Qijiatun. Tinham ouvido falar que as pessoas no pico do Radar eram inteligentes e queriam fazer algumas perguntas relacionadas aos estudos.

Ye estranhou o fato de os jovens se atreverem a subir até o pico do Radar. Aquela era uma área militar restrita, e os guardas tinham autorização para disparar sem aviso. O guarda viu a confusão de Ye e explicou que eles tinham acabado de receber ordens para reduzir o nível de segurança da Base Costa Vermelha. As pessoas da região agora tinham permissão de subir ao pico do Radar, desde que não entrassem na base. Alguns camponeses já haviam aparecido no dia anterior para levar legumes.

Um dos adolescentes pegou um velho livro didático de física. Suas mãos estavam sujas e pareciam grosseiras como casca de árvore. Com um sotaque carregado do nordeste chinês, ele fez uma pergunta simples: o livro didático dizia que um corpo em queda livre sofre aceleração constante, mas sempre acaba alcançando uma velocidade terminal. Eles tinham passado noites pensando naquilo e não conseguiam entender por quê.

— Vocês vieram até aqui só para me perguntar isso? — quis saber Ye.

— Professora Ye, a senhora não sabe do exame? — perguntou a menina, empolgada.

— Exame?

— O Exame Nacional de Admissão Universitária! Quem estudar muito e tirar a melhor nota vai poder ir para a faculdade! Começou há dois anos. A senhora não sabia?

— Não precisa mais de recomendações?

— Não. Qualquer um pode fazer o exame. Até os filhos das Cinco Categorias Pretas da cidade.*

Ye ficou chocada. Essa mudança a deixou com sentimentos conflitantes. Demorou um pouco até ela perceber que os adolescentes ainda estavam esperando, com os livros nas mãos. Ela tratou de responder logo, explicando que o motivo era o equilíbrio da resistência do ar com a força da gravidade. Em seguida, Ye prometeu que eles podiam vir sempre que quisessem ajuda dela com qualquer dificuldade nos estudos.

Três dias depois, sete adolescentes foram procurar Ye: além dos três daquela primeira vez, outros quatro, que vinham de cidades ainda mais distantes. Na terceira vez, o número de adolescentes chegou a quinze, e até um professor de uma escola de ensino médio de uma cidadezinha marcou presença.

Como havia escassez de professores, ele precisava dar aulas de física, matemática e química e queria pedir a ajuda de Ye. O homem tinha mais de cinquenta anos, e seu rosto já era muito enrugado. Ele estava muito nervoso ao encontrar Ye e derrubou livros para todos os lados. Depois que o grupo saiu da guarita, Ye o ouviu falar para os alunos:

— Crianças, aquela era uma *cientista*. Uma *cientista* de verdade!

A partir de então, ela passou a dar aulas para crianças e adolescentes com alguma frequência. Às vezes, eram tantos que a guarita não dava conta de abrigar todo mundo, então, com a permissão dos oficiais responsáveis pela segurança da base, os guardas acompanhavam o grupo até o refeitório. Lá, Ye instalara um pequeno quadro-negro e ensinava crianças e adolescentes.

Já estava escuro quando Ye terminou seu turno na véspera do ano-novo chinês de 1980. A maioria das pessoas na base já havia saído do pico do Radar para o feriado de três dias, e o lugar estava todo em silêncio. Ye voltou para o quarto: antigamente, tinha sido um lar para ela e Yang Weining, mas agora estava vazio. A única companhia de Ye era o bebê em seu ventre. Do lado de fora, o vento frio da noite na cordilheira Grande Khingan uivava e trazia o som distante dos fogos de artifício que explodiam na cidade de Qijiatun. A solidão pesava sobre Ye como

---

* As Cinco Categorias Pretas, alvo da Revolução Cultural, eram as cinco identidades políticas usadas durante a revolução: proprietários de imóveis, fazendeiros ricos, contrarrevolucionários, "elementos nocivos" e direitistas.

uma mão gigantesca, e ela se sentiu esmagada, comprimida, pequena a ponto de desaparecer em um canto invisível do universo...

Até que alguém bateu à porta. Quando ela abriu, viu o guarda e, atrás dele, a luz de várias tochas feitas com galhos de pinheiro tremeluzindo no vento gelado. As tochas estavam nas mãos de uma multidão de crianças e adolescentes, rostos vermelhos por causa do frio e cristais de gelo pendurados nos gorros. Quando entraram no cômodo, parecia que o ar frio tinha entrado junto. Dois adolescentes, com pouco agasalho, tinham passado ainda mais frio que os outros: o casaco grosso deles estava enrolado em algo que seguravam nos braços. Quando os casacos foram retirados, Ye viu uma grande panela, cheia de repolho fermentado e bolos de carne de porco fumegantes de quente.

Naquele ano, oito meses depois de enviar o sinal para o sol, Ye entrou em trabalho de parto. Como o bebê estava em uma posição difícil e o corpo dela estava debilitado, a enfermaria da base não conseguiu fazer o parto e precisou mandá-la para o hospital da cidade mais próxima.

Esse foi um dos momentos mais difíceis da vida de Ye. Depois de sofrer muita dor e perder uma grande quantidade de sangue, ela entrou em coma. Em meio a uma névoa, ela só via três sóis quentes e ofuscantes girando ao seu redor, queimando seu corpo sem piedade. Ela ficou nesse estado por algum tempo e pensou, confusa, que provavelmente aquele era o fim. Não era o fim, mas o inferno: o fogo dos três sóis iria atormentá-la e queimá-la para sempre. Era o castigo por sua traição, uma traição que superava qualquer outra. Ela mergulhou no pavor: não pela própria vida, mas pela do bebê ainda por nascer — a criança ainda estaria dentro dela? Ou já havia nascido naquele inferno para sofrer por toda a eternidade junto com ela?

Ye não fazia ideia de quanto tempo tinha se passado. Aos poucos, os três sóis se afastaram. Quando chegaram a determinada distância, de repente se encolheram e viraram estrelas voadoras cristalinas. O ar em volta de Ye resfriou, e a dor diminuiu. Enfim, ela acordou.

Ye ouviu alguém chorar perto dela. Ao virar a cabeça com muito esforço, viu o rostinho rosado e molhado da criança.

O médico disse que Ye havia perdido mais de dois litros de sangue. Dezenas de camponeses de Qijiatun tinham ido até lá para doar sangue para ela. Muitos dos camponeses eram pais de alunos de Ye, mas a maioria não tinha nenhuma relação com ela, só havia ouvido falar dela pela boca das crianças e dos pais. Sem essas pessoas, Ye com certeza teria morrido.

A situação de Ye virou um problema após o nascimento da filha. O parto difícil abalara sua saúde. Ela não tinha como permanecer na base sozinha com a bebê, e não havia nenhum parente para ajudar. Foi quando um casal de idosos em Qijiatun conversou com os líderes da base, para explicar que poderiam acolher Ye e a criança. O senhor fora caçador e também colhia ervas para usar em medicina tradicional. Mais tarde, quando a floresta da região foi completamente derrubada pelo desmatamento, o casal recorreu à agricultura, mas as pessoas continuavam acostumadas a chamá-lo de Caçador Qi. Eles tinham dois filhos e duas filhas. As filhas haviam se casado e saído de casa. Um dos filhos era soldado e estava longe, e o outro era casado e morava com eles. A nora também havia acabado de dar à luz.

Ye ainda não tinha sido reabilitada politicamente, e a liderança da base não se sentia muito confiante com a solução sugerida. Porém, no fim das contas, como não havia alternativa, foi permitido que o casal usasse um trenó para levar Ye e a criança do hospital para casa.

Ela passou mais de seis meses com essa família de camponeses na cordilheira Grande Khingan. Estava tão debilitada após o parto que não produziu leite, então a criança, Yang Dong, foi amamentada por todas as mulheres da cidadezinha. A que mais a amamentava era Feng, a nora do Caçador Qi. Feng tinha o porte robusto e vigoroso das mulheres do nordeste chinês. Comia sorgo todos os dias, e seus seios grandes eram cheios de leite, embora tivesse que amamentar dois bebês ao mesmo tempo. Outras amas de leite de Qijiatun também amamentavam Yang Dong. Elas gostavam da menina, diziam que tinha o mesmo ar inteligente da mãe.

Aos poucos, a casa do Caçador Qi se tornou um ponto de encontro para todas as mulheres da cidade. Velhas e jovens, todas gostavam de passar lá quando não tinham mais nada para fazer. Eram curiosas e admiravam Ye, que percebeu que podia conversar sobre muitos assuntos com elas.

Por várias vezes, Ye pegou Yang Dong no colo e se sentou com as outras mulheres da cidade no quintal, cercadas por troncos de bétulas. Perto do grupo, um cachorro preto preguiçoso cochilava e as crianças brincavam, aproveitando o sol quente. Ye prestava atenção principalmente nas mulheres que pitavam cachimbos de cobre, soprando a fumaça sem pressa. Preenchida pela luz do sol, a fumaça refletia um brilho prateado que se parecia muito com o pelo fino dos braços e pernas rechonchudos delas. Certa vez, uma passou para Ye a piteira comprida do cachimbo de cobre e níquel, dizendo que aquilo a faria se sentir melhor. Ye deu só duas tragadas e já ficou se sentindo tonta, e as mulheres riram da história por dias.

Com os homens, Ye não tinha muito assunto. As questões que pareciam ocupá-los o dia inteiro também pareciam além da compreensão dela. Ye percebeu que eles estavam interessados em plantar ginseng para vender, já que o governo sinalizava um afrouxamento nas medidas políticas, mas ninguém chegou a criar coragem para tentar. Todos tratavam Ye com muito respeito e educação. Ela não reparou muito nisso, a princípio. No entanto, com o tempo, depois de observar aqueles homens espancando as esposas e flertando descaradamente com as viúvas da cidade, dizendo coisas que deixariam qualquer um constrangido, ela enfim percebeu o valor do respeito deles. Vez ou outra, um deles pegava uma lebre ou um faisão e levava para a casa do Caçador Qi. Também davam para Yang Dong brinquedos estranhos e curiosos, que tinham feito com as próprias mãos.

Ye lembrava aqueles meses como se pertencessem a outra pessoa, como se fossem um segmento de outra existência que o vento levara para a vida dela como uma pena. Esse período ficou gravado em sua memória como uma série de pinturas clássicas — não pinturas chinesas, mas quadros a óleo europeus. Pinturas chinesas eram cheias de espaços em branco, mas a vida em Qijiatun não tinha nenhum espaço em branco. Era cheia de cores marcantes, densas, sólidas como as pinturas a óleo clássicas. Tudo era quente e intenso: as camas *kang* aquecidas, forradas com camadas grossas de junco, o tabaco artesanal enfiado em cachimbos de cobre, a comida pesada e massuda à base de sorgo, o *baijiu* destilado a partir do sorgo com teor alcoólico de mais de trinta por cento — tudo mesclado a uma vida tranquila e pacífica, como o córrego no final da cidade.

A parte mais memorável para Ye eram as noites. Como o filho do Caçador Qi tinha se mudado para a metrópole para vender cogumelos — foi o primeiro a sair da cidadezinha para ganhar dinheiro em outro lugar —, Ye dividia um quarto na casa com Feng. Naquela época, a cidade não tinha energia elétrica, então as duas passavam todas as noites encolhidas em volta de uma lamparina de querosene — Ye ficava lendo, e Feng tricotava. Sem perceber, Ye ia chegando cada vez mais perto da lamparina, e com alguma frequência o cabelo acabava ficando chamuscado. Quando isso acontecia, as duas se olhavam e sorriam. Claro que isso nunca acontecia com Feng: ela enxergava muito bem e conseguia trabalhar com detalhes mesmo na luz fraca do carvão aceso. Os dois bebês, com menos de seis meses, dormiam juntos na *kang* perto delas. Ye adorava vê-los dormir, quando a respiração tranquila deles era o único som dentro do quarto.

A princípio, Ye não gostava de dormir na *kang* aquecida, e vivia adoecendo, mas com o tempo se acostumou. Durante o sono, ela se imaginava um bebê dormindo em algum colo quente. A pessoa que a segurava não era seu pai, nem sua mãe, nem tampouco o marido. Ela não sabia quem era. A sensação parecia tão real que ela acordava com o rosto coberto de lágrimas.

Certa noite, Ye abaixou o livro e viu que Feng tinha parado de costurar o sapato de pano. Ela estava imóvel, segurando o sapato em cima do joelho e encarando a lamparina. Quando se deu conta de que Ye estava olhando para ela, Feng perguntou:

— Irmã, por que você acha que as estrelas do céu não caem?

Ye observou Feng. A lamparina de querosene era uma artista maravilhosa e criava uma pintura com cores elegantes e traços fortes: Feng estava com o casaco pendurado nos ombros, deixando aparecer a cinta vermelha e o braço forte e gracioso. A luz da lamparina pintava sua silhueta com cores quentes e vívidas, enquanto o resto do cômodo se dissolvia em uma escuridão suave. Um olhar atento revelava um leve brilho avermelhado que não vinha da lamparina de querosene, e sim do carvão aceso no chão. O ar frio do lado de fora esculpia belas formas de gelo nos vidros da janela com o ar quente e úmido do cômodo.

— Você tem medo que as estrelas caiam? — perguntou Ye, em voz baixa.

Feng riu e balançou a cabeça.

— Para que ter medo? Elas são pequenas.

Ye não respondeu como uma astrofísica.

— Elas estão muito, muito longe — se limitou a dizer. — Não têm como cair.

Feng ficou satisfeita com a resposta e continuou costurando. Mas Ye não se sentia mais em paz. Ela abaixou o livro, recostou-se na superfície quente da *kang* e fechou os olhos. Com a imaginação, viu o resto do universo em volta da cabana minúscula desaparecer, como as trevas do cômodo sendo cobertas pela lamparina de querosene. Ela substituiu o universo ingênuo do coração de Feng pelo verdadeiro. O céu noturno era um domo preto que cobria o mundo inteiro. A superfície do domo estava incrustada de estrelas infinitas, que brilhavam com uma luz prateada cristalina, e nenhuma era maior do que o espelho em cima da velha mesa de madeira ao lado da cama. O mundo era plano e ia muito longe em todas as direções, mas por todos os lados havia uma beirada que encontrava o céu. A superfície plana estava coberta de cordilheiras como a Grande Khingan, e de florestas cheias de cidadezinhas minúsculas, exatamente como Qijiatun... Esse universo de brinquedo consolou Ye e, aos poucos, saiu de sua imaginação e entrou em seus sonhos.

Naquele povoado minúsculo no meio das montanhas da Grande Khingan, finalmente alguma parte do coração de Ye Wenjie se derreteu. Na gélida tundra de sua alma, surgiu um lago minúsculo e límpido de água de degelo.

Com o tempo, Ye acabou voltando para a Base Costa Vermelha com Yang Dong. Passaram-se outros dois anos, com fases de ansiedade e de paz. Foi quando Ye recebeu um aviso: tanto ela como o pai haviam sido reabilitados politicamente. Pouco depois, chegou uma carta da Universidade Tsinghua, declarando que ela poderia voltar para as salas de aula quando quisesse. Junto com a carta veio uma quantia em dinheiro: o pagamento retroativo devido ao pai dela após a reabilitação. Enfim, nas reuniões internas da base, os supervisores de Ye poderiam chamá-la de *camarada*.

Ye encarou todas essas mudanças com neutralidade, sem demonstrar qualquer sinal de entusiasmo ou de alegria. Ela não tinha interesse algum pelo mundo exterior e só queria continuar no isolamento tranquilo da Base Costa Vermelha. Mas, pensando na educação de Yang Dong, decidiu sair da base, onde havia imaginado que passaria o resto da vida, e voltou para a faculdade.

Quando desceu das montanhas, Ye teve a sensação de que era primavera por todos os lados. O inverno gelado da Revolução Cultural realmente tinha chegado ao fim, e tudo estava renascendo. Embora a calamidade tivesse acabado pouco antes, estava tudo arruinado, e uma infinidade de homens e mulheres ia se recuperando. Já estava em evidência o alvorecer de uma nova vida: estudantes com seus próprios filhos apareciam no campus das universidades; livrarias vendiam obras literárias famosas; as fábricas começavam a priorizar a inovação tecnológica; pesquisadores científicos adquiriam um status prestigiado. A ciência e a tecnologia eram as únicas chaves para o futuro, e as pessoas buscavam a ciência com a fé e a sinceridade de crianças no primário. Ainda que os esforços fossem ingênuos, eram também realistas. No I Congresso Nacional de Ciências, Guo Moruo, o presidente da Academia Chinesa de Ciências, declarou aberta a temporada de renascimento e renovação da prejudicada classe científica da China.

Seria esse o fim da loucura? A ciência e a racionalidade estavam voltando de verdade? Ye pensava nessas perguntas muitas vezes.

Ela nunca voltou a receber uma comunicação de Trissolaris. Sabia que precisaria esperar pelo menos oito anos até chegar a resposta daquele mundo e, ao sair da base, perdeu acesso a qualquer possibilidade de receber notícias extraterrestres.

Foi uma atitude muito importante, e no entanto Ye tomara por conta própria. Parecia surreal. Com o passar do tempo, essa sensação de surrealidade ficou ainda mais forte. O que havia acontecido parecia uma ilusão, um sonho. O sol era mesmo capaz de amplificar sinais de rádio? Ela havia mesmo usado o astro como uma antena para enviar a mensagem da civilização humana para o universo? Havia realmente chegado uma mensagem das estrelas? Aquela manhã sangrenta em que Ye traiu toda a humanidade havia acontecido de verdade? E aqueles assassinatos...?

Ye tentou mergulhar de cabeça no trabalho para esquecer o passado... e quase conseguiu. Por um estranho instinto de autodefesa, ela parou de lembrar o passado, parou de pensar no contato estabelecido com outra civilização. A vida seguiu assim, dia a dia, em paz.

Depois de algum tempo na Universidade Tsinghua, Ye levou Dong Dong para conhecer a avó, Shao Lin. Pouco tempo após morte do marido, Shao se recuperou do colapso mental e deu um jeito de sobreviver nas brechas minúsculas da política. Seus esforços para navegar a favor dos ventos políticos e bradar os bordões certos compensaram e, mais tarde, durante a fase "Retornem à escola, continuem a revolução", ela voltou a dar aulas.*

Mas então Shao fez algo que ninguém esperava: ela se casou com um quadro perseguido do alto escalão do Ministério da Educação. Naquela época, o quadro ainda morava em um "estábulo" de reforma pelo trabalho.** Isso fazia parte do plano de longo prazo de Shao: ela sabia que o caos na sociedade não ia durar muito. Como os jovens rebeldes que atacavam tudo o que viam não tinham experiência alguma com a administração de um país, mais cedo ou mais tarde os velhos quadros perseguidos e afastados voltariam ao poder.

A aposta dela deu certo. Antes mesmo do fim da Revolução Cultural, seu marido foi restituído ao cargo antigo. Pouco depois da Terceira Plenária do 11º Comitê Central do PCC,*** ele foi promovido a vice-ministro. Nesse panorama, Shao Lin também teve uma ascensão rápida quando os intelectuais voltaram a ser prestigiados. Após ingressar para a Academia Chinesa de Ciências, ela teve a sensatez de sair da faculdade antiga e foi promovida a vice-reitora em outra universidade famosa.

Para Ye Wenjie, essa nova versão de sua mãe era exatamente o modelo de mulher culta que sabia tomar conta de si mesma. Não existia sinal algum da perseguição que ela havia enfrentado. Shao recebeu Ye e Dong Dong com entusiasmo, perguntou sobre aqueles anos da vida de Ye com um tom preocupado, ficou impressionada com a beleza e a inteligência de Dong Dong e deu orientações meticulosas à cozinheira para o preparo dos pratos preferidos da filha. Tudo foi feito com habilidade, tato e uma porção adequada de carinho. Mas Ye detectava com clareza um muro invisível entre ela e a mãe. As duas evitavam com cuidado temas delicados e não tocaram nenhuma vez no nome do pai de Ye.

Depois do jantar, Shao Lin e o marido acompanharam Ye e Dong Dong até a rua para se despedir. Shao Lin entrou antes, e o vice-ministro trocou uma pa-

---

* Durante a fase inicial da Revolução Cultural, todas as aulas foram interrompidas nas instituições de ensino superior, médio e fundamental, e os alunos mais velhos se tornaram guardas-vermelhos. Por fim, o caos resultante obrigou a liderança em Beijing a pedir que os alunos voltassem às aulas no final de 1967 e continuassem com a revolução de maneira mais controlada.
** "Estábulos" eram locais estabelecidos por unidades de trabalho (fábricas, escolas, cidades etc.) durante as primeiras fases da Revolução Cultural, a fim de deter "monstros e demônios" contrarrevolucionários (autoridades acadêmicas reacionárias, direitistas, as Cinco Categorias Pretas etc.).
*** Essa assembleia marcou o início da política de "Reforma e Abertura" e foi considerada o momento em que Deng Xiaoping se tornou o líder da China.

lavrinha com Ye. Em um instante, o sorriso gentil dele se transformou em gelo, como se ele enfim tivesse tirado a máscara.

— Vamos adorar receber a visita de vocês duas no futuro com uma condição: não tente cobrar dívidas históricas antigas. Sua mãe não tem nenhuma responsabilidade pela morte do seu pai. Ela também foi uma vítima. Seu pai se agarrou à própria fé de maneira nociva e insistiu em seguir por um beco sem saída. Ele abandonou a responsabilidade que devia ter com a família e só trouxe sofrimento para você e sua mãe.

— Você não tem o direito de falar do meu pai — respondeu Ye, com a voz cheia de raiva. — Esse assunto eu resolvo com minha mãe. Não é da sua conta.

— Tem razão — disse o marido de Shao Lin, com frieza. — Só estou repassando a mensagem dela.

Ye olhou para o prédio residencial reservado para quadros do alto escalão. Shao Lin tinha puxado um canto da cortina para olhar para eles. Sem falar mais nada, Ye se abaixou para pegar Dong Dong e foi embora. E não voltou nunca mais.

Por muito tempo Ye procurou informações sobre as quatro guardas-vermelhas que mataram seu pai e, por fim, conseguiu encontrar três delas. As três foram enviadas para o campo* e depois voltaram à cidade, e todas estavam desempregadas. Ye descobriu o endereço delas e mandou uma carta curta para cada uma, pedindo um encontro nos campos de exercício onde seu pai havia morrido. Só para conversar.

Ye não tinha nenhum desejo de vingança. Naquela manhã da transmissão na Base Costa Vermelha, ela já havia se vingado de toda a raça humana, incluindo aquelas guardas-vermelhas. Ainda assim, queria ouvir o remorso daquelas assassinas, queria ver um vestígio qualquer do retorno da humanidade.

Naquela tarde, depois das aulas, Ye esperou as três nos campos de exercício. Ela não alimentava muitas esperanças, e tinha quase certeza de que o trio não compareceria. Mas, na hora marcada, todas apareceram.

Ye reconheceu as três de longe, porque estavam usando as fardas verdes, já raras. Quando se aproximaram, Ye percebeu que as fardas provavelmente eram as mesmas que elas haviam usado naquele fatídico dia. As roupas estavam desbotadas de tanto lavar, e havia remendos por todas as partes. Além das fardas, nada

---

* Nos anos que se seguiram à Revolução Cultural, membros da juventude urbana, privilegiada e instruída, foram enviados para as regiões rurais pobres nas montanhas, a fim de viver e aprender com os agricultores. Muitos desses "jovens rusticados", como foram chamados, tinham sido guardas-vermelhos. Há quem diga que essa política foi introduzida pelo presidente Mao para remover das cidades os rebeldes, que estavam descontrolados, e restabelecer a ordem.

naquelas três mulheres de trinta e poucos anos lembrava as três jovens guardas-vermelhas que haviam parecido tão valentes naquela sessão de luta. Elas não haviam perdido apenas a juventude.

A primeira impressão de Ye foi a de que, embora as três no passado parecessem cópia uma da outra, elas eram muito diferentes entre si. Uma delas se tornara uma mulher muito magra e baixa, e a farda ficava folgada nela. Mostrava sinais da idade, com as costas encurvadas e o tom amarelado no cabelo. Outra era tão corpulenta que os botões do paletó da farda nem fechavam. O cabelo estava bagunçado, e o rosto tinha uma expressão grave, como se a vida difícil tivesse eliminado qualquer delicadeza e deixado apenas insensibilidade e truculência. A terceira mulher ainda mostrava resquícios da juventude, mas uma das mangas da farda estava vazia e balançava livremente à medida que ela andava.

As três antigas guardas-vermelhas pararam enfileiradas diante de Ye — a mesma posição que haviam mantido diante de Ye Zhetai —, tentando retomar a dignidade há muito esquecida. Mas a energia espiritual demoníaca que as impulsionara naqueles tempos não existia mais. A mulher magra tinha cara de fuinha. O rosto da corpulenta parecia vazio. A mulher sem um dos braços olhava para o céu.

— Você achou que a gente não teria coragem de vir? — perguntou a mulher corpulenta, tentando soar provocativa.

— Só achei que devíamos nos ver. É preciso colocar algum tipo de ponto final no passado — disse Ye.

— O passado ficou para trás. Você devia saber. — A mulher magra falou com rispidez, como se vivesse com medo de alguma coisa.

— Estou me refiro a um fim espiritual.

— Então você quer que a gente se arrependa? — perguntou a mulher corpulenta.

— Vocês não acham que deveriam?

— E aí quem é que vai se arrepender por nós? — perguntou a outra mulher.

— De nós quatro — disse a corpulenta —, três tinham assinado o cartaz de caracteres grandes no colégio ligado à faculdade. Roteiros revolucionários, os grandes comícios na Praça da Paz Celestial, as Guerras Civis da Guarda Vermelha, Primeiro Quartel-General Vermelho, Segundo Quartel-General Vermelho, Terceiro Quartel-General Vermelho, Comitê de Ação Conjunta, Protestos Ocidentais, Protestos Orientais, Comuna da Universidade de Beijing, Grupo de Combate Bandeira Vermelha, O Oriente É Vermelho... passamos por todos os marcos da história da Guarda Vermelha, do nascimento à morte.

A mulher que não tinha um dos braços tomou a palavra.

— Durante a Guerra de Cem Dias em Tsinghua, duas de nós fizeram parte do Corpo da Montanha Jinggang, e duas da Facção Catorze de Abril. Eu peguei uma granada e ataquei um tanque improvisado da facção da montanha Jinggang. Meu braço foi esmagado pela lagarta do tanque. Meu sangue, meus ossos e músculos, tudo foi esmigalhado na lama. Eu tinha apenas quinze anos.*

— Depois, fomos mandadas para o meio do nada! — A mulher corpulenta levantou os braços. — Duas foram para Shaanxi, e duas para Henan, dois lugares dos mais remotos e pobres. Quando fomos, ainda éramos idealistas, mas isso não durou muito. Depois de um dia de trabalho nos campos, estávamos tão cansadas que não conseguíamos nem lavar a roupa. Deitávamos dentro de barracos de palha cheios de goteira e passávamos a noite ouvindo o uivo dos lobos, e com o tempo fomos acordando dos nossos sonhos. Estávamos perdidas naqueles vilarejos abandonados e ninguém dava a mínima para nós.

Uma delas ficou olhando para o chão, com uma expressão vaga.

— No período que passamos no campo, de vez em quando eu esbarrava em outro camarada ou inimigo da Guarda Vermelha, no meio de uma trilha na terra vazia. A gente olhava um para o outro: as mesmas roupas esfarrapadas, a mesma lama, a mesma sujeira de bosta de vaca. Ninguém tinha nada para falar.

A mulher corpulenta olhou para Ye.

— Tang Hongjing foi a menina que deu o golpe fatal em seu pai. Ela morreu afogada no rio Amarelo. Uma enchente levou algumas das ovelhas da equipe de produção, então o secretário do Partido gritou para os estudantes enviados: "Jovens revolucionários! É hora de testar sua fibra!". Aí, Hongjing e outros três estudantes mergulharam no rio para salvar as ovelhas. Era o começo da primavera, e a superfície do rio ainda estava coberta por uma camada fina de gelo. Os quatro morreram, ninguém sabe se de frio ou de afogamento. Quando vi os corpos... eu... eu... não consigo mais falar dessa merda.

Ela cobriu os olhos e chorou.

A mulher magra suspirou, com os olhos marejados.

— Depois, mais tarde, voltamos para a cidade. Mas e daí? Continuamos sem nada. Os jovens que voltaram depois de terem sido enviados ao campo não têm vida fácil. Não conseguimos nem os piores empregos. Sem trabalho, sem dinheiro, sem futuro. Não temos nada.

Ye continuou em silêncio.

— Teve um filme recente chamado *Bordo* — disse a mulher maneta. — Não sei se você já viu. No final, um adulto e uma criança param na frente do túmulo de

---

* A Guerra de Cem Dias na Universidade Tsinghua foi uma das guerras civis mais violentas da Guarda Vermelha durante a Revolução Cultural. Disputada por duas facções da Guarda Vermelha, ela se estendeu de 23 de abril a 27 de julho de 1968 e envolveu o uso de armas brancas, armas de fogo, granadas, minas, canhões etc. No final, foram dezoito mortos e mais de 1100 feridos. Entre estes, mais de trinta sofreram invalidez permanente.

um guarda-vermelho morto nas guerras civis entre as facções. A criança pergunta para o adulto: "Eram heróis?". O adulto responde que não. A criança pergunta: "Eram inimigos?". De novo, o adulto diz que não. A criança pergunta: "Então o que eram?". O adulto responde: "História".

— Escutou bem? — A mulher corpulenta agitou um dos braços para Ye. — História! História! Agora estamos em uma nova era. Quem vai se lembrar de nós? Quem vai pensar em nós e em você? Todo mundo vai se esquecer completamente disso!

As três guardas-vermelhas foram embora, e Ye ficou sozinha nos campos de exercício. Mais de doze anos antes, em uma tarde chuvosa, ela também havia permanecido ali sozinha, olhando para o pai morto. As últimas palavras da antiga guarda-vermelha ecoavam sem parar em seus ouvidos...

O pôr do sol criava uma sombra comprida com a silhueta esguia de Ye. O fiapo de esperança pela sociedade surgido em sua alma tinha evaporado como uma gota de orvalho sob o sol. A dúvida ínfima a respeito de sua traição suprema também havia desaparecido sem deixar rastros.

Ye enfim descobriu seu ideal inabalável: trazer para o mundo humano uma civilização superior vinda de outro lugar do universo.

27. EVANS

Seis meses depois de voltar para a Universidade Tsinghua, Ye começou uma atividade importante: o projeto de um grande observatório de radioastronomia. Ela e a força-tarefa envolvida viajaram pelo país inteiro em busca do melhor lugar para a instalação. As questões iniciais eram estritamente técnicas. Ao contrário da astronomia tradicional, a radioastronomia não dependia tanto de qualidade atmosférica, mas exigia um mínimo de interferência eletromagnética. Eles visitaram muitos lugares até enfim escolherem um com o ambiente eletromagnético mais limpo: uma região montanhosa remota no noroeste chinês.

Aqueles morros de loesse tinham pouca vegetação. Fendas abertas pela erosão faziam com que os sulcos do terreno parecessem rostos velhos e enrugados. Depois de selecionar alguns locais possíveis, a força-tarefa parou para descansar um pouco em uma cidadezinha onde a maioria dos habitantes ainda morava em grutas tradicionais. O líder da equipe de produção da cidade percebeu que Ye era uma pessoa culta e perguntou se ela sabia falar alguma língua estrangeira. Ela perguntou qual língua, e ele respondeu que não sabia. No entanto, se ela soubesse alguma língua estrangeira, ele mandaria alguém subir o morro para chamar Bethune, porque a equipe de produção precisava discutir algo com ele.*

— Bethune? — Ye ficou admirada.

— Como não sabemos o verdadeiro nome dele, só chamamos o estrangeiro assim.

— Ele é médico?

— Não. Planta árvores nos morros. Está nisso há quase três anos.

---

* Norman Bethune (1890-1939) foi um cirurgião canadense que serviu com os comunistas chineses na resistência à força invasora japonesa durante a Segunda Guerra Mundial. Um dos poucos ocidentais a demonstrar simpatia pelos comunistas chineses, Bethune se tornou um herói chinês popular tanto entre os idosos quanto entre as crianças.

— Planta árvores? Para quê?

— Ele diz que é para os pássaros. Um tipo de pássaro que ele sugere que está quase extinto.

Ye e seus colegas ficaram curiosos e pediram para o líder da equipe de produção levá-los para ver aquele homem. O grupo seguiu por uma trilha até chegar ao topo de um outeiro. O líder da equipe de produção indicou um ponto no meio dos morros carecas de loesse, e Ye sentiu como se o lugar se iluminasse. Havia um barranco coberto de florestas verdejantes, como se uma tela velha e amarelada tivesse recebido a bênção acidental de um jato de tinta verde.

Ye e os demais logo viram o estrangeiro. Tirando o cabelo louro, os olhos verdes, o jeans puído e o casaco que o faziam parecer um caubói, Ye achou que ele não era muito diferente dos camponeses daquela região que haviam trabalhado a vida inteira. Até a pele tinha o mesmo tom escuro por causa do sol. Ele não demonstrou muito interesse nos visitantes. Apresentou-se como Mike Evans sem falar sua nacionalidade, mas seu inglês tinha um nítido sotaque americano. Ele morava em uma cabana de adobe com dois cômodos, abarrotada de ferramentas para a plantação de árvores: enxadas, pás, serrotes para podar galhos, entre outras, todas grosseiras e produzidas na cidadezinha. A poeira que permeava todo o noroeste do país formava uma camada fina por cima da cama simples e rústica e dos utensílios de cozinha. Na cama, havia uma pilha de livros, a maioria de biologia. Ye reparou em um exemplar de *Libertação animal*, de Peter Singer. O único sinal de modernidade era um rádio pequeno ligado a uma pilha D externa. Havia também um telescópio velho.

Evans pediu desculpa aos visitantes por não poder oferecer nada para beber. Já fazia algum tempo que o café havia acabado. Ele tinha água, mas só um copo.

— Por favor, podemos saber o que você está realmente fazendo aqui? — perguntou um dos colegas de Ye.

— Quero salvar vidas.

— Salvar... salvar as pessoas daqui? É verdade que as condições ecológicas desta região...

— Por que vocês todos são assim? — De repente, Evans ficou furioso. — Por que alguém precisa ter que salvar *pessoas* para ser considerado um herói? Por que salvar outras espécies é considerado insignificante? Quem deu tamanha honraria aos seres humanos? Não, os humanos não precisam ser salvos. Eles já têm uma vida muito melhor do que merecem.

— Ouvimos dizer que você está tentando salvar uma espécie de pássaro.

— Sim, uma andorinha. É uma subespécie da andorinha marrom do noroeste. O nome científico é muito comprido, então não vou entediá-los. A cada primavera, elas viajam por antigas rotas migratórias já conhecidas de volta ao sul. Como só fazem ninhos aqui, à medida que a floresta vai desaparecendo ano a ano, fica cada vez mais difícil encontrar as árvores para construir os ninhos. Quando descobri a subespécie, menos de dez mil haviam sobrado. Se continuar nesse ritmo, essas andorinhas vão estar extintas em até cinco anos. As árvores plantadas proporcionaram um habitat para algumas, e a população está crescendo de novo. Preciso plantar mais árvores e expandir este éden.

Evans deixou Ye e os outros olharem pelo telescópio. Com a ajuda dele, o grupo enfim viu alguns pássaros pretos minúsculos voando entre as árvores.

— Não são muito bonitos, não é? Claro, não são tão atraentes para o público quanto os pandas gigantes. Todos os dias, alguma espécie deste planeta que não chama a atenção dos seres humanos entra em extinção.

— Você plantou todas essas árvores sozinho?

— A maioria. No começo, contratei algumas pessoas daqui da região, mas o dinheiro acabou logo. Mudas e irrigação custam caro... mas querem saber? Meu pai é bilionário. Ele é presidente de uma multinacional do petróleo, mas não quer me bancar mais, e eu também não quero mais usar o dinheiro dele.

Depois que Evans se abriu, parecia que estava com vontade de desabafar.

— Quando eu tinha doze anos, um navio-petroleiro de trinta mil toneladas da empresa do meu pai encalhou na costa do Atlântico. Mais de vinte mil toneladas de petróleo bruto vazaram no mar. Na época, minha família estava em uma casa de férias na praia, não muito longe do lugar do acidente. Quando meu pai ficou sabendo da notícia, a primeira coisa que ele pensou foi em um jeito de evitar a responsabilidade e minimizar os danos para a empresa.

"Naquela tarde, eu fui para a praia condenada. O mar estava preto, e as ondas, debaixo da película espessa e viscosa de petróleo, eram pequenas e fracas. A areia também estava coberta com uma camada preta de petróleo bruto. Junto com alguns voluntários, fui à praia procurar pássaros ainda vivos. As aves estavam tentando se mexer no petróleo viscoso e pareciam estátuas pretas feitas de asfalto. A única indicação de que ainda estavam vivas eram os olhos. Aqueles olhos, me encarando no meio do petróleo, até hoje me perseguem nos meus sonhos. Enchemos aqueles pássaros de detergente para tentar tirar o petróleo grudado no corpo, mas era extremamente difícil: as penas estavam encharcadas de petróleo bruto e, se a gente esfregasse com força demais, saíam junto com o petróleo... À noite, a maioria dos pássaros tinha morrido. Eu estava sentado na praia preta, exausto e coberto de petróleo, olhando para o pôr do sol no mar escuro e sentindo que aquilo era o fim do mundo.

"Meu pai apareceu atrás de mim sem que eu percebesse. Ele perguntou se eu ainda me lembrava do pequeno esqueleto de dinossauro. Claro que eu lembrava: o esqueleto quase completo fora descoberto durante uma prospecção. Meu pai gastou uma fortuna para comprá-lo e o instalou no terreno da mansão de meu avô.

"E aí, meu pai disse: 'Mike, eu já falei como os dinossauros foram extintos. Um asteroide caiu na Terra. O mundo se transformou em um mar de fogo, e depois se seguiu um período longo de escuridão e frio... Um dia, você acordou no meio da noite por causa de um pesadelo, dizendo que tinha sonhado que estava naquela era terrível. Vou falar agora o que eu tive vontade de dizer naquele dia: você daria sorte se realmente tivesse vivido durante o período Cretáceo. O período em que vivemos hoje é muito mais assustador. Agora, tem espécies na Terra entrando em extinção muito mais rápido do que no fim do Cretáceo. Vivemos hoje a era das extinções em massa! Então, meu filho, o que você está vendo não é nada. Não passa de um episódio insignificante no meio de um processo muito mais vasto. Podemos viver sem aves marinhas, mas não podemos viver sem petróleo. Você consegue imaginar a vida sem petróleo? No seu último aniversário, dei aquela Ferrari linda para você e prometi que poderia dirigi-la assim que fizesse quinze anos. Mas, sem petróleo, ela seria só um monte de metal inútil, e você nunca dirigiria. Hoje, se você quiser visitar seu avô, pode chegar lá com meu jatinho particular e atravessar o oceano em umas doze horas. Mas, sem o petróleo, precisaria ficar boiando em um navio a vela por mais de um mês... Estas são as regras da civilização: a prioridade é garantir a existência da humanidade e a vida confortável. O resto é secundário'.

"Meu pai tinha muita fé em mim mas, no fim das contas, eu não saí do jeito que ele queria. Depois daquela noite, os olhos daquelas aves sufocadas me perseguiram por dias e determinaram o rumo da minha vida. Quando eu tinha treze anos, meu pai me perguntou o que eu queria ser quando crescesse. Falei que queria salvar vidas. Meu sonho não tinha nada de mais: eu só queria salvar alguma espécie ameaçada de extinção. Podia ser um pássaro não muito bonito, uma borboleta sem graça ou um besouro que ninguém sabia que existia. Mais tarde, estudei biologia e me especializei em aves e insetos. Na minha opinião, meu ideal é digno. Salvar uma espécie de pássaro ou inseto não difere em nada de salvar a humanidade. 'Todas as vidas são iguais' é o princípio básico do comunismo pan-espécies."

— O quê? — Ye achou que não tinha ouvido direito a última expressão.

— Comunismo pan-espécies. É uma ideologia que eu inventei. Ou talvez ela possa ser chamada de fé. A crença básica é de que todas as espécies da Terra foram criadas como iguais.

— Essa ideia não se sustenta. Nossas plantações também são espécies vivas. Para a sobrevivência dos seres humanos, esse tipo de igualdade é impossível.

— Os senhores de escravos também devem ter pensado a mesma coisa em relação aos escravos deles no passado. Só não esqueçam a tecnologia: vai chegar um dia em que a humanidade será capaz de fabricar comida. Nós deveríamos estabelecer as bases ideológicas e teóricas muito antes disso. Para dizer a verdade, o comunismo pan-espécies é a continuação natural da Declaração Universal dos Direitos Humanos. A Revolução Francesa foi há duzentos anos, e não avançamos nenhum passo depois dela. Por aí dá para ver a hipocrisia e o egoísmo da raça humana.

— Quanto tempo você pretende ficar aqui?

— Não sei. Estou preparado para dedicar a vida a esse trabalho. O sentimento é lindo. Claro que eu não espero que vocês entendam.

Evans pareceu perder o interesse. Falou que precisava voltar ao trabalho, então pegou uma pá, um serrote e saiu da cabana. Ao se despedir, lançou um olhar para Ye outra vez, como se tivesse visto algo estranho nela.

Na volta, um dos colegas de Ye recitou um trecho do ensaio "À memória de Norman Bethune":

— "Um homem de nobres sentimentos, um homem íntegro, de alta moral, destituído de interesses vulgares." — Ele suspirou. — Existem mesmo pessoas capazes de viver assim.

Outros também expressaram admiração e sentimentos contraditórios.

— Se houvesse mais homens como ele — disse Ye, como se estivesse falando sozinha —, ainda que só mais alguns, tudo teria sido diferente.

Obviamente, ninguém entendeu o que ela queria dizer.

O líder da força-tarefa mudou o assunto da conversa para trabalho.

— Acho que este local não vai servir. Nossos superiores não vão aprovar.

— Por que não? Dos quatro locais possíveis, é o que tem o melhor ambiente eletromagnético.

— E o ambiente humano? Camaradas, não olhem apenas pelo lado técnico. Vejam como este lugar é pobre. Quanto mais pobre for a cidade, mais ardiloso é o povo. Estão entendendo? Se o observatório ficasse aqui, haveria problemas entre os cientistas e os habitantes. Dá para imaginar os camponeses achando que o complexo de astronomia é um bife suculento e que podem vir tirar um pedaço.

O local acabou não sendo aprovado, e o motivo foi justamente o mencionado pelo líder da força-tarefa.

Ye passou três anos sem ouvir notícias de Evans.

Até que, em certo dia de primavera, recebeu um bilhete com uma única frase: "Venha para cá. Diga o que eu devo fazer".

Ye viajou por um dia e uma noite de trem e, depois, seguiu de ônibus durante muitas horas até chegar à cidadezinha no meio dos morros distantes do noroeste.

Ela avistou mais uma vez a floresta assim que subiu aquele pequeno outeiro. Como as árvores tinham crescido, a vegetação parecia muito mais densa, mas Ye percebeu que a floresta já havia sido maior. Partes mais novas que tinham crescido nos últimos anos já haviam sido cortadas.

O desmatamento corria a todo vapor. Árvores caíam por todos os lados. A floresta inteira parecia uma folha de amoreira que estava sendo devorada por bichos-da-seda. Naquele ritmo, não demoraria até desaparecer por completo. As pessoas que estavam desmatando eram de duas cidades próximas. Com machados e serrotes, derrubavam as árvores jovens uma a uma, antes de levá-las morro abaixo com tratores e carroças. Como eram muitos lenhadores, com frequência acontecia alguma briga entre o grupo.

A queda das árvores não fazia muito barulho, e não se ouvia o zumbido alto de motosserras, mas Ye ficou angustiada com aquela paisagem quase familiar.

O líder da equipe de produção, que tinha se tornado o chefe da cidade, a chamou. Ele havia reconhecido Ye. Quando ela perguntou por que eles estavam derrubando a floresta, o homem respondeu:

— Esta floresta não está protegida pela lei.

— Como não? O Código Florestal acabou de ser promulgado.

— Mas quem deu permissão para Bethune plantar árvores aqui? Um estrangeiro que vem aqui plantar árvores sem nenhuma aprovação não está protegido por nenhuma lei.

— Não dá para pensar assim. Ele estava plantando nos morros desertos e não usou nenhuma terra cultivável. Além do mais, quando ele começou, você não se opôs.

— É verdade. O distrito até deu um prêmio para ele por ter plantado as árvores. A ideia do pessoal da cidade era derrubar a floresta só daqui a alguns anos... é melhor engordar o porco antes do abate, né? Mas aquela gente da cidade de Nange não consegue esperar e, se minha cidade não viesse também, não ia sobrar nada para nós.

— Vocês precisam parar agora mesmo. Vou denunciar isso para o governo!

— Não precisa. — O chefe da cidade acendeu um cigarro e apontou para um caminhão distante, que estava sendo carregado com as árvores derrubadas. — Está vendo ali? Aquilo veio do vice-secretário do Gabinete Florestal do Distrito. E aqui também tem gente da polícia municipal. Esses sujeitos levaram mais árvores do que todo mundo! Já falei, essas árvores não têm nenhum status e não estão sujeitas a proteção. Você não vai encontrar ninguém que se importe. Além disso, camarada, você não é uma professora universitária? O que isso tem a ver com você?

A cabana de adobe parecia igual, mas Evans não estava lá. Ye o encontrou no meio da mata, podando cuidadosamente uma árvore com um machado. Como estava exausto, era óbvio que vinha fazendo aquilo havia algum tempo.

— Não quero saber se não adianta nada. Não posso parar. Se eu parar, vou desmoronar.

Evans cortou um galho torto com um gesto hábil.

— Vamos juntos ao governo distrital. Se eles não quiserem fazer nada, vamos ao governo da província. Alguém vai acabar impedindo isso. — Ye olhou para Evans com uma expressão preocupada.

Evans parou e encarou Ye, surpreso. A luz do pôr do sol vazou pelas árvores e fez os olhos dele brilharem.

— Ye, você acha mesmo que estou fazendo isso por causa da floresta? — Ele riu, balançou a cabeça e largou o machado. Sentou-se no chão e apoiou as costas em uma árvore. — Se eu quisesse impedir esses homens, seria simples. Acabei de voltar dos Estados Unidos. Meu pai morreu há dois meses, e eu herdei a maior parte da fortuna. Meu irmão e minha irmã só receberam cinco milhões cada. Foi uma grande surpresa para mim. Acho que, no fundo, ele ainda me respeitava. Ou talvez respeitasse meus ideais. Tirando o ativo imobilizado, sabe quanto dinheiro eu tenho à disposição? Mais ou menos quatro bilhões e meio de dólares. Seria fácil mandar todo mundo parar e plantar mais árvores. Eu poderia encher todos os morros de loesse com uma floresta de crescimento rápido a perder de vista. Mas de que adiantaria?

"Tudo o que você está vendo é resultado da pobreza. Certo, mas em que sentido os países ricos são melhores? Eles protegem o meio ambiente deles, mas transferem as indústrias extremamente poluidoras para outras nações mais pobres. Você deve saber que o governo americano acabou de rejeitar o Protocolo de Kyoto... A humanidade é toda igual. Enquanto a civilização continuar se desenvolvendo, as andorinhas que eu quero salvar e todas as outras vão entrar em extinção. É só uma questão de tempo."

Também sentada, Ye olhava em silêncio a luz do pôr do sol que atravessava as árvores e ouvia o barulho das motosserras. Seus pensamentos se voltaram para as florestas da cordilheira Grande Khingan, vinte anos antes, onde ela tivera uma conversa parecida com outro homem.

— Você sabe por que eu vim para cá? — continuou Evans. — A semente do comunismo pan-espécies já havia germinado fazia muito tempo no antigo Oriente.

— Você está falando do budismo?

— Sim. O cristianismo gira em torno do homem. Embora todas as espécies tenham sido levadas para a Arca de Noé, outras espécies nunca tiveram o mesmo status do ser humano. Mas o budismo trata de salvar tudo o que é vivo. Foi por isso que vim para o Oriente. Só que... agora está claro que o mundo todo é igual.

— Sim, é verdade. As pessoas são iguais no mundo inteiro.

— O que eu posso fazer? Qual é o propósito da minha vida? Tenho quatro bilhões e meio de dólares e uma multinacional do petróleo. Mas para que serve isso tudo? Os seres humanos já devem ter investido mais de quarenta e cinco bilhões de dólares para salvar espécies à beira da extinção. E provavelmente já gastaram mais de quatrocentos e cinquenta bilhões para impedir que o meio ambiente fosse degradado. Mas de que adianta? A civilização continua avançando e destruindo toda a vida da Terra. Com quatro bilhões e meio dá para construir um porta-aviões, mas, mesmo se construíssemos mil porta-aviões, seria impossível impedir a loucura da humanidade.

— Mike, era isso o que eu queria comentar. A civilização humana não tem mais capacidade de se aprimorar por conta própria.

— Existe algum poder externo à humanidade? Mesmo se Deus tivesse existido em algum momento, Ele já morreu há muito tempo.

— Sim, existem outros poderes.

O sol tinha se posto e os lenhadores haviam ido embora. Ye contou toda a história da Costa Vermelha e de Trissolaris. Evans ouviu sem falar nada, e parecia que os morros de loesse e a floresta escura estavam ouvindo também. Quando Ye terminou, uma lua luminosa brilhava no leste, lançando pontos de sombras no chão.

— Ainda não consigo acreditar no que você acabou de me falar — disse Evans. — É fantástico demais. Felizmente, tenho os recursos para confirmar isso. Se o que você me falou é verdade — ele estendeu a mão e disse as palavras que todos os futuros membros da OTT teriam que pronunciar ao se filiar —, sejamos camaradas.

28. SEGUNDA BASE COSTA VERMELHA

Passaram-se mais três anos, e Evans parecia ter sumido. Ye não sabia se ele estava mesmo em algum lugar do mundo tentando confirmar a história dela, e também não fazia ideia de como ele faria essa confirmação. Embora um espaço de quatro anos-luz não fosse quase nada, considerando a escala do universo, ainda assim era uma distância inconcebível para a fragilidade da vida. Os dois mundos eram como a nascente e a foz de um rio que atravessava o espaço sideral: qualquer relação entre as duas pontas seria extremamente atenuada.

Certo inverno, Ye foi convidada por uma universidade não muito proeminente na Europa Ocidental para passar um semestre como professora visitante. Assim que ela desembarcou em Heathrow para a entrevista, um rapaz veio recebê-la. Em vez de sair do aeroporto, eles voltaram para a pista de pouso, e o rapaz a conduziu até um helicóptero.

Quando o helicóptero subiu no céu nublado de Londres, Ye teve um déjà-vu e pareceu voltar no tempo. Muitos anos antes, quando ela viajou de helicóptero pela primeira vez, sua vida se transformou. Aonde o destino a levaria dessa vez?

— Estamos indo para a Segunda Base Costa Vermelha.

O helicóptero foi até o litoral e continuou avançando Atlântico adentro. Meia hora depois, pousou em um navio imenso no meio do mar. Assim que viu o navio, Ye pensou no pico do Radar. Só nesse momento ela se deu conta de que o formato do pico realmente lembrava um navio gigante. O Atlântico parecia a floresta da cordilheira Grande Khingan, mas o que mais a fazia pensar na Base Costa Vermelha era a imensa antena parabólica no meio do navio, erguida de um jeito que parecia uma vela redonda. O navio fora adaptado a partir de um petroleiro de sessenta mil toneladas, como se fosse uma ilha de aço flutuante. Evans havia construído a base em um navio — talvez para que sempre estivesse na melhor posição possível para transmissões e recepções, ou talvez para não ser detectada. Mais tarde, ela descobriu que o nome do navio era *Juízo Final*.

Ye saiu do helicóptero e ouviu um uivo familiar, o barulho da antena gigantesca cortando o vento sobre o oceano. O som a remeteu outra vez ao passado. O amplo convés embaixo da antena estava abarrotado, com cerca de duas mil pessoas.

Evans foi até ela e disse, com solenidade.

— Com a frequência e as coordenadas que você informou, recebemos uma mensagem de Trissolaris. Confirmamos tudo o que você me disse.

Ye assentiu calmamente com a cabeça.

— A grande Frota Trissolariana já zarpou. O destino é o nosso sistema solar, e eles chegarão daqui a quatrocentos e cinquenta anos.

Ye continuava calma. Nada mais a surpreendia.

Evans apontou para a multidão às suas costas.

— Você está olhando para os primeiros membros da Organização Terra--Trissolaris. Nosso ideal é pedir que a civilização trissolariana reforme a civilização humana, que reprima a loucura e o mal da humanidade, para que a Terra possa voltar a ser um mundo harmonioso, próspero, puro. Cada vez mais pessoas se identificam com nosso objetivo, e a organização está crescendo a passos largos. Temos membros no mundo inteiro.

— O que eu posso fazer? — perguntou Ye, com um tom delicado.

— Você será a comandante-chefe do Movimento Terra-Trissolaris. É esse o desejo de todos os combatentes da OTT.

Ye ficou em silêncio por mais alguns segundos. Depois, assentiu com um gesto lento da cabeça.

— Darei o melhor de mim.

Evans ergueu o punho e gritou para a multidão:

— Eliminar a tirania humana!

Em meio ao som das ondas no mar e do vento que urrava junto à antena, os combatentes da OTT gritaram em coro:

— O mundo pertence a Trissolaris!

Foi nesse dia que o Movimento Terra-Trissolaris começou oficialmente.

29. MOVIMENTO TERRA-TRISSOLARIS

O aspecto mais surpreendente do Movimento Terra-Trissolaris era a quantidade de pessoas que perderam a fé na civilização humana, que odiavam e estavam dispostas a trair a própria espécie, e até que adotavam como ideal máximo a extinção da raça humana, mesmo que sacrificando a própria vida e a dos filhos.

A OTT foi chamada de organização de nobres espirituais. A maioria dos membros pertencia a classes com alto nível de instrução, e muitos filiados faziam parte da elite política e financeira. A OTT tinha tentado atrair integrantes em meio à população comum, mas as iniciativas não deram certo. A OTT concluiu que as pessoas comuns não eram dotadas do mesmo nível de complexidade que as classes mais cultas para compreender o lado sombrio da humanidade. E, acima de tudo, como a ciência moderna e a filosofia não haviam influenciado tanto o modo de pensar dessas pessoas, elas ainda possuíam um senso de identificação instintivo extremamente forte em relação à própria espécie. Para o vulgo, era inconcebível trair a raça humana como um todo. No entanto, com as elites intelectuais, era diferente: a maioria já havia começado a pensar por uma perspectiva externa à humanidade. A civilização humana enfim havia gerado uma grande força de alienação.

Por mais impressionante que tenha sido a rapidez com que a OTT se desenvolveu, a quantidade de membros não era o único indicador da força da organização. Como a maior parte dos integrantes possuía um status social elevado, eles contavam com muito poder e influência.

Na condição de comandante-chefe dos rebeldes da OTT, Ye era apenas a líder espiritual. Ela não participava dos detalhes da operação da OTT, não sabia como a organização havia crescido tanto e não conhecia nem a quantidade exata de membros.

Para crescer rápido, a organização atuava de maneira semiaberta, mas os governos mundiais nunca deram muita atenção à OTT. A organização sabia que estaria protegida pelo conservadorismo e pela falta de imaginação dos governantes. Nos órgãos que detinham o poder do Estado, ninguém levava as proclamações da OTT a sério, e eles eram considerados só mais um grupo de extremistas bradando asneiras. Além disso, em virtude da posição social dos participantes, a organização sempre era tratada com muito cuidado. Quando enfim foi reconhecida como uma ameaça, os rebeldes já estavam espalhados por todos os lados. Foi só quando a OTT começou a preparar uma força paramilitar que alguns órgãos de segurança nacional passaram a prestar atenção e perceberam que a organização era muito estranha. Por conta disso, só haviam começado a atacar de fato a OTT nos últimos dois anos.

Nem todos os membros da OTT seguiam uma única visão. A organização tinha facções e divergências de opinião delicadas. De modo geral, havia duas facções.

O grupo dos adventistas era o ramo mais puro e fundamentalista da OTT, composto sobretudo de adeptos do comunismo pan-espécies de Evans. Eles haviam desistido completamente da humanidade. A esperança começou a acabar a partir das extinções em massa de diversas espécies causadas pela civilização moderna e, mais tarde, outros adventistas direcionaram seu ódio pela raça humana a outras questões, sem se limitar à ecologia ou à guerra. Alguns levaram o ódio a um nível filosófico muito abstrato. Ao contrário do que viriam a ser considerados no futuro, muitos deles eram realistas e também não alimentavam grandes esperanças na civilização alienígena a que serviam. A traição desse grupo se baseava apenas na desesperança e no ódio pela humanidade. Mike Evans inventou o lema dos adventistas: Não sabemos como é uma civilização extraterrestre, mas sabemos como é a humanidade.

Os redentistas só apareceram muito depois da fundação da OTT. Esse grupo tinha o perfil de uma organização religiosa, e os membros eram crentes da fé trissolariana.

Sem dúvida, uma civilização que não pertencesse à humanidade seria algo muito atraente para as classes mais cultas, e não demorou para elas desenvolverem muitas ideias fantasiosas sobre essa civilização. A raça humana era uma espécie ingênua, e uma civilização alienígena avançada exercia uma atração quase irresistível. Em uma analogia grosseira: a civilização humana era como uma pessoa jovem e inexperiente que, caminhando sozinha pelo deserto do universo, descobriu a existência de um possível par romântico. Embora a pessoa não pudesse ver o rosto ou o corpo desse possível par, a consciência de que havia outra pessoa em algum outro lugar distante criava belas fantasias sobre o possível parceiro, e essas fantasias se disseminavam como um incêndio descontrolado. Aos poucos, as fantasias sobre a civilização distante foram ficando mais e mais complexas, e os redentistas acabaram desenvolvendo um sentimento espiritual em relação aos trissolarianos. Alfa Centauro se tornou o monte Olimpo do espaço, a morada dos deuses; e assim surgiu a religião trissolariana — que não tinha absolutamente nada a ver com religiões de Trissolaris. Ao contrário de outras religiões humanas, os redentistas idolatravam algo que tinha existência concreta. E, ao contrário de outras religiões humanas, o Senhor é que enfrentava uma crise, e o ônus da salvação recaía sobre os ombros do crente.

A principal via de difusão da cultura trissolariana na sociedade era o jogo *Três Corpos*. A OTT investiu uma quantidade imensa de recursos para desenvolver esse software colossal. Eram dois os objetivos iniciais: pregar a religião trissolariana e estender os tentáculos das classes mais cultas da OTT para as camadas sociais inferiores, para recrutar membros mais jovens da classe média e das classes mais baixas.

O jogo explicava a cultura e a história de Trissolaris através de uma fachada que extraía elementos da história da Terra e da sociedade humana, facilitando a compreensão dos iniciantes. Quando o jogador tivesse avançado até certo nível e começado a admirar a civilização trissolariana, a OTT entrava em contato, examinava as inclinações do jogador e, por fim, recrutava aqueles que fossem aprovados para ingressar na organização. Mas *Três Corpos* não fez muito sucesso nem virou muito popular, porque o jogo exigia conhecimento prévio e raciocínio profundo, e a maioria dos jogadores jovens não tinha paciência nem capacidade para descobrir a verdade chocante por trás da superfície aparentemente comum. O jogo continuava atraindo sobretudo intelectuais.

Como a maior parte dos que se tornaram redentistas conheceu a civilização trissolariana com o *Três Corpos*, o jogo era considerado o berço desse grupo.

Embora os redentistas nutrissem um sentimento de espiritualidade em relação à civilização trissolariana, não eram tão extremos como os adventistas quanto à civilização humana. A meta definitiva dos integrantes era salvar o Senhor. Para que o Senhor pudesse continuar existindo, estavam dispostos a sacrificar o mundo humano até certo ponto. Mas a maioria acreditava que a solução ideal seria descobrir um jeito de permitir que o Senhor continuasse no sistema estelar de Trissolaris e não invadisse a Terra. Ingênuos, acreditavam que seria possível conquistar esse objetivo com a solução do problema dos três corpos, salvando assim tanto Trissolaris quanto a Terra. Na verdade, essa noção talvez não fosse tão ingênua. A própria civilização de Trissolaris havia pensado assim por muitas eras. A busca da solução para o problema dos três corpos era um tema que havia percorrido centenas de ciclos da civilização trissolariana. A maioria dos redentistas com algum conhecimento avançado de matemática e física tinha tentado estudar o problema dos três corpos e, mesmo esbarrando na formulação de um problema sem solução, não desistia, porque a busca pela solução do problema se tornara um ritual religioso da sua própria fé. Embora muitos físicos e matemáticos de primeira linha fizessem parte dos redentistas, os estudos na área nunca alcançaram um resultado significativo. Para isso, foi preciso que entrasse em cena alguém como Wei Cheng, um prodígio que não possuía nenhum vínculo com a OTT ou com a fé trissolariana: os redentistas depositaram muita esperança em sua descoberta ocasional.

Os adventistas e os redentistas viviam em conflito. Os adventistas acreditavam que os redentistas eram a maior ameaça à OTT, o que não era algo completamente despropositado: foi só graças a alguns redentistas com certa noção de responsabilidade que os governos mundiais aos poucos foram começando a entender a impressionante história dos rebeldes da OTT. As duas facções controlavam contingentes mais ou menos equivalentes na organização, e as forças paramilitares de cada campo haviam se desenvolvido a ponto de deflagrar uma guerra civil. Ye Wenjie exerceu sua autoridade e reputação para tentar estabelecer uma ponte entre os dois lados, mas os resultados nunca foram satisfatórios.

À medida que o movimento da OTT se desenvolvia, surgiu uma terceira facção: os sobreviventes. Após a confirmação da frota invasora alienígena, a vontade de sobreviver à guerra iminente se tornou um desejo perfeitamente natural. Claro, essa guerra só aconteceria dali a quatrocentos e cinquenta anos e não afetaria a existência dos seres humanos na atualidade, mas muitos tinham a esperança de que, se a humanidade *realmente* perdesse, pelo menos seus descendentes dali a quatro séculos e meio poderiam sobreviver. Não havia dúvida de que servir aos invasores trissolarianos seria de grande ajuda para isso. Na comparação com as outras duas facções, os sobreviventes tendiam a pertencer às camadas sociais inferiores, e a maioria era do Oriente, sobretudo da China. Embora ainda fossem poucos, a facção estava crescendo rapidamente. Conforme a cultura trissolariana se difundisse, os sobreviventes viriam a se tornar uma força que não podia ser ignorada.

Em escalas diversas, a alienação dos membros da OTT resultava dos defeitos da civilização humana propriamente dita, dos anseios e do fascínio por uma civilização mais avançada, e de um forte desejo de preservação dos descendentes na guerra definitiva. Essas três poderosas motivações impeliam o crescimento acelerado do movimento da OTT.

A essa altura, a civilização extraterrestre ainda estava nas profundezas do espaço, a mais de quatro anos-luz de distância, separada do mundo humano por uma longa jornada de quatro séculos e meio. A única coisa que eles haviam enviado à Terra era uma transmissão de rádio.

E, por ela, a teoria do "contato como símbolo" de Bill Mathers obteve uma confirmação perfeita e preocupante.

30. DOIS PRÓTONS

INVESTIGADOR: Agora vamos começar a investigação de hoje. Esperamos que a senhora volte a cooperar, assim como na outra vez.

YE WENJIE: Vocês já sabem tudo o que eu sei. Na verdade, agora tem muita coisa que eu gostaria de perguntar para vocês.

INVESTIGADOR: Acho que a senhora não contou tudo. Em primeiro lugar, gostaríamos de saber o seguinte: qual era o conteúdo das mensagens que Trissolaris enviou à Terra que foram interceptadas e retidas pelos adventistas?

YE: Não sei dizer. A facção deles é muito fechada. Só sei que eles não passaram todas as mensagens.

INVESTIGADOR: Mudando de assunto. Depois que os adventistas monopolizaram as comunicações com Trissolaris, a senhora construiu uma terceira Base Costa Vermelha?

YE: Era um plano meu. Mas só construímos um receptor, e aí a construção foi interrompida. O equipamento e a base foram desmontados.

INVESTIGADOR: Por quê?

YE: Porque não havia mais nenhuma mensagem de Alfa Centauro. Não havia nada em nenhuma frequência. Acho que vocês já confirmaram isso.

INVESTIGADOR: Já. Em outras palavras, pelo menos nos últimos quatro anos, Trissolaris decidiu interromper toda comunicação com a Terra, o que torna as mensagens interceptadas pelos adventistas ainda mais importantes.

YE: É verdade. Mas realmente não sei mais nada sobre isso.

INVESTIGADOR (*hesita por alguns segundos*): Então vamos passar para um assunto que a senhora conhece melhor. Mike Evans mentiu para a senhora, não foi?

YE: Dá para dizer que sim. Ele nunca me revelou seus anseios mais profundos, só sua noção de dever para com as outras espécies deste planeta. Eu não percebi que essa noção de dever havia exacerbado o ódio dele pela civilização humana a tal ponto que tivesse como objetivo final a destruição de toda a humanidade.

INVESTIGADOR: Vamos dar uma olhada na composição atual da OTT. Os adventistas querem destruir a humanidade com a ajuda de uma potência alienígena; os redentistas idolatram a civilização alienígena como se fosse uma divindade; os sobreviventes querem trair outros seres humanos para garantir a própria sobrevivência. Nada disso condiz com sua ideia original de usar a civilização alienígena para reformar a humanidade.

YE: Eu comecei o incêndio, mas não consegui controlar as chamas.

INVESTIGADOR: A senhora pretendia eliminar os adventistas da OTT e até começou a implementar o plano. Mas o *Juízo Final* é a base principal e o centro de comando dos adventistas, e Mike Evans e outros líderes da facção vivem lá. Por que vocês não atacam o navio de uma vez? Afinal, a maioria das forças paramilitares redentistas é leal à senhora, e vocês devem ter poder de fogo suficiente para afundar ou capturar o navio.

YE: Por causa das mensagens que eles interceptaram do Senhor. Essas mensagens estão armazenadas na Segunda Base Costa Vermelha, em algum computador a bordo do *Juízo Final*. Se atacássemos o navio, os adventistas apagariam todas as mensagens assim que percebessem a iminência da derrota. Como essas mensagens são importantes demais, não podemos correr o risco de perdê-las. Para os redentistas, perder essas mensagens seria o mesmo que os cristãos perderem a Bíblia ou os muçulmanos perderem o Alcorão. Acho que vocês estão com o mesmo problema. Os adventistas estão usando as mensagens do Senhor como um mecanismo de defesa, um verdadeiro refém, e é por isso que o *Juízo Final* ainda não foi atacado.

INVESTIGADOR: A senhora tem algum conselho para nos dar?

YE: Não.

INVESTIGADOR: A senhora também chama Trissolaris de "Senhor". Isso significa que, assim como os redentistas, a senhora também nutre um sentimento religioso por Trissolaris? A senhora se tornou seguidora da fé trissolariana?

YE: Nem um pouco. É só por costume... Eu não quero mais falar nisso.

INVESTIGADOR: Vamos voltar para aquelas mensagens interceptadas. Talvez a senhora não saiba o conteúdo exato, mas deve ter escutado boatos sobre alguns detalhes.

YE: Boatos que provavelmente não têm nenhum fundamento.

INVESTIGADOR: Como por exemplo?

YE: ...

INVESTIGADOR: A senhora acha que Trissolaris transferiu alguma tecnologia para os adventistas, uma tecnologia mais avançada do que o nível atual da humanidade?

YE: É improvável, porque essa tecnologia poderia cair na mão de vocês.

INVESTIGADOR: Só mais uma pergunta, e também a mais importante: até agora, Trissolaris enviou apenas ondas de rádio para a Terra?

YE: Isso é quase verdade.

INVESTIGADOR: Quase?

YE: A civilização trissolariana atual é capaz de viajar no espaço a um décimo da velocidade da luz. Esse salto tecnológico aconteceu há algumas décadas, se usarmos a escala de anos terrestres. Antes disso, a velocidade máxima que alcançavam girava em torno de um milésimo da velocidade da luz. As sondas minúsculas que eles enviaram para a Terra ainda não completaram nem um centésimo do percurso até aqui.

INVESTIGADOR: Então tenho uma pergunta. Se a Frota Trissolariana que foi lançada é capaz de viajar a um décimo da velocidade da luz, ela deve levar apenas quarenta anos para chegar ao sistema solar. Nesse caso, por que a senhora diz que eles vão levar mais de quatrocentos anos?

YE: A questão é que a Frota Interestelar Trissolariana é composta de naves espaciais incrivelmente imensas. A aceleração é um processo lento. Um décimo da velocidade da luz é só a velocidade máxima, mas eles não podem viajar a essa velocidade por muito tempo antes de desacelerar para chegar à Terra. Além do mais, a propulsão das naves trissolarianas é feita por aniquilação de matéria e antimatéria. Na frente de cada nave tem um grande campo magnético, em forma de funil, que coleta partículas de antimatéria do espaço. Como é um processo lento, só depois de muito tempo é que se reúne antimatéria suficiente para permitir que a nave seja acelerada por um período curto. Desse modo, a aceleração da frota acontece aos saltos, entremeados com longos intervalos de inércia para coletar combustível. É por isso que, para chegar ao sistema solar, a Frota Trissolariana vai levar dez vezes mais tempo do que uma sonda pequena.

INVESTIGADOR: Então o que a senhora quis dizer com "quase" agora há pouco?

YE: Estamos falando de velocidades de viagem espacial em determinado contexto. Fora desse contexto, até os atrasados seres humanos são capazes de acelerar objetos a velocidades próximas à da luz.

INVESTIGADOR (*uma pausa*): Por "contexto", a senhora se refere à escala macro? Na escala micro, os humanos já conseguem usar aceleradores de partículas de alta energia para impulsionar partículas subatômicas quase até a velocidade da luz. Essas partículas são os "objetos" a que a senhora se refere, correto?

YE: Você é muito inteligente.

INVESTIGADOR (*aponta para o ponto no ouvido*): Os maiores cientistas do mundo estão junto comigo.

YE: Sim, eu me referia às partículas subatômicas. Seis anos atrás, no distante sistema estelar de Trissolaris, os trissolarianos aceleraram dois núcleos de hidrogênio até quase a velocidade da luz e os dispararam para o sistema solar. Esses dois núcleos de hidrogênio, ou prótons, chegaram ao sistema solar há dois anos, e depois à Terra.

INVESTIGADOR: Dois prótons? Eles só mandaram dois prótons? Isso não é quase nada.

YE (*ri*): Você disse "quase". Esse é o limite do poder de Trissolaris. Eles só conseguem acelerar algo do tamanho de um próton até uma velocidade próxima à da luz. Então, a quatro anos-luz de distância daqui, eles só conseguem enviar dois prótons.

INVESTIGADOR: Em uma escala macroscópica, dois prótons não são nada. Até um cílio em uma bactéria contém bilhões de prótons. De que adianta esses dois prótons?

YE: São uma trava.

INVESTIGADOR: Uma trava? O que eles travam?

YE: Eles estão bloqueando o progresso da ciência humana. Graças à existência desses dois prótons, a humanidade será incapaz de produzir qualquer descoberta científica relevante nos próximos quatro séculos e meio, até a chegada da Frota Trissolariana. Certa vez, Evans disse que o dia da chegada desses dois prótons foi também o dia do fim da ciência humana.

INVESTIGADOR: Isso... é fantástico demais. Como é possível?

YE: Não sei. Realmente não sei. Pela perspectiva da civilização trissolariana, provavelmente somos apenas uns selvagens primitivos. Talvez sejamos meros insetos.

Já era quase meia-noite quando Wang Miao e Ding Yi saíram do Centro de Comando em Batalha. Graças à participação de Wang no caso e a ligação de Ding Yi com a filha de Ye, os dois haviam sido convidados a ouvir o interrogatório.

— Você acredita no que Ye Wenjie disse? — perguntou Wang.

— E você?

— É verdade que aconteceram muitas coisas incríveis ultimamente. Agora, dois prótons capazes de bloquear o progresso da ciência humana? Parece...

— Vamos nos concentrar em uma questão de cada vez. Os trissolarianos conseguiram disparar dois prótons na direção da Terra a quatro anos-luz de distância, e os dois acertaram o alvo! A precisão é incrível! Existem vários obstáculos no caminho até aqui. Poeira interestelar, só para citar um exemplo. Sem falar que tanto o sistema solar quanto a Terra estão em movimento. A precisão teria que ser maior do que se quiséssemos atirar daqui e acertar um mosquito em Plutão. É difícil imaginar um franco-atirador assim.

Wang sentiu um frio na barriga ao ouvir a palavra "franco-atirador".

— O que você acha que isso significa?

— Não sei. Como é que você acha que são as partículas subatômicas como nêutrons e prótons?

— Devem parecer um ponto, mas um ponto com uma estrutura interna.

— Por sorte, a imagem na minha cabeça é mais realista que a sua. — Ding jogou fora a guimba do cigarro enquanto falava. — O que você acha que aquilo é? — E apontou para a guimba.

— Um filtro de cigarro.

— Ótimo. Olhando para aquele negócio minúsculo de longe, como você descreveria?

— É praticamente um ponto.

— Certo. — Ding pegou de volta a guimba. Diante dos olhos de Wang, ele rasgou o envoltório e mostrou o material esponjoso no interior do filtro. Wang sentiu o cheiro de alcatrão queimado. Ding continuou: — Olhe, se você espalhar essa coisinha, a área da superfície adsorvente pode ser tão grande quanto uma sala de estar. — Ele jogou o filtro fora. — Você fuma cachimbo?

— Já não fumo mais nada.

— Cachimbos usam um tipo de filtro mais avançado. Dá para comprar um por três yuans. Tem mais ou menos o mesmo diâmetro dos filtros de cigarro, só que é mais comprido: um tubinho de papel cheio de carvão ativado. Se você tirar todo o carvão de dentro, ele parece um punhadinho de partículas pretas, como cocô de rato. Mas, considerando o total, a superfície adsorvente formada pelos buracos minúsculos no meio é tão grande quanto uma quadra de tênis. Por isso o carvão ativado é tão adsorvente.

— O que você está querendo dizer? — perguntou Wang, prestando muita atenção.

— A esponja ou o carvão ativado dentro de um filtro tem três dimensões. Só que a superfície adsorvente é bidimensional. Por isso, dá para ver que uma estrutura minúscula com muitas dimensões pode conter uma estrutura imensa com poucas dimensões. Mas, na escola macroscópica, esse é mais ou menos o limite da capacidade que um espaço com muitas dimensões tem de conter um espaço com poucas dimensões. Como Deus era mesquinho, na hora do Big Bang, Ele só deu ao mundo macroscópico três dimensões espaciais, mais a dimensão do tempo. Mas isso não significa que não existam dimensões superiores. Existem até sete dimensões a mais na escala micro ou, para ser mais exato, no universo quântico. E, somadas às quatro dimensões da escala macro, as partículas elementares existem em um espaço-tempo com onze dimensões.

— E daí?

— Só quero destacar o seguinte: no universo, um marco importante do avanço tecnológico de uma civilização é a capacidade de controlar e utilizar as dimensões da escala micro. Utilizar partículas elementares sem tirar proveito das dimensões da escala micro é algo que nossos ancestrais pelados e cabeludos já faziam quando acendiam uma lareira dentro da caverna. Controlar reações químicas é só um jeito de manipular micropartículas sem levar em conta as dimensões da escala micro. Claro, esse controle também progrediu do nível bruto para o avançado: fogueiras, motores a vapor e depois geradores. Agora, a capacidade dos seres humanos de manipular micropartículas em uma escala macro chegou a um limite: temos computadores e nanomateriais. Mas tudo isso é possível sem termos acesso às várias dimensões da escala micro. Pelo ponto de vista de uma civilização mais avançada no universo, em essência, fogueiras, computadores e nanomateriais não são diferentes. Todos fazem parte de um mesmo nível. É por isso também que eles ainda acham que os seres humanos são meros insetos. Infelizmente, acho que eles têm razão.

— Você poderia ser mais específico? O que isso tudo tem a ver com aqueles dois prótons? Afinal, o que os dois prótons que chegaram à Terra podem fazer? É como o investigador disse: um único cílio de uma bactéria pode conter bilhões de prótons. Mesmo se esses dois prótons se transformassem em energia pura na ponta do meu dedo, eu sentiria no máximo uma alfinetada.

— Você não sentiria nada. Provavelmente nem a bactéria sentiria nada se eles se transformassem em energia nela.

— Então o que você está tentando dizer?

— Nada. Não sei de nada. O que é que um inseto sabe?

— Mas você é um físico entre insetos. Sabe mais do que eu. Pelo menos não ficou completamente confuso quando soube desses prótons. Por favor, diga. Senão, não vou conseguir dormir hoje.

— Se eu disser mais, você realmente não vai conseguir dormir. Esqueça. De que adianta se preocupar? Nós deveríamos aprender a ter uma mentalidade filosófica como Wei Cheng e Shi Qiang. Fazer o melhor possível dentro do que está ao nosso alcance. Vamos beber e depois voltar para casa e dormir como bons insetos.

31. OPERAÇÃO GUZHENG

— Não se preocupe — disse Shi Qiang para Wang, sentando-se ao lado dele na mesa de reuniões. — Não estou mais radioativo. Nesses últimos dias fui lavado e revirado como um saco de farinha. Eles acharam que você não precisava comparecer a esta reunião, mas eu insisti. Hehe, aposto que nós dois vamos ser importantes agora.

Enquanto falava, Da Shi pegou uma ponta de charuto no cinzeiro, acendeu e deu uma longa tragada. Fez um gesto com a cabeça e, relaxado, soprou lentamente a fumaça no rosto das pessoas que estavam do outro lado da mesa. Uma delas era o dono do charuto, o coronel Stanton, do Corpo de Fuzileiros Navais dos Estados Unidos. Ele encarou Da Shi cheio de desprezo.

Havia muito mais oficiais militares estrangeiros naquela reunião do que na anterior, todos fardados. Pela primeira vez na história da humanidade, todas as Forças Armadas do mundo enfrentavam o mesmo inimigo.

— Camaradas — disse o general Chang —, todos nesta reunião têm o mesmo conhecimento básico da situação. Ou, como Da Shi aqui diria, temos paridade informacional. A guerra entre os invasores alienígenas e a humanidade já começou. Nossos descendentes só enfrentarão os trissolarianos daqui a quatro séculos e meio. Por enquanto, nossos oponentes ainda são humanos. Agora, em essência, esses traidores da raça humana também podem ser considerados inimigos que não fazem parte da nossa civilização. Nunca enfrentamos um inimigo assim. O próximo objetivo está muito claro: precisamos capturar as mensagens interceptadas de Trissolaris, que estão armazenadas no *Juízo Final*. Essas mensagens podem ter grande importância para a nossa sobrevivência.

"Ainda não demos nenhum passo capaz de levantar suspeitas na tripulação do *Juízo Final*. O navio continua navegando livremente pelo Atlântico e já enviou à Autoridade do canal do Panamá seus planos para usar o canal daqui a quatro dias. É uma excelente oportunidade para nós e, dependendo do desenrolar da situação, pode ser que nunca tenhamos outra. Neste instante, todos os Centros de Comando em Batalha do mundo estão preparando planos operacionais, e a Central vai selecionar um daqui a dez horas e iniciar a implementação. O propósito desta reunião é discutir possíveis planos de operação e transmitir à Central até três de nossas melhores sugestões. O tempo urge, e precisamos trabalhar com eficiência.

"Considerem que qualquer plano deve garantir uma coisa: a obtenção das mensagens trissolarianas. O *Juízo Final* foi adaptado a partir de um petroleiro antigo, e tanto a superestrutura quanto o interior passaram por amplas reformas para abrigar estruturas complexas, como cômodos e corredores novos. É possível que até a tripulação precise de mapas para chegar a partes pouco usadas. Nós, evidentemente, sabemos ainda menos da estrutura do navio. Neste instante, não sabemos nem da localização do centro de computação no *Juízo Final*, muito menos se as mensagens trissolarianas estão armazenadas em servidores no centro de computação ou quantas cópias existem. Só conseguiremos alcançar nosso objetivo se capturarmos e controlarmos completamente o *Juízo Final*.

"A parte mais difícil vai ser impedir que o inimigo apague os dados de Trissolaris durante nossa ofensiva, o que seria bem fácil para eles. O inimigo não usaria nenhum método convencional para apagar os dados durante o ataque, porque não é complicado recuperar informações com tecnologias conhecidas. Agora, se eles esvaziarem um cartucho de munição no disco rígido do servidor ou outra mídia de armazenamento, algo que só levaria uns dez segundos, será o fim para nós. Por isso precisamos incapacitar todos os inimigos que estiverem perto do equipamento até dez segundos após a operação ter sido detectada. Como não sabemos a localização exata dos dados nem a quantidade de cópias, precisamos eliminar todos os inimigos no *Juízo Final* em muito pouco tempo, antes que o alvo seja alertado. Paralelamente, não podemos causar danos excessivos às instalações internas, sobretudo aos computadores. Resumindo: é uma tarefa muito difícil e há quem considere impossível."

— Acreditamos que a única chance de sucesso seja a infiltração de espiões no *Juízo Final* — disse um oficial das Forças de Autodefesa do Japão. — Se eles descobrirem onde estão armazenadas as informações de Trissolaris, podem controlar o perímetro ou transferir os equipamentos para outro lugar pouco antes de nossa operação.

— A função de reconhecimento e monitoração do *Juízo Final* sempre foi responsabilidade da inteligência militar da Otan e da CIA — disse alguém. — Temos esses espiões?

— Não — respondeu o oficial da Otan.

— Então qualquer conversa aqui não passa de palhaçada — disse Da Shi.

As pessoas reagiram com olhares de irritação.

— Como o objetivo é eliminar todos os indivíduos dentro de uma estrutura fechada sem danificar os equipamentos — disse o coronel Stanton —, nossa primeira ideia foi usar uma arma de relâmpagos globulares.

Ding Yi balançou a cabeça.

— A existência desse tipo de arma já é de conhecimento geral. Não sabemos se o navio foi equipado com blindagem magnética, que daria proteção contra relâmpagos globulares. Mesmo se não tiver sido, uma arma dessas pode até matar todas as pessoas a bordo, mas não ao mesmo tempo. Além disso, depois que o relâmpago globular entrar no navio, pode flutuar no ar por algum tempo antes de liberar energia. Esse tempo de espera pode levar de doze segundos a até um minuto ou mais. Os tripulantes terão tempo de perceber o ataque e destruirão os dados.

— E uma bomba de nêutrons? — perguntou o coronel Stanton.

— Coronel, o senhor deveria saber que isso não vai funcionar — disse um oficial russo. — A radiação de uma bomba de nêutrons não mata na hora. Após um ataque com uma bomba de nêutrons, o inimigo terá bastante tempo para fazer uma reunião igual a esta nossa.

— Chegamos a cogitar gases neurotóxicos — disse um oficial da Otan. — Mas, como o lançamento e a dispersão pelo navio levariam tempo, também é um método que não atende aos requisitos do general Chang.

— Então as únicas opções que restam são bombas de concussão e ondas infrassônicas — disse o coronel Stanton. Os outros esperaram ele concluir o raciocínio, mas o coronel não falou mais nada.

— Eu uso bombas de concussão com a polícia — disse Da Shi —, mas elas são brinquedos. Até conseguem apagar pessoas dentro de um edifício, mas só são úteis em um ou dois cômodos. Vocês têm alguma bomba de concussão grande o bastante para atordoar um petroleiro todo cheio de gente?

Stanton balançou a cabeça.

— Não. Mesmo se tivéssemos, um explosivo desse tamanho com certeza danificaria os equipamentos dentro do navio.

— E armas infrassônicas? — perguntou alguém.

— Ainda estão em fase experimental e não podem ser usadas em situação de combate real. Além do mais, o navio é muito grande. Com o nível de potência dos protótipos experimentais existentes, o máximo que um ataque total ao *Juízo Final* faria é deixar as pessoas a bordo enjoadas e tontas.

— Rá! — Da Shi apagou o charuto, que tinha ficado do tamanho de um amendoim. — Eu avisei que qualquer conversa aqui não passava de palhaçada. Já estamos discutindo isso há algum tempo. Vamos lembrar o que o general disse: 'O tempo urge!'. — Ele lançou um sorrisinho para a intérprete, uma primeiro-tenente que não parecia muito feliz com o linguajar. — Não é fácil traduzir, né, camarada? Pode passar só a ideia geral.

Mas Stanton pareceu entender o que ele tinha falado. Apontou para Shi Qiang com um charuto novo, que havia acabado de pegar.

— Quem é que esse policial pensa que é para falar conosco desse jeito?

— Quem *você* pensa que é? — perguntou Da Shi.

— O coronel Stanton tem muita experiência com operações especiais — disse um oficial da Otan. — Ele participou de todas as grandes operações militares desde a Guerra do Vietnã.

— Então me deixem dizer quem eu sou. Há mais de trinta anos, meu grupo de reconhecimento conseguiu se infiltrar por dezenas de quilômetros de território vietcongue e capturar uma hidrelétrica muito vigiada. Impedimos o plano dos vietcongues de usar explosivos para demolir a barragem, que teria inundado a rota de ataque do nosso Exército. É isso o que *eu* sou. Derrotei um inimigo que já derrotou *vocês*.

— Já chega! — O general Chang bateu na mesa. — Não vamos ficar falando de questões irrelevantes. Se você tem um plano, diga qual é.

— Acho que não precisamos perder tempo com esse policial — disse o coronel Stanton, cheio de desprezo, acendendo o charuto.

Sem esperar a tradução, Da Shi se levantou de repente.

— *"Po-li-si-au"*... já ouvi essa palavra duas vezes. Qual é? Por acaso você despreza a polícia? Se querem falar de jogar umas bombas e arrebentar aquele navio todo, sim, vocês militares podem se considerar especialistas. Agora, se querem recuperar alguma coisa sem causar danos, vocês podem ter todas as estrelas do mundo nos ombros e nunca vão ser tão bons quanto um ladrão. Para esse tipo de coisa, vocês precisam de criatividade. CRI. A. TI. VI. DA. DE! Vocês nunca vão ser tão bons nisso quanto os bandidos, os mestres da criatividade.

"Sabem o quanto eles são bons? Uma vez lidei com um assalto em que os bandidos conseguiram roubar um vagão de um trem em movimento. Os caras religaram os vagões que estavam antes e depois daquele que eles queriam, e aí o trem chegou ao destino sem que ninguém percebesse nada. E eles só usaram um pedaço de cabo de aço e alguns ganchos. Esses são os verdadeiros mestres das operações especiais. E alguém como eu, um policial que brinca de gato e rato com esses especialistas há mais de uma década, aprendeu e treinou muito com eles."

— Fale logo qual é o seu plano — disse o general Chang. — Caso contrário, cale a boca!

— Tem tanta gente importante aqui que achei que eu não podia falar nada. E também fiquei com medo de que o senhor, general, dissesse que eu estava sendo grosseiro de novo.

— Você já é a própria definição de grosseria. Chega! Fale qual é esse seu plano criativo.

Da Shi pegou uma caneta e traçou duas curvas paralelas na mesa.

— Este é o canal. — Ele colocou o cinzeiro entre as duas linhas. — Este é o *Juízo Final*. — Depois, ele esticou o braço por cima da mesa e pegou o charuto recém-aceso da boca do coronel Stanton.

— Não aguento mais esse idiota! — berrou o coronel, de pé.

— Da Shi, saia daqui! — disse o general Chang.

— Só um minuto. Vou acabar logo. — Da Shi estendeu a mão para o coronel Stanton.

— O que você quer? — perguntou o coronel, confuso.

— Preciso de outro.

Stanton hesitou por um segundo, pegou mais um charuto de um belo estojo de madeira e entregou para Da Shi. Ele apoiou a ponta acesa do primeiro charuto na mesa e o apertou para deixá-lo em pé na margem do canal do Panamá que havia desenhado. Em seguida, achatou a ponta do outro charuto e o equilibrou no outro lado do canal.

— Montamos duas colunas nas margens do canal e, entre elas, estendemos vários filamentos finos e paralelos, a intervalos de cerca de meio metro. Os filamentos devem ser feitos do nanomaterial chamado lâmina voadora, criado pelo professor Wang. É um nome muito adequado para este caso.

Quando acabou de falar, Da Shi se levantou e esperou alguns segundos. Depois, levantou as mãos, disse "É isso" para uma plateia atordoada, deu as costas e saiu.

O ar parecia ter congelado. Todos os presentes ficaram imóveis como estátuas. Até o zumbido dos computadores ao redor parecia mais cheio de cautela.

Depois de muito tempo, alguém rompeu o silêncio, com timidez.

— Professor Wang, a "lâmina voadora" é mesmo um filamento?

Wang confirmou com a cabeça.

— Com a técnica de construção molecular disponível atualmente, só conseguimos produzir na forma de filamento. Ela tem cerca de um centésimo da espessura de um fio de cabelo humano... O policial Shi confirmou essa informação comigo antes da reunião.

— Você tem uma quantidade suficiente do material?

— Qual é a largura do canal? E a altura do navio?

— O ponto mais estreito do canal tem cento e cinquenta metros de largura. O *Juízo Final* tem trinta metros de altura, com um calado de cerca de oito metros.

Wang olhou para os charutos na mesa e fez algumas contas de cabeça.

— Acho que tenho o bastante.

Outro longo silêncio. Todo mundo estava tentando se recuperar do baque.

— E se o equipamento que estiver armazenando os dados de Trissolaris, como discos rígidos ou CDs, também forem cortados?

— Acho improvável.

— Mesmo se o material for cortado — disse um especialista em informática —, não tem problema. Os filamentos são extremamente afiados, e a superfície dos cortes será muito lisa. Considerando essa premissa, quer sejam discos rígidos, CDs ou circuitos integrados, poderíamos recuperar a maioria dos dados.

— Alguém tem uma ideia melhor? — Chang olhou para todo mundo em volta da mesa. Ninguém disse nada. — Muito bem. Então vamos nos concentrar nisso e definir os detalhes.

O coronel Stanton, que ficou esse tempo todo quieto, se levantou.

— Vou pedir para o policial Shi voltar.

O general Chang fez um gesto para que ele se sentasse de novo e gritou:

— Da Shi!

Da Shi voltou, sorrindo para todo mundo, e pegou os charutos de cima da mesa. O que tinha sido aceso ele colocou na boca e o outro foi para dentro do bolso.

— Quando o *Juízo Final* passar — perguntou alguém —, essas duas colunas vão aguentar a força aplicada contra os filamentos da lâmina voadora? Talvez as colunas sejam cortadas antes.

— Isso é fácil de resolver — disse Wang. — Temos uma pequena quantidade de material da lâmina voadora em forma de chapa. Podemos usá-la para reforçar as partes da coluna em que os filamentos estiverem amarrados.

Depois disso, a conversa ficou reservada sobretudo aos oficiais da Marinha e aos especialistas em navegação.

— O *Juízo Final* está no limite da tonelagem para poder passar pelo canal do Panamá. O calado é grande, então precisamos pensar em instalar filamentos abaixo da linha-d'água.

— Vai ser muito difícil. Se não houver tempo suficiente, acho que não deveríamos nos preocupar com isso, até porque as partes do navio que ficam abaixo da linha-d'água costumam ser usadas para os motores, o combustível e o lastro, o que gera uma quantidade muito grande de barulho, vibrações e interferência. Essas condições são ruins demais para centros de computação e outras instalações semelhantes. Agora, para as partes acima da água, uma rede de nanofilamentos mais densa vai render um resultado melhor.

— Então é melhor montar a armadilha em uma das eclusas ao longo do canal. O *Juízo Final* foi construído de acordo com as especificações da Panamax, o bastante para ocupar as eclusas de trinta e dois metros. Então só precisaríamos de filamentos de lâmina voadora com trinta e dois metros de comprimento. Assim também vai ser mais fácil instalar as colunas e passar os filamentos entre elas, em especial nas partes debaixo d'água.

— Não. A situação nas eclusas é imprevisível demais. Além disso, um navio dentro da eclusa precisa ser puxado para a frente por quatro "mulas", locomotivas elétricas em trilhos. Elas avançam devagar, e o período nas eclusas também vai ser um momento de alerta máximo da tripulação. É mais provável que uma tentativa de cortar o navio nessa hora seja descoberta.

— E a ponte das Américas, logo antes das eclusas de Miraflores? Os contrafortes nas duas extremidades da ponte podem servir de coluna para os filamentos.

— Não. A distância entre os contrafortes é grande demais. Não temos material suficiente de lâmina voadora.

— Então está decidido: a operação terá que ser feita no trecho mais estreito no passo Culebra, com cento e cinquenta metros de largura. Se incluirmos uma margem para as colunas... digamos que são cento e setenta metros.

— Se o plano é esse — disse Wang —, então a menor distância entre os filamentos vai ter que ser de cinquenta centímetros. Não tenho material suficiente para uma rede mais densa.

— Em outras palavras, precisamos garantir que o navio passe durante o dia — comentou Da Shi, soltando mais uma nuvem de fumaça.

— Por quê?

— À noite a tripulação vai estar dormindo, ou seja, todo mundo estará deitado. Cinquenta centímetros entre os filamentos é um espaço muito grande. Só que, durante o dia, mesmo se os tripulantes estiverem sentados ou agachados, a distância será suficiente.

Soaram algumas risadas. Com tanto estresse, as pessoas ali relaxaram um pouco diante do cheiro de sangue.

— Você é mesmo um demônio — disse uma representante da ONU para Da Shi.

— Algum inocente vai se machucar? — perguntou Wang, com a voz baixa.

— Quando os navios passam pelas eclusas — respondeu um oficial da Marinha —, mais de uma dúzia de amarradores sobem a bordo, mas todos descem depois que o navio sai. O prático do canal do Panamá terá que acompanhar o navio por todo o trajeto de oitenta e dois quilômetros, então ele precisará ser sacrificado.

— E parte da tripulação do *Juízo Final* talvez não saiba qual é o verdadeiro propósito do navio — disse um agente da CIA.

— Professor — disse o general Chang —, não se preocupe com isso. As informações que precisamos obter têm relação direta com a própria sobrevivência da humanidade. Não temos escolha.

Quando a reunião acabou, o coronel Stanton empurrou a bela caixa de charutos para Shi Qiang.

— Capitão, é o melhor que Havana tem a oferecer. Todos seus.

Quatro dias depois, passo Culebra, canal do Panamá

Para Wang, nem dava para dizer que aquele era outro país. Ele sabia que, não muito longe para o oeste, ficava o belo lago Gatún. No leste estavam a magnífica ponte das Américas e a Cidade do Panamá. Mas ele não tinha conseguido visitar nenhum dos três.

Wang havia chegado dois dias antes, em um voo direto da China ao Aeroporto Internacional Tocument, perto da Cidade do Panamá, e pegou um helicóptero até ali. A paisagem era muito comum: as obras de ampliação do canal fizeram com que a floresta tropical nas duas margens se escasseasse bastante, revelando grandes trechos de terra amarela. Wang achou que a cor tinha algo de familiar. O canal não parecia nada de mais, provavelmente porque era muito estreito naquele ponto, mas cem mil pessoas com enxadas haviam cavado aquela parte do canal no século anterior.

Wang e o coronel Stanton estavam sentados em espreguiçadeiras debaixo de um toldo no meio da margem. Com camisa colorida folgada e um chapéu-panamá caído ao lado do corpo, os dois pareciam turistas.

Em cada uma das margens do canal abaixo via-se uma coluna de aço de vinte e quatro metros deitada no chão paralelamente à água. Cinquenta filamentos ultrafortes, com cento e sessenta metros de comprimento, haviam sido estendidos entre as colunas. Na margem leste, os filamentos estavam ligados a cabos de aço comum, para que fosse possível descê-los até o fundo do canal com a ajuda de pesos e permitir que outros navios passassem em segurança. Por sorte, o tráfego do canal não era tão movimentado quanto Wang havia imaginado: em média, apenas quarenta navios grandes por dia.

O codinome da operação era "Guzheng", inspirado na semelhança entre aquela estrutura e a antiga cítara chinesa que tinha esse nome. Portanto, a rede de corte dos nanofilamentos foi chamada de "cítara".

O *Juízo Final* tinha entrado no passo Culebra havia uma hora, vindo do lago Gatún.

Stanton perguntou a Wang se ele já havia visitado o Panamá. Wang disse que não.

— Eu vim aqui em 1989 — disse o coronel.

— Por causa daquela guerra?

— Sim, aquela foi uma das guerras que não me marcou. Só me lembro de estar na frente da embaixada do Vaticano enquanto tocavam "Nowhere to Run", de Martha and the Vandellas, para Noriega, que estava entocado. Aquilo foi ideia minha, aliás.

No canal, um cruzeiro francês navegava lentamente. No convés de carpete verde, passageiros com roupas coloridas passeavam com tranquilidade.

— Relatório do Segundo Posto de Observação: não há mais nenhum navio na frente do alvo — grunhiu o rádio de Stanton.

O coronel deu a ordem:

— Erguer a cítara.

Apareceram vários homens com capacete de segurança nas duas margens, como se fossem membros de uma equipe de manutenção. Wang se levantou, mas o coronel o fez se sentar de novo.

— Professor, não se preocupe. Eles sabem o que fazem.

Wang viu os homens na margem leste içarem depressa os cabos de aço e prenderem os nanofilamentos estirados à coluna. Depois, lentamente, as duas colunas foram levantadas nas articulações mecânicas. Para disfarçar, as duas colunas foram decoradas com alguns sinais de navegação e indicadores de profundidade. Os homens trabalharam com calma, como se estivessem fazendo apenas o mesmo trabalho tedioso de sempre. Wang observou o espaço entre as colunas. Parecia não haver nada ali, mas a cítara mortal já estava posicionada.

— Alvo a quatro quilômetros da cítara — disse a voz no rádio.

Stanton deixou o rádio na espreguiçadeira e continuou a conversa com Wang.

— Quando vim ao Panamá pela segunda vez, em 1999, foi para a cerimônia de entrega do canal ao Panamá. Curiosamente, quando chegamos à sede, a bandeira americana já havia sumido. Dizem que o governo dos Estados Unidos tinha pedido para abaixarem a bandeira um dia antes para evitar o constrangimento de fazer isso na frente de uma multidão... Na época, eu achava que estava vendo a história acontecer. Mas agora tudo parece insignificante.

— Alvo a três quilômetros da cítara.

— Sim, insignificante — murmurou Wang. Ele não estava prestando nenhuma atenção em Stanton. O resto do mundo deixara de existir para ele. Seus olhos só viam o lugar onde o *Juízo Final* ia aparecer. O sol já havia parado de subir no Atlântico e começava a descer na direção do Pacífico. O canal brilhava com uma luminosidade dourada. A cítara mortal aguardava em silêncio ali perto. As duas colunas de aço eram escuras e não refletiam a luz do sol; pareciam ainda mais antigas que o canal no meio.

— Alvo a dois quilômetros da cítara.

Stanton parecia não ter escutado a voz no rádio.

— Depois que eu soube da frota alienígena vindo para a Terra, comecei a ter amnésia — continuou o coronel. — É muito estranho. Não consigo me lembrar de muitas coisas do passado. Não lembro os detalhes das guerras que vivi. Como eu disse, aquelas guerras todas parecem muito insignificantes. Depois de descobrir essa verdade, todo mundo se torna uma nova pessoa em termos espirituais e enxerga o mundo com outros olhos. Tenho pensado: digamos que dois mil anos atrás, quem sabe até antes, a humanidade tivesse descoberto que haveria uma frota alienígena invasora dali a alguns milhares de anos. Como será que a civilização humana seria hoje? Professor, você consegue imaginar?

— Ah, não... — respondeu Wang, distraído, com a cabeça em outro lugar.

— Alvo a um quilômetro e meio da cítara.

— Professor, acho que você vai ser o Gaillard desta nova era. Estamos esperando a construção de seu novo canal do Panamá. Sem dúvida, o elevador espacial é um canal: assim como o canal do Panamá liga dois oceanos, o elevador espacial ligará a Terra ao espaço.

Wang sabia que o coronel estava falando sem parar para ajudá-lo a suportar aquele momento difícil. Estava grato pela consideração, mas o falatório não ajudava.

— Alvo a um quilômetro da cítara.

O *Juízo Final* apareceu. Sob a luz do pôr do sol nas colinas a oeste, era uma silhueta escura sobre as ondas douradas do canal. O navio de sessenta mil toneladas era muito maior do que Wang havia imaginado. Foi como se outro morro tivesse sido inserido de repente no meio da paisagem. Wang sabia que o canal era capaz de comportar navios de até setenta mil toneladas, mas era estranho ver um navio daquele tamanho em uma passagem tão estreita. Com aquele volume todo, o canal parecia nem existir mais. O navio era como uma montanha que deslizasse pela terra sólida. Quando seus olhos se acostumaram à luz do sol, Wang percebeu que o casco do *Juízo Final* era totalmente preto, e a superestrutura, pintada toda de branco. A gigantesca antena não estava visível. Dava para ouvir o rugido dos motores do navio, bem como o barulho de agitação das ondas que eram geradas pelo deslocamento da proa redonda e batiam nas margens do canal.

À medida que a distância entre o *Juízo Final* e a cítara mortal diminuía, Wang foi sentindo o coração e a respiração dispararem. Ele tinha vontade de sair correndo, mas se sentia tão fraco que não conseguia mais controlar o próprio corpo. De repente, foi dominado por um ódio profundo por Shi Qiang. *Como é que aquele miserável pensou numa ideia dessas? Foi o que a representante da ONU disse, ele é um demônio!* Mas a sensação passou. Se Da Shi estivesse ali a seu lado, Wang provavelmente se sentiria melhor. O coronel Stanton havia convidado Shi Qiang, mas o general Chang não deu permissão porque disse que Da Shi não podia sair de onde estava. Wang sentiu a mão do coronel nas costas.

— Professor, tudo vai passar.

O *Juízo Final* já estava diante deles, atravessando a cítara mortal. Assim que a proa passou pelo espaço entre as duas colunas de aço, o espaço que parecia vazio, Wang ficou tenso. Mas não aconteceu nada. O casco imenso do navio continuou avançando lentamente pelas duas colunas de aço. Quando metade do navio já estava do outro lado, Wang começou a achar que os nanofilamentos entre as colunas nem existiam.

Mas um pequeno sinal logo desfez sua dúvida. Ele percebeu uma antena fina bem no alto da superestrutura quebrar na base e cair.

Pouco depois, outro sinal indicou a presença dos nanofilamentos, um sinal que quase deixou Wang em estado de choque. No vasto convés do *Juízo Final*, só havia um homem perto da popa, lavando com uma mangueira os cabeços do navio. De onde estava, Wang viu tudo com clareza. No momento em que aquela parte do navio passou entre as colunas, a mangueira se partiu em duas não muito longe do homem e a água vazou. O corpo do homem ficou duro, e a pistola da mangueira caiu de sua mão. Ele continuou em pé por alguns segundos e, depois, desabou. Quando atingiu o convés, o corpo se dividiu em duas metades. A parte de cima tentou se arrastar pela poça de sangue cada vez maior, mas ele precisava usar dois braços que tinham virado cotocos ensanguentados. As mãos tinham sido decepadas.

Depois que a popa do navio terminou de passar pelas colunas, o *Juízo Final* continuou avançando na mesma velocidade, e tudo parecia normal. Mas Wang ouviu o motor começar a soar com um rangido estranho que depois virou um barulho caótico. Era como se alguém tivesse jogado uma chave de boca no rotor de um motor grande — não, muitas, muitas chaves. Wang sabia que isso tinha acontecido porque as partes móveis do motor haviam sido cortadas. Após um estrondo agudo, um grande pedaço de metal atravessou o casco e abriu um buraco na lateral da popa do *Juízo Final*. Um componente quebrado saiu pelo buraco e caiu, levantando grande quantidade de água. O objeto caiu rápido, mas Wang reconheceu que era um pedaço do eixo de manivelas do motor.

Uma nuvem densa de fumaça saiu do buraco. O *Juízo Final*, que tinha vindo pela margem da direita, começou a virar, deixando um rastro fumegante. Logo depois, ele atravessou o canal e bateu na margem esquerda. Wang observou enquanto a proa gigantesca se deformou ao colidir no barranco, rasgando a margem como se fosse água e lançando montes de terra para todos os lados. Ao mesmo tempo, o *Juízo Final* começou a se desfazer em mais de quarenta fatias, cada uma com meio metro de espessura. As fatias mais perto do topo se deslocavam mais rápido que as da base, e o navio se espalhou como um baralho. À medida que as quarenta e poucas fatias deslizavam umas sobre as outras, o estrondo agudo parecia uma infinidade de unhas arranhando vidro.

Quando o barulho insuportável finalmente acabou, o *Juízo Final* estava espalhado na margem, e as fatias de cima tinham deslizado mais longe que as de baixo, como uma pilha de pratos na bandeja de um garçom desajeitado. As fatias pareciam suaves como tecido e logo se desmontaram em formas complexas que ninguém jamais diria que tinham feito parte de um navio.

Soldados saíram correndo pelo barranco até a margem. Wang ficou surpreso de ver a quantidade de homens escondidos. Uma frota de helicópteros, com o rugido dos rotores, veio pelo canal, cruzou a superfície agora coberta com uma camada iridescente de óleo, ficou pairando por cima dos destroços do *Juízo Final* e começou a despejar uma grande quantidade de espuma e pó anti-incêndio. Em pouco tempo, o incêndio foi controlado e, de outros três helicópteros, pessoas começaram a descer em cabos para dentro dos destroços.

O coronel Stanton já havia ido embora. Wang pegou o binóculo que ele havia deixado em cima do chapéu e, com as mãos trêmulas, observou o *Juízo Final*. A essa altura, os destroços já estavam quase cobertos de espuma e pó anti-incêndio, mas as extremidades de algumas das fatias continuavam visíveis. Wang reparou nas superfícies dos cortes, lisas como espelhos, refletindo com perfeição a luz flamejante do entardecer. Viu também uma mancha vermelha na superfície espelhada. Não sabia dizer se era sangue.

Três dias depois

INVESTIGADOR: A senhora compreende a civilização trissolariana?

YE WENJIE: Não. Só recebemos uma quantidade muito limitada de informação. Fora Mike Evans e os principais adventistas que interceptaram as mensagens, ninguém conhece em detalhes a civilização trissolariana.

INVESTIGADOR: Então por que vocês depositam tanta esperança, por que acham que essa civilização é capaz de transformar e aprimorar a sociedade humana?

YE: Se eles são capazes de atravessar a distância entre as estrelas para chegar ao nosso mundo, a ciência deve ter alcançado um nível muito avançado. Uma sociedade tão avançada cientificamente também deve ter conceitos morais superiores.

INVESTIGADOR: A senhora acha que essa sua conclusão é científica?

YE: ...

INVESTIGADOR: Vou supor o seguinte: seu pai foi extremamente influenciado pela crença de seu avô de que apenas a ciência poderia salvar a China. E a senhora foi extremamente influenciada por seu pai.

YE (*solta um leve suspiro*): Não sei.

INVESTIGADOR: Já recuperamos todas as mensagens de Trissolaris interceptadas pelos adventistas.

YE: Ah... o que aconteceu com Evans?

INVESTIGADOR: Ele morreu durante a operação realizada para capturar o *Juízo Final*. A posição do corpo dele nos indicou os computadores que continham cópias das mensagens trissolarianas. Felizmente, estavam todas criptografadas com a mesma codificação autointerpretativa usada pela Costa Vermelha.

YE: Havia muita informação?

INVESTIGADOR: Sim, cerca de vinte e oito gigabytes.

YE: Impossível. A comunicação interestelar é muito pouco eficiente. Como pode ter sido transmitida uma quantidade tão grande de dados?

INVESTIGADOR: Também achamos isso no início. Mas a realidade era completamente diferente do que tínhamos imaginado — por mais estranha e fantástica que fosse nossa imaginação. O que acha disto? Por favor, leia este trecho da análise preliminar dos dados obtidos. A senhora verá a verdadeira civilização trissolariana, em comparação com suas belas fantasias.

32. TRISSOLARIS: O OUVINTE

Os dados de Trissolaris não continham nenhuma descrição da aparência biológica dos trissolarianos. Como os seres humanos demorariam ainda mais de quatrocentos anos para ver trissolarianos de fato, Ye só conseguia imaginá-los com uma forma humanoide ao ler as mensagens. Ela preencheu as lacunas com a própria imaginação.

O Posto de Escuta 1379 já existia havia mais de mil anos. Trissolaris possuía milhares de postos semelhantes, todos destinados a detectar possíveis sinais de vida inteligente no universo.

A princípio, cada posto tinha abrigado centenas de ouvintes, mas, com a evolução da tecnologia, só um trissolariano permanecia de plantão. A carreira de ouvinte era humilde. Como esses trissolarianos viviam em postos de escuta preservados a uma temperatura constante, com sistemas de apoio que garantiam a sobrevivência sem a necessidade de desidratação durante Eras Caóticas, eles também precisavam passar a vida inteira no ambiente restrito dessas acomodações pequenas. As Eras Estáveis proporcionavam muito menos alegrias aos ouvintes do que aos outros trissolarianos.

O ouvinte no Posto 1379 olhou para o mundo de Trissolaris pela janelinha minúscula. Era uma noite de Era Caótica. A lua gigante ainda não havia nascido, e a maioria da população continuava em hibernação desidratada. Até as plantas haviam se desidratado por instinto e se transformado em maços inertes de fibra ressecada caídos no chão. Debaixo das estrelas, o solo parecia uma chapa gigante de metal frio.

Aquele período era o mais solitário de todos. Nas profundezas do silêncio da meia-noite, o universo se revelava como uma vasta desolação para quem estivesse ouvindo. O que o ouvinte do Posto 1379 menos gostava de fazer era ver as ondas que se arrastavam vagarosamente na tela, um registro visual do ruído sem significado que o posto de escuta captava do espaço. Para ele, essa onda interminável era uma imagem abstrata do universo: uma extremidade ligada ao passado infinito, a outra, ao futuro infinito, e no meio apenas os altos e baixos do puro acaso — sem vida, sem padrão, picos e vales em alturas diferentes como se fossem grãos irregulares de areia, a curva toda como se fosse um deserto unidimensional em que todos os grãos estão alinhados em uma única fileira, solitária, desolada, infinita a ponto de ser intolerável. Dava para acompanhá-la para um lado ou para o outro, mas seria impossível chegar ao fim.

Porém, nesse dia, o ouvinte viu algo estranho com a forma de onda na tela. Até especialistas tinham dificuldade para identificar a olho nu se uma onda possuía alguma informação. Mas o ouvinte estava tão acostumado com o ruído do universo que conseguiu perceber algo a mais na onda que se deslocava diante de seus olhos. O sobe e desce da curva fina parecia ter uma alma. Ele tinha certeza de que aquele sinal de rádio fora modulado por alguma inteligência.

O ouvinte correu até outro terminal e conferiu a classificação que o computador emitia para a reconhecibilidade do sinal: Vermelho 10. Antes, nenhum outro sinal de rádio recebido pelo posto de escuta alcançara uma classificação de reconhecibilidade superior a Azul 2. Uma classificação Vermelho significava que havia mais de noventa por cento de chance de a transmissão conter alguma informação inteligente. Uma classificação Vermelho 10 indicava que a transmissão recebida continha um sistema de codificação autointerpretativo! O computador de decodificação começou a trabalhar com potência total.

Ainda embalado pela empolgação e pela confusão vertiginosa, o ouvinte olhou para a onda na tela. As informações continuavam chegando do universo pela antena. Graças à codificação autointerpretativa, o computador pôde traduzir em tempo real, e a mensagem começou a aparecer imediatamente.

O ouvinte abriu o documento resultante e, pela primeira vez, um trissolariano leu uma mensagem enviada de outro mundo.

> Movidos pelas melhores intenções, desejamos estabelecer contato com outras sociedades civilizadas do universo. Desejamos trabalhar junto com vocês para desenvolver uma vida melhor neste vasto universo.

Durante as duas horas trissolarianas seguintes, o ouvinte leu sobre a existência da Terra, o fato de que o planeta só tinha um sol e permanecia sempre em uma Era Estável, e soube que a civilização humana havia nascido em um paraíso de clima eternamente ameno.

A transmissão do sistema solar acabou. O computador de decodificação continuava rodando sem resultado. O posto de escuta tinha voltado a ouvir apenas o ruído do universo.

Mas o ouvinte tinha certeza de que o que ele havia acabado de presenciar não tinha sido um sonho. E ele sabia que os milhares de postos de escuta espalhados por Trissolaris também haviam recebido aquela mensagem, esperada por eras pela civilização trissolariana. Duzentos ciclos de civilização haviam rastejado por um túnel escuro, e finalmente havia surgido um único raio de luz.

O ouvinte releu a mensagem da Terra. Sua imaginação passeou pelo oceano azul que nunca se congelava, por florestas e campos verdejantes, pela luz agradável do sol e pelas carícias de uma brisa fresca. *Que mundo lindo! O paraíso que nós imaginávamos existe de verdade!*

O entusiasmo e a empolgação se dissiparam, e restou apenas uma sensação de perda e desolação. Em meio à grande solidão do passado, mais de uma vez o ouvinte havia se perguntado: *Mesmo se um dia chegar alguma mensagem de uma civilização extratrissolariana, o que eu teria a ver com isso?* Sua própria vida solitária e humilde não mudaria em nada.

Mas pelo menos isso pode pertencer a mim em sonhos... E o ouvinte se entregou ao sono. No ambiente rigoroso do planeta, a população de Trissolaris havia desenvolvido a habilidade de dormir sempre que quisesse. Um trissolariano era capaz de adormecer em questão de segundos.

Mas o sonho não foi como ele queria. Verdade que apareceu a Terra azul, mas sendo bombardeada por uma frota interestelar enorme: os lindos continentes da Terra queimavam, o oceano azul profundo fervia e evaporava...

O ouvinte acordou do pesadelo e viu a lua gigante, que havia acabado de nascer e lançava um fiapo de luar frio pela janelinha. Ele olhou para o solo congelado do lado de fora e repensou sua própria vida de solidão. Já vivera por seiscentas mil horas trissolarianas. A expectativa de vida em Trissolaris variava entre setecentas e oitocentas mil horas. Claro que a maioria dos trissolarianos perdia a capacidade de ser produtiva muito antes disso. Nesses casos, eles eram desidratados à força, e as fibras ressecadas, incineradas. Trissolaris não tinha lugar para encostados.

Só que agora o ouvinte via outra perspectiva. Seria um erro dizer que o recebimento da mensagem extratrissolariana não mudaria sua vida em nada. Após a confirmação, Trissolaris sem dúvida reduziria a quantidade de postos de escuta, e o dele, ultrapassado, com certeza seria um dos desativados. Ele ficaria desempregado. O treinamento de um ouvinte é muito específico, limitando-se a apenas algumas operações de rotina e atividades de manutenção. Seria muito difícil encontrar outro trabalho. E, se não conseguisse arranjar outro emprego em até cinco mil horas trissolarianas, seria desidratado à força e incinerado.

A única maneira de evitar esse destino seria se unir a um membro do sexo oposto. Quando isso acontecia, o material orgânico do corpo deles se fundia em um só. Dois terços desse material se tornariam combustível para alimentar a reação bioquímica que renovaria completamente as células do terço restante, criando um corpo novo. Depois, esse corpo se dividiria em três a cinco novas vidas pequenas: os filhos do casal. Eles herdariam parte da memória dos pais, continuariam a própria existência e recomeçariam o ciclo da vida. Mas, considerando a situação do ouvinte, seu status social baixo, o ambiente de trabalho solitário e apertado e a idade avançada, que membro do sexo oposto se interessaria por ele?

Nos últimos anos, o ouvinte havia se perguntado um milhão de vezes: *Será que minha vida é só isso?* E milhões de vezes ele respondera: *Sim, é só isso. A única coisa que você tem na vida é a solidão infinita neste posto de escuta minúsculo.*

Ele não podia perder aquele paraíso, mesmo se fosse apenas uma ilusão.

O ouvinte sabia que, na escala do universo, devido à falta de uma linha de base longa o bastante, era impossível determinar a *distância* de uma fonte de transmissão de rádio em baixa frequência vinda do espaço. Só a direção. A fonte podia ser de grande potência, mas muito longe, ou de baixa potência, mas próxima. Havia bilhões de estrelas naquela direção, e cada uma brilhava em meio a um mar de estrelas situadas a distâncias variadas. Sem saber a distância da fonte, era impossível determinar as coordenadas exatas.

Distância, o segredo era a distância.

Realmente, havia uma forma fácil de determinar a distância da fonte da transmissão: era só responder à mensagem e, se a outra parte desse um retorno imediato, os trissolarianos poderiam determinar a distância com base na velocidade da luz e no tempo em que o sinal levou para ir e voltar. Ou talvez eles demorassem muito para responder, e assim os trissolarianos não teriam como determinar quanto tempo a mensagem levou para chegar.

Mas a questão era: a outra parte responderia? Como aquela fonte havia tomado a iniciativa de enviar uma mensagem para o universo, era muito provável que *respondesse* ao receber um contato de Trissolaris. E o ouvinte tinha certeza de que o governo de Trissolaris já teria dado ordens de que fosse enviada uma mensagem para incentivar uma resposta daquele mundo distante. Talvez essa mensagem já tivesse sido enviada, talvez não. E, nessa última hipótese, o ouvinte estava diante de uma oportunidade única de trazer brilho para sua vida humilde.

Ele correu para a tela de operações, elaborou uma mensagem curta e simples no computador e fez o aparelho traduzi-la para a mesma língua da mensagem recebida da Terra. Depois, apontou a antena do posto de escuta na direção de onde a mensagem tinha vindo.

O botão TRANSMITIR era um retângulo vermelho comprido. O ouvinte deixou a mão pairando acima do botão.

O destino da civilização trissolariana inteira dependia daqueles dedos finos.

Sem hesitar, o ouvinte apertou o botão. Uma onda de rádio de alta potência transportou uma mensagem curta para as profundezas do espaço, uma mensagem que poderia salvar a outra civilização.

Não responda!
Não responda!!
Não responda!!!

Não se sabe ao certo como era a residência oficial do príncipe de Trissolaris, mas sem dúvida ele vivia cercado de paredes grossas para se proteger do clima extremo no lado de fora. A pirâmide do jogo *Três Corpos* era uma hipótese da representação e da localização, bem fundo no subterrâneo, dessa residência.

Cinco horas trissolarianas antes, o príncipe recebeu o informe da comunicação extratrissolariana. Duas horas trissolarianas antes, recebeu outro informe: o Posto de Escuta 1379 havia enviado uma mensagem de alerta na direção da transmissão.

Ele não deu pulos de alegria com o primeiro informe nem mergulhou em depressão com o segundo. Não estava com raiva ou ressentimento. Todas essas emoções — e outras, como medo, tristeza, felicidade e admiração do belo — eram coisas que a civilização trissolariana se esforçava para evitar e eliminar. Essas emoções enfraqueciam espiritualmente o indivíduo e a sociedade e não contribuíam para a sobrevivência nas condições extremas daquele mundo. Os trissolarianos precisavam de dois estados mentais: calma e indiferença. A história dos últimos duzentos e tantos ciclos comprovava que as civilizações centradas nesses dois estados de espírito eram as mais capazes de sobreviver.

— Por que você fez isso? — perguntou o príncipe ao ouvinte do Posto 1379.

— Para não ter vivido em vão — respondeu o ouvinte, tranquilo.

— O alerta que você enviou pode ter custado a chance de sobrevivência da civilização trissolariana.

— Mas deu uma chance à civilização da Terra. Príncipe, o desejo de Trissolaris de possuir espaço para viver é como o desejo de um homem faminto que não come há muito tempo, e também é quase ilimitado. Não podemos dividir a Terra com o povo daquele mundo. A única alternativa seria destruir a civilização terrestre e assumir completamente aquele sistema solar... Acertei?

— Sim. Mas existe outro motivo para destruir a civilização da Terra. Ela também é uma raça guerreira. Muito perigosa. Se tentássemos conviver no mesmo planeta, eles logo aprenderiam nossa tecnologia. Nessas condições, nenhuma das civilizações poderia prosperar. Quero fazer uma pergunta: você gostaria de ser o salvador da Terra, mas não sente nenhuma responsabilidade para com sua própria raça?

— Estou cansado de Trissolaris. Nossa vida e nossa natureza se limitam à luta pela sobrevivência. Nada além disso.

— E qual é o problema?

— Claro que não tem problema nenhum. A existência é a premissa para tudo o mais. Mas, príncipe, por favor, examine nossas vidas: tudo é destinado à sobrevivência. Para que a civilização como um todo possa sobreviver, não há quase respeito algum pelo indivíduo. Pessoas incapazes de trabalhar são sacrificadas. A sociedade trissolariana existe em um estado de autoritarismo extremo. A lei só permite duas possibilidades: os culpados são sacrificados, e os inocentes são libertados. Para mim, os aspectos mais intoleráveis são a monotonia e a escassez espirituais. Qualquer coisa que possa levar à fragilidade espiritual é considerada nociva. Não possuímos literatura nem arte, nenhuma busca por beleza e prazer. Não podemos nem falar de amor... Príncipe, existe algum sentido em uma vida assim?

— O tipo de civilização que você deseja já existiu em Trissolaris. Havia sociedades democráticas e livres, que deixaram vastos legados culturais. Você não sabe quase nada a respeito delas. A maioria dos detalhes foi classificada como confidencial e escondida do público. De qualquer maneira, de todos os ciclos da civilização trissolariana, aquele foi o mais fraco e breve. Um desastre de pequenas proporções em uma Era Caótica bastou para que tudo fosse extinto. Dê mais uma olhada na civilização terrestre que você deseja salvar. Uma sociedade nascida e criada na primavera eterna de uma linda estufa, mas que nem sequer seria capaz de sobreviver um milhão de horas trissolarianas se fosse transplantada para cá.

— Essa flor pode ser delicada, mas tem um esplendor sem igual: possui liberdade e beleza na tranquilidade do paraíso.

— Se a civilização trissolariana tomar posse desse mundo, também poderemos criar modos de vida assim para nós.

— Não sei, príncipe. O espírito metálico de Trissolaris se infiltrou em cada célula nossa e cristalizou. O senhor acredita mesmo que será possível derretê-lo de novo? Sou um homem comum que vive na camada mais baixa da sociedade. Ninguém presta atenção em mim. Passo a vida sozinho, sem dinheiro, sem status, sem amor, sem esperança. Se eu puder salvar um mundo lindo e distante pelo qual me apaixonei, então minha vida não terá sido em vão. É claro, príncipe, que agindo assim tive a chance de ver o senhor. Se não tivesse tomado essa decisão, um homem como eu só poderia admirá-lo pela tv. Então, gostaria de dizer que estou honrado.

— Você é culpado sem sombra de dúvida. É o maior criminoso entre todos os ciclos da civilização trissolariana. Mas dessa vez abriremos uma exceção na lei de Trissolaris: você pode ir embora.

— Por quê?

— Para você, a desidratação seguida de incineração não chega nem perto de um castigo adequado. Você é velho e não viverá para ver com os próprios olhos a destruição final da civilização terrestre. Mas pelo menos farei com que você saiba que foi incapaz de salvá-la. Quero que você viva até o dia em que não haja mais nenhuma esperança para os habitantes da Terra. Muito bem. Pode ir.

Depois de dispensar o ouvinte do Posto 1379, o príncipe chamou o cônsul responsável pelo sistema de monitoramento. O príncipe também evitou se irritar com ele e lidou com a questão como se fosse rotina.

— Como você pôde permitir que alguém tão fraco e maligno entrasse no sistema de monitoramento?

— Príncipe, o sistema emprega centenas de milhares de trissolarianos. É muito difícil avaliar com rigor todos os candidatos. No fim das contas, esse ouvinte conseguiu cumprir suas obrigações no Posto de Escuta 1379 sem erro durante a maior parte da vida. Agora, é claro que sou responsável por esse erro gravíssimo.

— Quantos outros também têm responsabilidade por essa falha no Sistema de Monitoramento Espacial de Trissolaris?

— Minha investigação preliminar indica que são seis mil trissolarianos, distribuídos por todos os escalões.

— São todos culpados.

— Sim.

— Desidrate os seis mil e queime todos juntos na praça, no meio da capital. Você pode ser o graveto que vai acender a fogueira.

— Obrigado, príncipe. Isso pelo menos vai tranquilizar um pouco nossa consciência.

— Antes de aplicar o castigo, quero perguntar: até onde aquela mensagem de alerta pode viajar?

— O Posto de Escuta 1379 é uma unidade pequena sem alta potência de transmissão. O alcance máximo deve ser de doze milhões de horas-luz, cerca de mil e duzentos anos-luz.

— Isso é bastante longe. Tem alguma sugestão sobre o que a civilização de Trissolaris deve fazer agora?

— Que tal transmitir uma mensagem cuidadosamente preparada para encorajar aquele mundo a responder?

— Não. Isso pode piorar a situação. Pelo menos a mensagem de alerta era muito curta. Esperemos que ignorem ou interpretem mal o conteúdo... Muito bem. Pode ir.

Quando o cônsul saiu, o príncipe convocou o comandante da Frota Trissolariana.

— Quanto tempo até concluir os preparativos para a primeira onda da frota?

— Príncipe, a frota ainda se encontra na última fase da construção. Precisamos de pelo menos mais sessenta mil horas para que as naves possam navegar no espaço.

— Em breve submeterei meu plano à aprovação da Sessão Consular Conjunta. Quando a construção for concluída, a frota deverá rumar para aquela direção imediatamente.

— Príncipe, levando em conta a frequência da transmissão, não é possível determinar com muita precisão nem a direção da fonte. A frota só é capaz de viajar a um centésimo da velocidade da luz. Além disso, só tem reserva de energia suficiente para desacelerar uma vez, de modo que é impossível realizar uma busca ampla naquela direção. Se a distância até o alvo for imprecisa, a frota acabará caindo no abismo do espaço.

— Mas olhe para os três sóis ao nosso redor. A qualquer momento, a camada externa de plasma de um deles pode começar a se expandir e engolir o último planeta, nosso mundo. Não temos escolha. Precisamos fazer essa aposta.

33. TRISSOLARIS: SÓFON

Oitenta e cinco mil horas trissolarianas (cerca de 8,6 anos terrestres) depois

O príncipe havia convocado uma reunião de emergência com todos os cônsules de Trissolaris. Como isso era muito incomum, devia ter acontecido algo importante.

A Frota Trissolariana fora lançada vinte mil horas antes. As naves sabiam a direção aproximada do alvo, mas não a distância. Era possível que o alvo estivesse a milhões de anos-luz de distância ou até mesmo do outro lado da galáxia. Diante de um oceano infinito de estrelas, a expedição não tinha muitas expectativas.

A reunião dos cônsules aconteceu sob o Monumento do Pêndulo. (Quando Wang Miao leu sobre esse episódio, não conseguiu deixar de pensar na sessão na sede da ONU no *Três Corpos*. Na realidade, o Monumento do Pêndulo era um dos poucos objetos do jogo que existia de verdade em Trissolaris.)

O lugar escolhido pelo príncipe para a reunião intrigou a maioria dos participantes. A Era Caótica ainda não havia terminado, e um sol pequeno acabava de nascer no horizonte, embora pudesse se pôr a qualquer momento. Fazia frio, e todos os trissolarianos foram obrigados a usar trajes de aquecimento elétrico por todo o corpo. O movimento do pêndulo metálico colossal era magnífico e agitava o ar gélido. O sol pequeno produzia uma sombra comprida no chão, como se um gigante da altura do céu estivesse caminhando. Diante dos olhos atentos da multidão, o príncipe subiu à base do pêndulo e apertou um botão vermelho.

Depois, virou-se para os cônsules e disse:

— Acabei de desligar a energia do pêndulo. Ele vai parar aos poucos pela resistência do ar.

— Mas por quê, príncipe? — perguntou um cônsul.

— Todos compreendemos a importância histórica do pêndulo. Ele foi criado para hipnotizar Deus. Mas agora sabemos que, para a civilização de Trissolaris, é melhor que Deus esteja acordado, porque Ele nos abençoou.

Ninguém falou nada. Todo mundo refletia sobre o significado das palavras do príncipe. O pêndulo oscilou mais três vezes.

— A Terra respondeu? — perguntou alguém.

O príncipe assentiu com a cabeça.

— Sim. Recebi a informação há meia hora. Foi uma resposta ao alerta enviado.

— Tão rápido! Só se passaram oitenta mil horas depois daquilo, o que significa... o que significa...

— Significa que a Terra fica a apenas quarenta mil horas-luz daqui.

— Não é a estrela mais próxima de nós?

— Sim. Foi por isso que disse que Deus abençoou nossa civilização.

Os cônsules ficaram em êxtase, mas não conseguiram expressar tal sentimento. O grupo parecia um vulcão prestes a explodir. Como o príncipe sabia que seria perigoso permitir que essas emoções viessem à tona, jogou um balde de água fria neles.

— Já passei a ordem para que a Frota Trissolariana se dirija para essa estrela. Mas a situação não é tão boa quanto vocês imaginam. Considerando o que já sabemos, neste momento a frota está se dirigindo para a morte certa.

Os cônsules se acalmaram.

— Alguém compreende minha conclusão?

— Sim — disse o cônsul científico. — Todos nós estudamos com cuidado as primeiras mensagens da Terra. A parte mais digna de atenção se refere à história dessa civilização. Vamos aos fatos: os seres humanos levaram mais de cem mil anos terrestres para evoluir da Era de Caça e Coleta para a Era Agrícola. Para ir da Era Agrícola para a Industrial, levaram alguns milhares de anos. Agora, para ir da Era Industrial para a Atômica, só levaram duzentos anos terrestres. Depois, em apenas algumas décadas terrestres, entraram na Era da Informação. Essa civilização possui uma capacidade assustadora de acelerar o próprio progresso.

"Em Trissolaris, em mais de duzentas civilizações, incluindo a atual, nenhuma jamais apresentou um desenvolvimento acelerado desses. O progresso da ciência e da tecnologia em todas as civilizações trissolarianas sempre seguiu um ritmo constante ou de desaceleração. Em nosso mundo, cada era tecnológica exige aproximadamente o mesmo período para um desenvolvimento lento e constante."

O príncipe assentiu.

— Daqui a quatro milhões e quinhentas mil horas, quando a Frota Trissolariana tiver chegado à Terra, o nível tecnológico daquela civilização terá superado em muito o nosso, em virtude desse desenvolvimento acelerado. Esse é o fato. A jornada da Frota Trissolariana é longa e árdua, e a frota precisará passar por dois cinturões de poeira interestelar. É muito provável que apenas metade das naves chegue ao sistema solar da Terra, e as outras perecerão no caminho. E aí, a Frota

Trissolariana estará à mercê de uma civilização terrestre muito mais poderosa. Isso não é uma expedição, e sim um cortejo fúnebre!

— Mas, príncipe, se isso for verdade, as consequências são ainda mais assustadoras... — disse o cônsul militar.

— Sim. É fácil de imaginar. A localização de Trissolaris foi revelada. A fim de eliminar ameaças futuras, uma frota interestelar da Terra lançará um contra-ataque. É muito possível que, bem antes de nosso planeta ser engolido por uma expansão solar, a civilização trissolariana já tenha sido extinta pelos humanos.

De repente, o futuro luminoso se transformou em uma sina terrivelmente sombria. Os presentes se calaram.

— O que devemos fazer agora — disse o príncipe — é conter o avanço da ciência na Terra. Felizmente, assim que recebemos as primeiras mensagens, começamos a planejar isso. Agora, descobrimos uma condição favorável para colocar esses planos em ação. A resposta que acabamos de receber foi enviada por uma traidora da Terra. Por isso, temos motivos para acreditar que existem muitas forças alienadas em meio à civilização terrestre e devemos explorar ao máximo essa oportunidade.

— Príncipe, isso não é muito fácil. Nossos meios de comunicação com a Terra são ínfimos. Leva mais de oitenta mil horas para uma troca de mensagens.

— Mas lembrem que, assim como aconteceu conosco, o conhecimento de que existem civilizações extraterrestres provocará um choque em toda a sociedade terrestre e deixará marcas profundas. Temos motivos para acreditar que as forças alienadas na civilização terrestre vão se unir e crescer.

— O que elas podem fazer? Sabotagem?

— Considerando o intervalo de quarenta mil horas, qualquer tática tradicional de guerra ou de terrorismo tem valor estratégico irrisório, e eles podem se recuperar. Para conter mesmo o desenvolvimento da civilização e desarmá-la por muito tempo, só há um jeito: matar a ciência na Terra.

— O plano é enfatizar os efeitos ambientais negativos do desenvolvimento científico e demonstrar indícios de um poder sobrenatural para a população da Terra — disse o cônsul científico. — Além de destacar os efeitos negativos do progresso, também tentaremos usar uma série de "milagres" para produzir um universo ilusório que não possa ser explicado pela lógica da ciência. Quando essas ilusões perdurarem por algum tempo, existe uma possibilidade de que a civilização trissolariana passe a ser alvo de adoração religiosa por lá. Assim, a mentalidade contrária à ciência vai dominar o pensamento dos intelectuais da Terra, levando ao colapso de todo o sistema de pensamento científico.

— Como podemos criar esses milagres?

— Para um milagre dar certo, ele não pode ser desvendado. Esse é o segredo. Isso pode exigir o envio de algumas tecnologias trissolarianas muito superiores ao nível atual da humanidade para as forças alienadas da Terra.

— Isso é muito arriscado! Como saber onde essas tecnologias vão acabar parando? É brincar com o perigo.

— Claro, ainda é preciso uma análise melhor e mais específica de quais tecnologias serão transferidas para a produção dos milagres...

— Por favor, espere um pouco, cônsul científico — disse o cônsul militar, levantando-se. — Príncipe, sou da opinião de que esse plano será quase inútil para impedir o progresso da ciência humana.

— Mas é melhor do que nada — defendeu o cônsul científico.

— Não muito — respondeu o cônsul militar, com desdém.

— Concordo com seu ponto de vista — disse o príncipe. — Esse plano causará apenas uma ligeira interferência no desenvolvimento científico da humanidade. Precisamos de um fator decisivo que sufoque completamente a ciência na Terra e a paralise no nível atual. Vamos considerar o elemento-chave aqui: o desenvolvimento tecnológico geral depende do avanço da ciência de base, e a essência da ciência de base é a exploração da estrutura elementar da matéria. Se não houver avanços nessa área, será impossível qualquer evolução da ciência e da tecnologia como um todo. Claro, isso não vale somente para a civilização da Terra, mas para todos os alvos que Trissolaris pretende conquistar. Já havíamos começado a trabalhar nisso antes mesmo de receber a primeira comunicação extratrissolariana. Mas redobramos os esforços recentemente.

"Agora, olhem todos para cima. O que é aquilo?"

O príncipe apontou para o céu. Os cônsules levantaram a cabeça para olhar e viram no espaço um anel que emitia um brilho metálico com a luz do sol.

— Aquele é o dique para a construção da segunda frota espacial?

— Não. É um grande acelerador de partículas ainda em desenvolvimento. Os planos para a construção da segunda frota espacial foram abortados. Todos os recursos foram transferidos para o projeto Sófon.

— Projeto Sófon?

— Sim. Mantivemos esse plano em segredo da maioria dos aqui presentes. Agora peço que o cônsul científico faça uma apresentação.

— Eu sabia desse plano, mas não imaginava que havia avançado tanto — disse o cônsul industrial.

— Eu também sabia, mas achei que parecia um conto de fadas — disse o cônsul da Cultura e Educação.

— O projeto Sófon, basicamente — disse o cônsul científico —, visa transformar um próton em um computador superinteligente.*

— Quase todos nós já ouvimos falar nessa fantasia científica — disse o cônsul da Agricultura. — Mas é algo realizável? Eu sei que os físicos já são capazes de manipular nove das onze dimensões da escala micro, mas ainda não fazemos ideia de como seria possível enfiar pinças em um próton e construir circuitos integrados de larga escala.

— É claro que isso é impossível. A criação de microcircuitos integrados só pode ser feita em escala macro, e apenas em um plano macroscópico bidimensional. Por isso, precisamos abrir um próton em duas dimensões.

— Abrir uma estrutura de nove dimensões em duas? De que tamanho vai ser essa área?

— Muito grande, como vocês verão.

O cônsul científico sorriu.

Passaram-se mais sessenta mil horas trissolarianas. Vinte mil horas depois do fim da construção do gigantesco acelerador de partículas no espaço, a abertura do próton em duas dimensões estava prestes a começar em órbita síncrona com Trissolaris.

Era um dia bonito e agradável de uma Era Estável. O céu estava particularmente limpo. Como no dia em que a frota havia zarpado oitenta mil horas antes, toda a população de Trissolaris olhou para o céu e ficou observando aquele anel gigantesco. O príncipe e todos os cônsules voltaram a se reunir sob o Monumento do Pêndulo. Já fazia muito tempo que o pêndulo tinha parado de se mover, e o peso parecia uma pedra sólida entre as duas colunas altas. Para quem olhava, era difícil acreditar que aquilo já havia oscilado.

O cônsul científico deu a ordem de abrir em duas dimensões. No espaço, três cubos voaram em volta do anel — os geradores de fusão que forneciam energia ao acelerador. Aos poucos, os dissipadores de calor em forma de asas começaram a brilhar com uma ligeira luz avermelhada. A multidão ansiosa encarava o acelerador, mas não parecia estar acontecendo nada.

Um décimo de hora trissolariana depois, o cônsul científico levou o fone ao ouvido e aguardou atentamente.

— Príncipe — disse ele enfim —, infelizmente a abertura não deu certo. Reduzimos uma dimensão a mais, e o próton se tornou unidimensional.

* Existe um trocadilho entre a palavra chinesa para próton, *zhizi* (质子), e a palavra para sófon, *zhizi* (智子).

— Unidimensional? Uma linha?

— Sim. Uma linha infinitamente fina. Na teoria, deve ter cerca de mil e quinhentas horas-luz de comprimento.

— Investimos os recursos destinados a outra frota espacial só para obter um resultado desses? — questionou o cônsul militar.

— Em experimentos científicos, percalços são normais. Leva algum tempo para superar os obstáculos. Além do mais, esta é a primeira vez que tentamos realizar uma abertura.

A multidão se dispersou desanimada, mas o experimento não terminou. De início, imaginou-se que o próton unidimensional permaneceria em órbita síncrona com Trissolaris para sempre, mas, por conta da fricção dos ventos solares, pedaços da corda caíram na atmosfera. Seis horas trissolarianas depois, quem olhasse para o céu perceberia luzes estranhas no ar, fiapos translúcidos que sumiam e apareciam do nada. Logo os trissolarianos descobriram que isso era o próton unidimensional, descendo até o chão em função da gravidade. Embora a corda fosse infinitamente fina, ela produzia um campo que ainda era capaz de refletir luz visível. Foi a primeira vez que os trissolarianos viram matéria não formada por átomos — os fiapos sedosos eram apenas pequenos fragmentos de um próton.

— Essas coisas são muito irritantes. — O príncipe passou a mão na frente do rosto várias vezes. Ele e o cônsul científico estavam na escadaria larga do Centro de Governo. — Meu rosto não para de coçar.

— Príncipe, essa sensação é totalmente psicológica. Somadas, todas as cordas têm a massa de um único próton, então é impossível que tenham qualquer efeito no mundo macroscópico. São inofensivas. É como se nem existissem.

Mas os fragmentos que caíram do céu foram ficando cada vez mais numerosos e densos. Perto do solo, o ar estava cheio de lampejos minúsculos. O sol e as estrelas pareciam cercados por halos prateados. As cordas se enrolavam em quem saía para uma área aberta e, quando os trissolarianos andavam, arrastavam as luzes consigo. Quando os trissolarianos voltavam para algum lugar fechado, o reflexo das cordas revelava desenhos nas correntes de ar deslocado. Embora a corda unidimensional só pudesse ser vista com luz e não fosse sentida, as pessoas começaram a se incomodar.

A torrente de cordas unidimensionais se estendeu por mais de vinte horas trissolarianas, até enfim acabar, mas não porque todos os fragmentos tivessem caído no chão. Embora absurdamente pequena, ainda assim a massa existia, então a aceleração pela gravidade era a mesma de qualquer matéria normal. No entanto, ao chegar à atmosfera, esses fragmentos eram completamente dominados pelas correntes de ar e não caíam no chão. Após se abrir em uma dimensão, a força nuclear forte no interior do próton ficou muito atenuada, o que enfraqueceu a corda. Aos poucos, ela se desfez em pedaços minúsculos, e a luz refletida deixou de ser visível. Os trissolarianos acharam que ela havia desaparecido, mas pedaços da corda unidimensional continuariam flutuando no ar de Trissolaris para sempre.

Cinquenta horas trissolarianas depois, foi iniciada a segunda tentativa de abrir um próton em duas dimensões. Em pouco tempo, a multidão no solo viu algo estranho. Quando os dissipadores de calor dos geradores de fusão começaram a ficar vermelhos, apareceram vários objetos colossais perto do acelerador. Todos tinham formas geométricas regulares sólidas: esferas, tetraedros, cubos, cones etc. Embora sua superfície tivesse uma coloração complexa, uma observação mais detida demonstrou que, na verdade, eles eram incolores. A superfície dos objetos geométricos era completamente reflexiva, e o que os trissolarianos viam era apenas o reflexo distorcido da superfície de seu planeta.

— Conseguimos? — perguntou o príncipe. — Aquilo é o próton aberto em duas dimensões?

— Príncipe, é um novo fracasso — respondeu o cônsul científico. — Acabo de ser informado pelo centro de controle do acelerador. A abertura preservou uma dimensão a mais, e o próton foi aberto em três dimensões.

Os sólidos geométricos reflexivos continuaram aparecendo em grande número, e as formas foram ficando cada vez mais variadas. Havia toroides, cruzes sólidas e até algo que parecia uma fita de Möbius. Todos os objetos geométricos se afastaram do acelerador. Cerca de meia hora depois, mais da metade do céu estava tomado por eles, como se uma criança gigante tivesse esvaziado uma caixa de blocos de brinquedo no firmamento. Com a luz lançada pelas superfícies reflexivas, a luminosidade que atingia o solo duplicou, mas a intensidade variava constantemente. A sombra do pêndulo gigante piscava e oscilava sem parar.

Depois, todas as formas geométricas começaram a se deformar. Aos poucos, foram perdendo o formato regular, como se estivessem derretendo com o calor. A deformação se acelerou, e as massas resultantes ficaram mais e mais complexas. Os objetos já não lembravam blocos de montar, e sim vísceras e membros decepados. Como os formatos não eram mais regulares, a luz refletida para o solo ficou mais fraca, mas as cores das superfícies passaram a ser ainda mais estranhas e imprevisíveis.

Nessa confusão de objetos tridimensionais, alguns chamaram a atenção dos trissolarianos no solo. À primeira vista, apenas porque os objetos se pareciam muito. Mas, ao reparar um pouco melhor, todos reconheceram do que se tratava, e uma onda de pânico se espalhou por Trissolaris.

Eram olhos! [Evidentemente, não sabemos como são os olhos dos trissolarianos, mas com certeza qualquer vida inteligente é muito sensível à representação de olhos.]

O príncipe foi um dos poucos que continuou calmo.

— Quão complicada é a estrutura interna de uma partícula subatômica? — perguntou ele ao cônsul científico.

— Depende da quantidade de dimensões da perspectiva de observação. Por uma perspectiva unidimensional, a partícula é só um ponto... para pessoas comuns, isso é o que as partículas são. Por uma perspectiva bi ou tridimensional, a partícula começa a apresentar uma estrutura interna. Por uma perspectiva quadridimensional, uma partícula elementar é um mundo imenso.

— Usar uma palavra como "imenso" para descrever uma partícula subatômica como um próton me parece estranho — disse o príncipe.

O cônsul científico ignorou o príncipe e continuou:

— À medida que vamos avançando para dimensões superiores, a complexidade e a quantidade de estruturas em uma partícula aumentam drasticamente. As comparações que vou fazer não são muito precisas, mas devem dar uma ideia da escala. A complexidade de uma partícula vista por uma perspectiva heptadimensional é equiparável ao nosso sistema estelar de Trissolaris tridimensional. Por uma perspectiva octodimensional, uma partícula é uma presença tão vasta quanto a Via Láctea. Quando a perspectiva se eleva a nove dimensões, as estruturas e a complexidade internas da partícula são comparáveis ao universo inteiro. Quanto às dimensões ainda mais altas, como nossos físicos ainda não conseguiram explorá-las, não temos como fazer ideia do nível de complexidade.

O príncipe apontou para os olhos gigantes no espaço.

— Aquilo indica que o microcosmo contido no próton aberto possui vida inteligente?

— Nossa definição de "vida" provavelmente não se aplica ao microcosmo pluridimensional. Na realidade, só podemos dizer que esse universo contém inteligência ou sabedoria. Os cientistas já previram essa possibilidade há muito tempo. Seria estranho se um mundo tão complexo e vasto não tivesse desenvolvido alguma forma de inteligência.

— Por que eles se transformaram em olhos para nos observar? — O príncipe fitou os olhos no espaço, estranhas esculturas, belas e vívidas, todas encarando o mundo.

— Talvez eles só queiram mostrar presença.

— Algum perigo de caírem aqui?

— Nenhum. Pode ficar tranquilo, príncipe. Mesmo se eles caíssem, a massa total daquelas estruturas enormes é de apenas um próton. Assim como a corda unidimensional da outra vez, eles não terão efeito algum em nosso mundo. Os trissolarianos só vão ter que se acostumar com a estranha paisagem.

Só que dessa vez o cônsul científico estava enganado.

Os trissolarianos perceberam que o movimento dos olhos era mais rápido que o das outras formas sólidas no céu, e eles estavam se juntando em um só lugar. Pouco depois, dois olhos se encontraram e se fundiram em um maior. Cada vez mais olhos se juntaram a esse olho maior, e o volume cresceu. Por fim, todos os olhos se fundiram em um só, tão imenso que parecia representar o olhar do universo voltado para Trissolaris. A íris era nítida e clara, e no centro se via a imagem de um sol. Na superfície larga do globo ocular, uma variedade de cores se alternava sem parar. Logo os detalhes do olho gigante perderam definição e acabaram sumindo, até a forma parecer um olho cego sem pupila. Em seguida, ele começou a se deformar até perder a forma de olho e se tornar um círculo perfeito. Quando o círculo começou a girar, os trissolarianos perceberam que não era plano, e sim parabólico, como se fosse um pedaço de uma esfera gigante.

Enquanto observava o objeto colossal girando lentamente no espaço, o cônsul militar entendeu de repente e gritou:

— Príncipe e todos os outros, por favor, entrem no abrigo subterrâneo agora mesmo. — Ele apontou para cima. — Aquilo é...

— Um espelho parabólico — disse o príncipe, calmo. — Deem ordem para que as forças de defesa espacial destruam aquilo agora mesmo. Ficaremos bem aqui.

O espelho parabólico apontou os raios do sol para a superfície de Trissolaris. A princípio, a área iluminada era muito grande, e o calor no ponto focal não era letal. A área se deslocou pelo solo, em busca do alvo, até o espelho descobrir a capital, a maior cidade de Trissolaris, e começar a deslocar a luz até ela. Pouco depois, os raios estavam sobre a cidade.

Os trissolarianos que estavam no Monumento do Pêndulo só viram uma grande luminosidade no espaço, banhando tudo e trazendo uma onda de calor extremo. A área iluminada na capital diminuiu conforme o espelho parabólico concentrava a luz. O brilho do espaço foi ficando cada vez mais forte, até o ponto de ninguém mais conseguir levantar a cabeça, e os trissolarianos que estavam na área iluminada sentiram a temperatura aumentar depressa. Quando o calor estava ficando insuportável, a margem da área iluminada passou pelo Monumento do Pêndulo, e tudo se escureceu um pouco. Levou um tempo até os olhos dos trissolarianos se acostumarem à clareza normal.

Quando todos olharam para cima, a primeira imagem que viram foi a de um pilar de luz entre o céu e a terra, da forma de um cone invertido. O espelho no espaço era a base do cone, e a ponta estava cravada no centro da capital, deixando tudo incandescente. Ondas de fumaça começaram a subir. Tornados causados pela diferença de calor do cone de luz formaram várias outras colunas de poeira que iam até o céu, rodopiando e dançando em volta do cone de luz...

Várias bolas de fogo reluzentes apareceram em diversos pontos do espelho, uma cor azulada que se distinguia da luz refletida. Eram ogivas nucleares lançadas pelo corpo de defesa espacial de Trissolaris. Como as explosões estavam acontecendo acima da atmosfera, não fizeram nenhum barulho. Quando as bolas de fogo desapareceram, havia vários buracos enormes no espelho, e então toda a superfície começou a rachar e se despedaçar, até se quebrar em dezenas de pedaços.

O cone de luz mortal sumiu e o mundo voltou à iluminação normal. Por um instante, o céu estava escuro como em uma noite sem luar. Os pedaços quebrados do espelho, agora sem inteligência, continuaram se deformando e logo ficaram indistinguíveis dos demais objetos geométricos no espaço.

— O que vai acontecer no próximo experimento? — O príncipe falou com o cônsul científico em um tom de voz mordaz. — Você vai abrir um próton em quatro dimensões?

— Príncipe, mesmo se isso acontecesse, não haveria motivos para preocupação. Um próton aberto em quatro dimensões será muito menor. Se o corpo de defesa espacial está preparado para atacar a projeção no espaço tridimensional, também está no espaço quadridimensional.

— Você está enganando o príncipe! — disse o cônsul militar, furioso. — Você não falou do maior perigo. E se o próton acabar sendo aberto em zero dimensões?

— Zero dimensões? — O príncipe ficou interessado. — Isso não seria um ponto sem tamanho?

— Sim, uma singularidade! Até um próton seria infinitamente grande em comparação a isso. A massa inteira do próton estará contida nessa singularidade, e a densidade será infinita. Príncipe, com certeza o senhor imagina o que isso seria.

— Um buraco negro?

— Sim.

— Príncipe, gostaria de explicar — intercedeu o cônsul científico. — O motivo por que escolhemos um próton para abrir em duas dimensões, e não um nêutron, foi justamente para evitar esse tipo de risco. Se acabássemos mesmo abrindo em zero dimensões, a carga do próton também iria para o buraco negro aberto. Assim, poderíamos capturá-lo e controlá-lo com eletromagnetismo.

— E se você não conseguir encontrá-lo ou controlá-lo? — perguntou o cônsul militar. — Ele poderia cair no solo, absorver tudo o que encontrar e aumentar de massa. Depois, ele desceria até o núcleo deste planeta e acabaria por absorver toda Trissolaris.

— Isso nunca vai acontecer. Eu garanto! Por que você sempre dificulta a minha vida? Como eu disse, isto é um experimento científico...

— Já chega! — disse o príncipe. — Qual é a probabilidade de sucesso da próxima tentativa?

— Quase cem por cento! Príncipe, por favor, acredite em mim. Com esses dois insucessos, já conseguimos dominar os princípios da mecânica de abertura de estruturas subatômicas em um espaço macro bidimensional.

— Muito bem. Para permitir a sobrevivência da civilização trissolariana, precisamos correr o risco.

— Obrigado!

— Mas, se você fracassar de novo, você e todos os cientistas que trabalham no projeto Sófon serão culpados.

— Sim, claro, todos culpados. — Se os trissolarianos fossem capazes de transpirar, o cônsul científico devia estar encharcado de suor.

Foi muito mais fácil remover os resquícios tridimensionais do próton aberto em órbita síncrona do que tinha sido remover a corda unidimensional. Naves pequenas conseguiram afastar os pedaços do próton para longe de Trissolaris e evitar que eles entrassem na atmosfera. Os objetos, alguns do tamanho de uma montanha, não tinham quase nada de massa. Pareciam ilusões prateadas imensas: até um bebê teria conseguido empurrá-los com facilidade.

Depois, o príncipe perguntou ao cônsul científico:

— Nós destruímos uma civilização no microcosmo deste experimento?

— Era no mínimo um corpo inteligente. Por sinal, príncipe, destruímos o microcosmo inteiro. Aquele universo em miniatura é imenso em dimensões superiores e provavelmente continha mais de uma inteligência ou civilização que nunca teve a chance de se expressar no espaço macro. É claro que, em um espaço de dimensões superiores nessas escalas micros, as civilizações ou inteligências podem assumir formas inconcebíveis para nós. É absolutamente impressionante. E é muito provável que destruições como essa já tenham acontecido muitas vezes antes.

— Como assim?

— Na longa história do progresso científico, quantos prótons já foram arrebentados pelos físicos nos aceleradores? Quantos nêutrons e elétrons? Possivelmente não menos de cem milhões. É provável que cada colisão tenha sido o fim das civilizações e inteligências que habitavam um microcosmo. Na verdade, até mesmo na natureza, a cada segundo universos devem estar sendo destruídos, como por exemplo com o decaimento dos nêutrons. Além disso, um raio cósmico de alta energia que entra na atmosfera pode destruir milhares de universos em miniatura... O senhor não está se sentindo mal por causa disso, não é?

— Não me faça rir. Informarei agora mesmo o cônsul de Propaganda e darei instruções para que divulgue repetidamente esse fato científico para o mundo.

Os trissolarianos precisam entender que a destruição de civilizações é um acontecimento comum que ocorre a cada segundo de cada hora.

— Por quê? O senhor deseja incentivar o povo a encarar a possível destruição de Trissolaris com tranquilidade?

— Claro que não. Para incentivar os trissolarianos a encarar a destruição da Terra com tranquilidade. Você sabe tão bem quanto eu que, assim que nossa política em relação à civilização terrestre for divulgada, haverá uma onda extremamente perigosa de pacifismo. Acabamos de descobrir que existem muitos trissolarianos como o ouvinte do Posto 1379. Precisamos controlar e eliminar esse sentimento de fraqueza.

— Príncipe, isso é acima de tudo o resultado das mensagens recentes que recebemos da Terra. Sua previsão se confirmou: as forças alienadas na Terra estão mesmo crescendo. Eles construíram o novo sistema de transmissão sobre o qual têm pleno controle e começaram a nos enviar grandes quantidades de informações sobre sua civilização na Terra. Devo admitir que a civilização deles exerce uma grande atração em Trissolaris. Para nosso povo, parece uma música sagrada do paraíso. O humanismo da Terra vai conduzir muitos trissolarianos pelo caminho errado. Assim como a civilização trissolariana já se tornou uma religião na Terra, a da Terra também tem o mesmo potencial em Trissolaris.

— Você apontou um grande perigo. Controlaremos com rigor as informações que vêm da Terra e chegam para a população, sobretudo informações culturais.

A terceira tentativa de abrir um próton em duas dimensões começou trinta horas trissolarianas depois. Dessa vez, foi à noite. Não dava para ver o anel do acelerador no espaço a partir do solo — a posição dele só era indicada pelo brilho vermelho dos dissipadores de calor dos reatores de fusão. Pouco depois de o acelerador começar a operar, o cônsul científico anunciou o sucesso.

Os trissolarianos olharam para o céu noturno e, a princípio, não viram nada. Mas logo apareceu uma imagem milagrosa: os céus se dividiram em duas partes. A posição das estrelas em cada uma das partes não batia, como se alguém tivesse colocado uma fotografia pequena do céu em cima de outra maior. A Via Láctea parecia quebrada na linha entre os dois céus. A parte menor do firmamento estrelado era circular e se expandiu depressa diante do céu noturno normal.

— Aquela constelação ali é do hemisfério sul! — disse o cônsul da Cultura e Educação, apontando para o trecho redondo cada vez maior do céu.

Enquanto os trissolarianos exercitavam a imaginação para entender como as estrelas que só podiam ser vistas do outro lado do planeta estavam aparecendo superpostas ao céu do hemisfério norte, aconteceu um cenário ainda mais incrível: na borda do segmento expansivo do céu noturno do hemisfério sul surgiu um pedaço de um globo gigantesco. Tinha um tom amarronzado e estava se revelando aos poucos, tira a tira, como se fosse uma tela com uma taxa de atualização muito lenta. Todos reconheceram o globo: era possível ver o contorno nítido dos continentes familiares. Quando ficou completo, o globo ocupou um terço do céu. Mais detalhes ficaram claros: rugas de cordilheiras montanhosas estendidas por continentes amarronzados, uma cobertura esparsa de nuvens distribuída pelos continentes como se fosse neve...

— É o nosso planeta! — gritou alguém, enfim.

Sim, havia aparecido outra Trissolaris no céu.

Depois, o céu clareou. Ao lado da segunda Trissolaris no espaço, o círculo expansivo do céu noturno do hemisfério sul revelou outro sol. Nitidamente, era o mesmo sol que estava iluminando aquele hemisfério, mas parecia ter a metade do tamanho.

Finalmente, alguém entendeu:

— É um espelho.

O espelho imenso que apareceu acima de Trissolaris era o próton aberto, um plano geométrico sem nenhuma profundidade significativa.

Quando o processo de abertura terminou, o céu inteiro foi substituído pelo reflexo do céu noturno do hemisfério sul. No meio do espelho, o céu estava dominado pelo reflexo de Trissolaris e do sol. E então o céu começou a se deformar perto do horizonte em todas as direções, e as estrelas refletidas se esticaram e retorceram como se estivessem derretendo. A deformação começou nas bordas do espelho, mas começou a se dirigir para o centro.

— Príncipe, o plano de próton está sendo deformado pela gravidade do planeta — disse o cônsul científico. Ele indicou os vários pontos de luz no céu estrelado: era como se os trissolarianos estivessem apontando lanternas para a redoma. — Aquilo são raios eletromagnéticos lançados do solo para ajustar a curvatura do plano contra a gravidade. A ideia é envolver toda Trissolaris com o próton aberto. Depois, os raios eletromagnéticos vão continuar mantendo e estabilizando essa esfera imensa, como se fossem muitas escoras. Desse modo, Trissolaris se transformará em um andaime para firmar o próton bidimensional, e começará o trabalho de gravar os circuitos eletrônicos na superfície do plano de próton.

Levou muito tempo para envolver toda Trissolaris com o plano de próton bidimensional. Quando a deformação do reflexo chegou à imagem de Trissolaris no zênite do plano, todas as estrelas já haviam desaparecido, pois o plano de próton estava encurvado do outro lado do planeta e as escondia totalmente. Ainda se infiltrava um pouco de luz do sol para dentro do plano curvo, e a imagem distorcida de Trissolaris nessa casa de espelhos espacial estava irreconhecível. Mas, por fim, quando o último raio de luz do sol foi bloqueado, Trissolaris mergulhou na noite mais escura de todos os tempos. Quando a gravidade e os raios eletromagnéticos se equilibraram, o plano de próton se transformou em uma casca gigantesca em órbita síncrona com Trissolaris.

Seguiu-se um frio intenso. A superfície completamente reflexiva do plano de próton lançava toda a luz do sol de volta para o espaço. A temperatura em Trissolaris teve uma queda brusca, chegando a um nível comparável à ocorrência simultânea de três estrelas voadoras, que fora a ruína de muitos ciclos de civilização no passado. A maioria da população trissolariana se desidratou e foi armazenada. Um silêncio sepulcral cobriu grande parte da superfície enegrecida. No céu, a única luz vinha dos pontos luminosos fracos dos raios que sustentavam a membrana de próton. De vez em quando, alguns outros pontos minúsculos de luz mais forte apareciam em órbita: as naves espaciais que estavam gravando os circuitos na membrana gigantesca.

Os princípios que regiam circuitos integrados em microescala eram completamente diferentes dos de circuitos convencionais, já que a base não era composta de átomos, e sim da matéria de um único próton. As "junções PN" dos circuitos eram feitas pela manipulação local da força nuclear forte na superfície do plano de próton, e as linhas condutoras eram mésons que transmitiam força nuclear. Como a área da superfície era extremamente grande, os circuitos também eram muito grandes. As linhas do circuito eram largas como fios de cabelo, e um observador que se aproximasse o bastante conseguiria percebê-las a olho nu. Vista de perto, a membrana de próton parecia um plano vasto composto de circuitos integrados complexos e detalhados. A área total coberta pelos circuitos era dezenas de vezes maior do que a área dos continentes de Trissolaris.

A gravação dos circuitos no próton era um feito de engenharia colossal, e milhares de naves espaciais trabalharam durante mais de quinze mil horas trissolarianas para concluí-la. O processo de depuração do software levou outras cinco mil horas. Mas enfim chegou o momento de testar o sófon pela primeira vez.

A tela grande no centro de controle do sófon, localizado no subterrâneo do planeta, exibiu o progresso da longa sequência de autoteste. Depois, chegou o momento de carregar o sistema operacional. Por fim, a tela azul vazia exibiu uma linha de texto em fonte grande: *Microinteligência 2.10 carregada. Sófon Um pronto para aceitar comandos.*

— Nasceu um sófon — disse o cônsul científico. — Dotamos um próton de sabedoria. Esta é a menor inteligência artificial que podemos criar.

— Só que, por enquanto, parece a maior inteligência artificial — disse o príncipe.

— Assim que aumentarmos a dimensionalidade do próton, ela vai ficar muito pequena.

O cônsul científico digitou um comando no terminal:

>Sófon Um, os controles de dimensionalidade espacial estão
    operacionais?
Afirmativo. Sófon Um é capaz de iniciar ajustes de dimensiona-
    lidade espacial a qualquer momento.
>Ajustar dimensionalidade para três.

Quando esse comando foi inserido, a membrana bidimensional do próton que tinha envolvido Trissolaris começou a encolher rapidamente, como se a mão de um gigante estivesse puxando uma cortina de cima do mundo. A luz do sol recaiu sobre o planeta em um instante. O próton se fechou de duas para três dimensões e se transformou em uma esfera descomunal em órbita síncrona, mais ou menos do mesmo tamanho da lua gigante. O sófon estava acima do lado escuro do planeta, mas sua superfície espelhada refletia a luz do sol e transformava a noite em dia. Como a superfície de Trissolaris ainda estava extremamente fria, os trissolarianos no centro de controle só puderam observar as mudanças por uma tela.

Dimensionalidade ajustada com sucesso. Sófon Um está pronto
    para aceitar comandos.
>Ajustar dimensionalidade para quatro.

No espaço, a esfera descomunal encolheu até parecer ter o tamanho de uma estrela voadora. A noite voltou a cobrir aquele lado do planeta.

— Príncipe, a esfera que estamos vendo não é o sófon completo. É apenas a projeção do corpo do sófon em um espaço tridimensional. Na realidade, em um espaço quadridimensional, ele é um gigante e nosso mundo parece uma folha de papel fina tridimensional. O gigante está de pé em cima dessa folha, só que nós enxergamos apenas o rastro do ponto em que os pés encostam no papel.

Dimensionalidade ajustada com sucesso. Sófon Um está pronto
    para aceitar comandos.
>Ajustar dimensionalidade para seis.

A esfera no céu desapareceu.

— Qual é o tamanho de um próton hexadimensional? — perguntou o príncipe.

— Cerca de cinquenta centímetros de raio — disse o cônsul científico.

Dimensionalidade ajustada com sucesso. Sófon Um está pronto
    para aceitar comandos.
>Sófon Um, você consegue nos ver?

Sim. Vejo o centro de controle, todo mundo dentro dele, os órgãos
dentro de cada um, e até os órgãos dentro dos órgãos.

— O que é isso que ele está dizendo? — perguntou o príncipe, confuso.

— Um sófon que observa três dimensões a partir de um espaço hexadimensional é semelhante a um trissolariano que olha para um plano bidimensional. É claro que ele consegue enxergar dentro de nós.

>Sófon Um, entre no centro de comando.

— Ele é capaz de atravessar o solo? — perguntou o príncipe.

— Ele não vai "atravessar" exatamente. Na verdade, vai entrar a partir de uma dimensão superior. O sófon é capaz de entrar em qualquer espaço fechado de nosso mundo. Mais uma vez, é uma situação similar à maneira como nós, seres tridimensionais, nos relacionamos com um plano bidimensional. Poderíamos entrar com tranquilidade em qualquer círculo traçado nesse plano: é só passar por cima. Mas nenhuma criatura bidimensional nesse plano conseguiria entrar sem romper o círculo.

Assim que o cônsul científico terminou de falar, uma esfera espelhada apareceu no meio do centro de controle e ficou flutuando no ar. O príncipe se aproximou e olhou para o próprio reflexo distorcido.

— Isso é um próton? — perguntou ele, admirado.

— Isso é o corpo hexadimensional do próton projetado no espaço tridimensional.

O príncipe estendeu uma das mãos. Como o cônsul científico não se opôs, ele tocou a superfície do sófon. Sem fazer quase nenhuma força, o sófon foi empurrado a uma distância considerável.

— É muito liso. Embora só tenha a massa de um próton, senti alguma resistência na mão — disse o príncipe, intrigado.

— Isso se deve à resistência do ar na superfície da esfera.

— Você consegue aumentar a dimensionalidade para onze e deixá-lo do tamanho de um próton comum?

Assim que o príncipe terminou de falar, o cônsul científico gritou para o sófon, e sua voz tinha um tom de medo.

— Atenção! Isto *não* é um comando!

Sófon Um entende.

— Príncipe, se aumentássemos a dimensionalidade para onze, perderíamos a criação para sempre. Quando o sófon encolhe até o tamanho de uma partícula subatômica normal, os sensores internos e as portas de entrada e saída ficam menores do que o comprimento de onda eletromagnética. Logo, ele não seria capaz de sentir o mundo da escala macro e não conseguiria receber nossos comandos.

— Mas em algum momento teremos que fazer esse sófon encolher até voltar a ser uma partícula subatômica.

— É verdade. Mas, para isso, precisaremos esperar a conclusão de Sófon Dois, Sófon Três e Sófon Quatro. Uma quantidade plural de sófons deve ser capaz de formar um sistema que possa sentir o mundo da escala macro por meio de efeitos quânticos. Por exemplo, digamos que um núcleo possui dois prótons. Os dois vão interagir e manter determinados padrões de movimento. Digamos o spin: talvez o spin de cada próton precise ter um sentido oposto ao do outro. Quando esses dois prótons são retirados do núcleo, por mais que se afastem, o padrão vai se manter. Com base nesse efeito, quando os dois prótons são convertidos em sófons, vão criar um sistema de sensibilidade mútua. Uma quantidade maior de sófons então pode compor uma formação de sensibilidade mútua. A escala dessa formação pode ser ajustada para qualquer tamanho e, então, receber ondas eletromagnéticas para sentir o mundo em escala macro em qualquer frequência. Obviamente, os verdadeiros efeitos quânticos necessários para criar uma formação de sófons como essa são muito complexos. Minha explicação é só uma analogia.

A abertura dos outros três prótons em duas dimensões deu certo de primeira, e a construção de cada sófon também levou metade do tempo de Sófon Um. Quando Sófon Dois, Sófon Três e Sófon Quatro foram concluídos, a formação sensível quântica também foi criada com sucesso.

O príncipe e todos os cônsules voltaram a se reunir no Monumento do Pêndulo. Os quatro sófons pairavam acima deles, todos encolhidos em um espaço hexadimensional. A superfície espelhada cristalina de cada um exibia uma imagem do sol nascente, uma visão que lembrava os olhos tridimensionais que haviam aparecido no espaço.

>Formação de sófons, ajustar dimensionalidade para onze.

Quando o comando foi inserido, as quatro esferas espelhadas desapareceram.

— Príncipe — disse o cônsul científico —, agora Sófon Um e Sófon Dois serão lançados na direção da Terra. A partir da grande base de conhecimento armazenada nos microcircuitos, os sófons compreendem a natureza do espaço. São capazes de extrair energia do vácuo, se tornar partículas de alta energia em um instante e navegar pelo espaço quase na velocidade da luz. Embora isso possa parecer violar a lei de conservação de energia, na realidade os sófons só estão pegando "emprestada" a energia da estrutura do vácuo. Porém, a hora de devolver essa energia está muito distante, quando o próton decair. Mas o fim do universo não vai ser muito depois disso.

"Quando os dois sófons chegarem à Terra, a primeira missão será localizar os aceleradores de partículas de alta energia usados pelos humanos que fazem pesquisas em física e se esconder dentro desses dispositivos. Pelo nível de desenvolvimento científico da Terra, o método básico de exploração da estrutura profunda da matéria é acelerar partículas de alta energia e fazê-las colidir com outras partículas. Quando essas partículas são destruídas, os habitantes da Terra analisam os resultados para tentar descobrir informações que demonstrem a estrutura profunda da matéria. Nos experimentos feitos, eles usam a substância que contém as partículas a serem colididas como alvo para os projéteis acelerados.

"Mas o interior da substância atingida é um vácuo quase total. Digamos que um átomo tenha o tamanho de um teatro: o núcleo seria uma noz pairando no meio do teatro. Assim, é muito raro acontecer uma colisão. Por isso, os habitantes da Terra costumam lançar uma grande quantidade de partículas contra o alvo durante algum tempo para que essa colisão se produza. Esse tipo de experimento não é diferente de se procurar em uma tempestade uma gota que seja de uma cor ligeiramente diferente.

"Isso permite que os sófons interfiram. Eles podem assumir o lugar da partícula-alvo e aceitar a colisão. E, como são extremamente inteligentes, podem determinar com muita rapidez e precisão, por meio da formação sensível quântica, as trajetórias que as partículas aceleradas vão seguir e se deslocar para o lugar certo. Desse modo, a probabilidade de que um sófon seja atingido é bilhões de vezes maior do que uma partícula-alvo de verdade. Quando o sófon for atingido, apresentará resultados errados ou caóticos. Assim, mesmo se a partícula-alvo for atingida em algum momento, os físicos da Terra não conseguirão distinguir o resultado correto dos vários incorretos."

— Isso também não destruiria o sófon? — perguntou o cônsul militar.

— Não. Quando um sófon é despedaçado, são gerados vários sófons novos. E todos continuarão sujeitos ao entrelaçamento quântico entre si, da mesma forma que obtemos dois ímãs se quebrarmos um maior ao meio. Cada sófon parcial terá uma capacidade muito menor do que o sófon original inteiro, mas o software de autorrecuperação fará com que os pedaços se reaproximem e formem outra vez o sófon original. Esse processo só leva um microssegundo e vai ocorrer após a colisão no acelerador, e depois que os pedaços do sófon registrarem os resultados errados na câmara de bolhas ou no filme sensível.

— Seria possível que os cientistas da Terra descobrissem um jeito de detectar os sófons e usar um campo magnético forte para aprisioná-los? — perguntou alguém. — Os prótons têm carga positiva.

— É impossível. Para detectar os sófons, os seres humanos precisariam realizar grandes avanços no estudo da estrutura profunda da matéria. Porém, todos os aceleradores de alta energia deles vão se transformar em montes de sucata. Como eles conseguirão realizar qualquer avanço nessa área? A presa já terá cegado os olhos do caçador.

— Os humanos ainda poderão apelar para um método de força bruta — comentou o cônsul industrial. — Eles podem construir uma grande quantidade de aceleradores a um ritmo mais rápido do que a nossa capacidade de construir sófons. Assim, pelo menos alguns aceleradores da Terra ficarão livres dos sófons e poderão apresentar resultados corretos.

— Esse é um dos aspectos mais interessantes do projeto Sófon! — O cônsul científico ficou visivelmente animado com a observação. — Senhor cônsul industrial, não se preocupe com o perigo de a construção de muitos sófons produzir o colapso da economia trissolariana. Não precisaremos recorrer a isso. Pode ser que façamos mais alguns, mas não muitos. Na verdade, esses dois já são mais do que o suficiente, porque cada sófon é multitarefa.

— Multitarefa?

— É um termo relacionado aos antigos computadores de série. Antigamente, a unidade central de processamento de um computador só conseguia realizar uma instrução de cada vez. Mas, como isso acontecia de maneira muito rápida e auxiliada por escalonamento de processos, do ponto de vista de nossa perspectiva de baixa velocidade, parecia que o computador estava executando muitos programas ao mesmo tempo. Como vocês sabem, os sófons se movimentam quase à velocidade da luz. A superfície da Terra é um espaço ínfimo para eles. Se os sófons ficarem patrulhando em volta dos aceleradores da Terra nessa velocidade, para os humanos será como se eles existissem ao mesmo tempo em todos os aceleradores, e será possível criar de modo quase simultâneo resultados errados em todos os experimentos.

"Pelos nossos cálculos, cada sófon é capaz de controlar mais de dez mil aceleradores de alta energia. Os humanos levam cerca de quatro a cinco anos para construir cada um desses aparelhos, e não parece provável que esses dispositivos possam ser produzidos em massa com base na economia e nos recursos disponíveis da Terra. Claro, eles poderiam aumentar a distância entre os aceleradores, construindo em outros planetas do sistema deles, o que destruiria a operação multitarefa dos sófons. Mas, no tempo que eles levariam para conseguir isso, também não seria difícil para nós em Trissolaris construirmos pelo menos dez sófons.

"Uma quantidade cada vez maior de sófons vai circular por aquele sistema planetário. A massa total deles não vai chegar nem perto de um bilionésimo da massa de uma bactéria, mas ainda assim eles vão fazer com que os físicos da Terra jamais sejam capazes de vislumbrar os segredos ocultos nas profundezas da estrutura da matéria. Os humanos nunca conseguirão acessar as dimensões da escala micro, e sua capacidade de manipular a matéria permanecerá limitada a menos de cinco dimensões. A partir de agora, seja daqui a quatro milhões e meio ou quatrocentos e cinquenta trilhões de horas, a tecnologia da civilização terrestre jamais realizará esse avanço fundamental. Ela ficará estagnada para sempre no estágio primitivo. A ciência da Terra foi completamente paralisada, e as amarras são tão fortes que os humanos serão incapazes de se libertar por conta própria."

— Isso é maravilhoso! Por favor, perdoe meu desrespeito anterior pelo projeto Sófon — disse o cônsul militar, com sinceridade.

— Na verdade, atualmente existem apenas três aceleradores com potência suficiente para produzir possíveis avanços. Quando Sófon Um e Sófon Dois chegarem à Terra, terão muita capacidade ociosa. Para aproveitarmos plenamente os sófons, vamos aplicá-los em outras tarefas além da interferência nesses três aceleradores. Por exemplo, eles serão o principal meio de executar o plano Milagre.

— Os sófons conseguem produzir milagres?

— Para os humanos, sim. Todo mundo sabe que partículas de alta energia podem causar exposição em filmes sensíveis. Essa é uma das maneiras pelas quais os aceleradores primitivos da Terra revelavam partículas individuais. Quando um sófon passa pelo filme em alta energia, produz um ponto exposto minúsculo. Se o sófon passar várias vezes pelo filme, poderá ligar os pontos e formar letras, números ou até mesmo imagens, como se fosse um bordado. O processo é muito rápido, bem mais do que a velocidade com que os humanos expõem filme ao tirar fotos. Além do mais, a retina humana é semelhante à trissolariana. Portanto, um sófon de alta energia também pode usar a mesma técnica para exibir letras, números e imagens na retina deles... E, se esses pequenos milagres conseguirem confundir e apavorar os humanos, o próximo *grande* milagre será suficiente para matar de medo os cientistas da Terra, que são meros insetos: os sófons conseguem fazer com que a radiação cósmica de fundo brilhe nos olhos deles.

— Isso seria muito assustador até para nossos cientistas. Como farão isso?

— Muito simples. Já criamos o software que permite que um sófon se abra em duas dimensões. Quando o processo de abertura acaba, o plano imenso pode envolver a Terra inteira. O software também consegue deixar a membrana transparente, mas essa transparência pode ser ajustada nas frequências da radiação cósmica de fundo em micro-ondas... E, claro, os sófons são capazes de exibir "milagres" ainda mais maravilhosos quando se abrem e fecham em várias dimensões.

Ainda estamos desenvolvendo o software para esses casos, mas o desnorteamento que esses "milagres" vão criar será o suficiente para desorientar a ciência humana. Assim, podemos usar o plano Milagre para limitar as iniciativas científicas terrestres de outras áreas além da física.

— Só mais uma pergunta: por que não mandamos todos os quatro sófons construídos para a Terra?

— O entrelaçamento quântico funciona à distância. Mesmo se quatro sófons fossem dispostos em cantos opostos do universo, ainda conseguiram sentir uns aos outros de maneira instantânea, e a formação quântica entre eles continuaria existindo. Se mantivermos Sófon Três e Sófon Quatro aqui, poderemos receber no mesmo instante as informações enviadas por Sófon Um e Sófon Dois e, assim, monitorar a Terra em tempo real. Além do mais, a formação de sófons permite uma comunicação instantânea entre Trissolaris e as forças alienadas da civilização terrestre.

Sem que ninguém se desse conta, o sol que havia acabado de nascer sumiu no horizonte. Era o começo de mais uma Era Caótica em Trissolaris.

Enquanto Ye Wenjie lia as mensagens de Trissolaris, o Centro de Comando em Batalha conduzia outra importante reunião para analisar mais a fundo os dados capturados.

— Camaradas — disse o general Chang antes do encontro —, por favor, saibam que nossa reunião provavelmente está sendo acompanhada pelos sófons. A partir de agora, não haverá mais nenhum segredo.

O ambiente não mudou quando ele falou isso. As sombras das árvores dançavam para além das cortinas abertas, mas, aos olhos dos presentes, o mundo já não era mais o mesmo. Todos sentiam a força de olhos onipresentes, e era impossível se esconder deles. Essa sensação os perseguiria para sempre, e seus descendentes também estariam sujeitos a ela. Os seres humanos levariam muitos e muitos anos para se acostumar à situação.

Três segundos depois de o general Chang falar, Trissolaris se comunicou com a humanidade pela primeira vez fora da OTT, e todo contato com os adventistas foi encerrado definitivamente em seguida. Pelo resto da vida das pessoas ali presentes, Trissolaris nunca mais enviaria nenhuma mensagem.

Todos no Centro de Comando em Batalha viram a mensagem nos próprios olhos, tal como a contagem regressiva de Wang Miao. A mensagem piscou por apenas dois segundos e desapareceu, mas todo mundo entendeu. Era uma única frase:

Vocês são insetos!

34. INSETOS

Quando Shi Qiang passou pela porta da casa de Ding Yi, Wang Miao e Ding Yi já estavam muito bêbados.

Os dois ficaram felizes de ver Shi Qiang. Wang se levantou e abraçou o recém-chegado.

— Ah, Da Shi, policial Shi...

Ding, que nem conseguia ficar de pé, pegou um copo e colocou na mesa de sinuca.

— Seu raciocínio criativo não ajudou — disse ele, servindo um pouco de bebida. — Mesmo se não tivéssemos olhado aquelas mensagens, o resultado daqui a quatrocentos anos continuaria sendo o mesmo.

Da Shi se sentou na frente da mesa de sinuca e observou os dois com um olhar matreiro.

— É isso mesmo? Já acabou tudo?

— Claro. Acabou — disse Ding.

— Vocês não podem usar os aceleradores e não conseguem estudar a estrutura da matéria. Isso significa que está tudo acabado? — perguntou Da Shi.

— Hum... o que você acha?

— A tecnologia ainda está avançando. O acadêmico Wang e sua equipe acabaram de criar o nanomaterial...

— Imagine um reino ancestral, por favor. A tecnologia desse reino está avançando. As pessoas podem inventar espadas, facas, lanças melhores. Talvez até consigam inventar bestas de repetição que disparam várias setas como se fossem metralhadoras...

Da Shi indicou com a cabeça que estava acompanhando.

— Mas se essas mesmas pessoas não sabem que a matéria é composta de moléculas e átomos, nunca vão criar mísseis e satélites. Estão limitadas por seu próprio nível científico.

Ding deu um tapinha no ombro de Da Shi.

— Eu sempre soube que nosso policial Shi era esperto. Só que você...

Wang interrompeu.

— O estudo da estrutura profunda da matéria é a base para todas as outras ciências. Se não houver nenhum progresso nessa área, todo o resto, como você diria, não passa de palhaçada.

Ding apontou para Wang.

— O acadêmico Wang vai passar o resto da vida ocupado e continuará aprimorando nossas espadas, facas e lanças. Que porra que *eu* vou fazer? Alguém pode me dizer? — Ele jogou uma garrafa vazia na mesa e pegou uma bola de sinuca para arrebentá-la.

— Isso é bom! — Wang levantou o copo. — Vamos poder viver o resto da vida de um jeito ou de outro. Pelo menos toda decadência e depravação será justificável! Nós somos insetos! Insetos que estão prestes a entrar em extinção! Haha...

— Exatamente! — Ding também levantou o copo. — Eles nos desprezam tanto que nem perdem tempo disfarçando o plano, esfregam logo na nossa cara. Sem falar que contaram tudo para os adventistas. É que nem a gente que não precisa esconder a lata de inseticida dos vermezinhos. Vamos ferrar os insetos! Nunca imaginei que o fim do mundo seria tão bom. Longa vida aos insetos! Longa vida aos sófons! Longa vida ao fim do mundo!

Da Shi balançou a cabeça e virou o copo. Depois balançou a cabeça de novo.

— Bando de frouxos.

— O que você quer? — Ding encarou Da Shi com um olhar embriagado. — Você acha que consegue nos animar?

Da Shi se levantou.

— Vamos.

— Aonde?

— Achar um negócio para animar vocês.

— Que se dane, meu amigo. Senta aí de novo. Beba.

Da Shi pegou os dois pelos braços, obrigando-os a se levantar.

— Vamos. Tragam a bebida se precisarem.

Na rua, os três entraram no carro de Da Shi. Quando o motor foi ligado, Wang perguntou com a língua pastosa para onde estavam indo.

— Minha cidade natal — respondeu Da Shi. — Não é muito longe.

O carro saiu da cidade e seguiu para o oeste pela rodovia Beijing-Shijiazhuang. Assim que eles entraram na província de Hebei, Da Shi saiu da rodovia, parou o carro e arrastou os dois passageiros para fora.

Quando Ding e Wang saíram do carro, tiveram que apertar os olhos por causa do sol claro da tarde. Diante deles se estendiam os trigais da planície do norte da China.

— Por que você nos trouxe aqui? — perguntou Wang.

— Para olhar os insetos. — Da Shi acendeu um dos charutos que o coronel Stanton lhe dera e apontou com ele para os trigais.

Wang e Ding se deram conta de que a lavoura estava coberta por uma camada de gafanhotos. Todos os colmos de trigo tinham alguns em cima. No chão, vários outros se agitavam, como um líquido espesso.

— Tem uma praga de gafanhotos aqui? — Wang afastou alguns gafanhotos de um trecho pequeno do trigal e se sentou.

— Eles começaram a aparecer há dez anos, como as tempestades de areia. Mas este ano está sendo o pior.

— E daí? Nada mais importa, Da Shi — disse Ding, ainda com voz de bêbado.

— Eu só queria perguntar uma coisa para vocês: o abismo tecnológico entre humanos e trissolarianos é maior do que o que existe entre os gafanhotos e os humanos?

A pergunta caiu nos dois cientistas como um balde de água fria. Quando eles olharam para os amontoados de gafanhotos diante de si, assumiram uma expressão solene. Os dois entenderam o raciocínio de Shi Qiang.

Olhem só para eles, os insetos. Os seres humanos já usaram tudo o que podiam para exterminá-los: aplicaram todos os tipos de veneno, fizeram pulverização aérea, introduziram e cultivaram predadores naturais, procuraram e destruíram os ovos, usaram modificação genética para esterilizá-los, queimaram com fogo, afogaram com água. Toda família tem inseticida em casa, toda escrivaninha tem um mata-moscas na gaveta... Essa longa guerra vem sendo travada por toda a história da civilização humana, mas ainda não se sabe quem vencerá. Os insetos não foram eliminados. Vivem cheios de orgulho entre o céu e a terra, e a população não ficou menor do que era antes do surgimento dos seres humanos.

Os trissolarianos achavam que os humanos eram meros insetos, mas se esqueceram de uma coisa: os insetos nunca foram realmente derrotados.

Uma pequena nuvem escura encobriu o sol e fez uma sombra se deslocar pelo chão. Não era uma nuvem comum, e sim uma infestação de gafanhotos que havia acabado de chegar. Quando a nuvem pousou na lavoura, os três homens se levantaram no meio de uma chuva viva e sentiram a dignidade da vida na Terra. Ding Yi e Wang Miao viraram no chão o vinho das duas garrafas que tinham levado, um brinde aos insetos.

— Da Shi, obrigado. — Wang estendeu a mão.

— Também agradeço. — Ding cumprimentou a outra mão de Da Shi.

— Vamos voltar — disse Wang. — Temos muito a fazer.

35. AS RUÍNAS

Ninguém acreditou que Ye Wenjie fosse capaz de escalar o pico do Radar por conta própria, mas ela foi mesmo assim. Ye não aceitou nenhuma ajuda no caminho e só parou para descansar algumas vezes nas guaritas abandonadas. Consumiu sem dó a própria vitalidade, vitalidade que não poderia ser renovada.

Quando descobriu a verdade sobre a civilização trissolariana, Ye se entregou ao silêncio. Ela falava raramente, mas fez um pedido: queria visitar as ruínas da Base Costa Vermelha.

Quando o grupo de visitantes subiu ao pico do Radar, o cume estava bem acima das nuvens. Depois de um dia inteiro de caminhada em meio a uma neblina densa, ver o sol forte no oeste e o céu azul limpo foi como abrir as cortinas de um mundo novo. No cume da montanha, as nuvens eram um mar branco e prateado, e as ondas pareciam abstrações da cordilheira Grande Khingan mais abaixo.

As ruínas que os visitantes haviam imaginado não existiam. A base fora totalmente desmontada, e restava apenas um matagal no cume. As fundações e as estradas foram enterradas, e o lugar todo parecia desolado. Era como se a Costa Vermelha nunca tivesse existido.

Mas Ye logo descobriu algo. Ela foi até uma pedra alta e afastou as trepadeiras que a cobriam, revelando uma superfície enferrujada cheia de manchas. Só então os visitantes entenderam que a pedra, na verdade, era uma base grande de metal.

— Esta era a base da antena — disse Ye. O primeiro grito da Terra que alcançou os ouvidos de um mundo extraterrestre tinha sido enviado da antena que existira ali na direção do sol, que então o amplificou e transmitiu para o universo inteiro.

Eles encontraram uma placa de pedra pequena do lado da base, quase completamente perdida na grama.

Base Costa Vermelha (1968-1987)
Academia Chinesa de Ciências 1989.03.21

A placa era minúscula. Não parecia muito um memorial, e sim uma tentativa de esquecimento.

Ye foi até a beira do penhasco. Certa vez, com as próprias mãos, ela havia tirado ali a vida de dois soldados. Ela não observava o mar de nuvens, como os outros, mas voltou o olhar para uma direção. Abaixo das nuvens havia um vilarejo chamado Qijiatun.

O coração de Ye batia com dificuldade, como a corda de um instrumento musical que estivesse prestes a se partir. Seus olhos começaram a ficar encobertos com uma neblina negra. Ela usou as últimas forças para continuar de pé. Antes que a escuridão levasse tudo embora, queria ver o pôr do sol da Base Costa Vermelha pela última vez.

No horizonte ocidental, o sol descia lentamente no mar de nuvens e parecia derreter. O astro rubro se dissolveu nas nuvens e se espalhou pelo céu, iluminando uma grande porção do firmamento com um magnífico tom vermelho de sangue.

— Meu pôr do sol — sussurrou Ye. — E o ocaso da humanidade.

POSFÁCIO

Até hoje tenho nítida na memória uma noite da minha infância: eu estava do lado de um lago perto de um povoado no distrito de Luoshan, na província de Henan, onde várias gerações de meus antepassados haviam vivido. Estava cercado por muita gente, adultos e crianças. Juntos, estávamos olhando para o céu noturno sem nuvens, onde uma estrelinha minúscula deslizava sem pressa pelo firmamento escuro.

Era o primeiro satélite artificial lançado pela China: *Dongfanghong I* ("O Oriente É Vermelho I"). Era 25 de abril de 1970, e eu tinha sete anos.

Fazia treze anos desde que *Sputnik* havia sido lançado, e nove desde que o primeiro cosmonauta saíra da Terra. Fazia só uma semana desde que a *Apollo 13* voltara de uma perigosa viagem à lua.

Mas eu não sabia de nada disso. Enquanto olhava aquela estrelinha voadora minúscula, meu coração se encheu de uma curiosidade e um anseio indescritíveis. E, tão nítida quanto essas emoções, minha memória registrou também a sensação de fome. Naquela época, a região em que ficava o meu povoado era extremamente pobre. A fome era uma companheira constante de toda criança. Eu até podia me considerar sortudo, porque estava com os pés calçados. Quase todos os meus amigos estavam descalços, e alguns dos pezinhos ainda não tinham terminado de cicatrizar as geladuras do inverno anterior. Atrás de mim, a luz fraca de lamparinas de querosene vazava pelas frestas nas paredes dos casebres decadentes de palha — o povoado só foi receber eletricidade nos anos 1980.

Os adultos à minha volta disseram que o satélite era diferente de um avião porque voava fora da Terra. Na época, a fumaça e a fuligem das indústrias ainda não haviam poluído o ar, o céu estrelado estava muito limpo e dava para ver com clareza a Via Láctea. Na minha cabeça, as estrelas que preenchiam o céu não estavam muito mais distantes do que o satélite voador minúsculo, então eu achava que ele voava entre elas. Até fiquei com medo de que ele batesse em uma quando passasse pelos aglomerados estelares densos.

Meus pais não estavam comigo, porque trabalhavam em uma mina de carvão a mais de mil quilômetros de distância, na província de Shanxi. Alguns anos antes, quando eu era ainda menor, a mina tinha sido uma zona de combate das guerras civis entre as facções da Revolução Cultural. Eu me lembrava do barulho de tiros no meio da noite, de caminhões passando cheios de homens com armas e braçadeiras vermelhas... Só que eu era muito pequeno naquela época e não sei se essas imagens são lembranças de verdade ou miragens criadas mais tarde. Mas uma certeza eu tenho: como a mina era muito insegura e meus pais tinham sido afetados pela Revolução Cultural, eles foram obrigados a me mandar para o vilarejo antigo da minha família em Henan. Quando eu vi *Dongfanghong I*, já estava morando lá havia mais de três anos.

Demorou mais alguns anos até eu entender a distância entre aquele satélite e as estrelas. Nessa época, eu estava lendo uma coleção famosa de livros básicos de ciência chamada *Shi Wan Ge Weishenne* [Cem mil por quês]. No volume sobre astronomia, aprendi o conceito de ano-luz. Antes, eu já sabia que a luz levava só um segundo para percorrer uma distância equivalente a sete vezes e meia a circunferência da Terra, mas nunca havia considerado a distância assustadora que algo poderia atravessar nessa velocidade durante um ano inteiro. Imaginei um raio de luz passando pelo silêncio gelado do espaço a trezentos mil quilômetros por segundo, e foi difícil visualizar a vastidão e a profundidade arrepiantes. Senti um terror e um fascínio imensos e, ao mesmo tempo, fiquei com uma euforia quase narcótica.

A partir desse momento, percebi que eu tinha um talento especial: escalas e existências que eram muito superiores aos limites da percepção sensorial humana — tanto no nível macro quanto no micro — e que, para outras pessoas, pareciam só números abstratos, para mim ganhavam uma forma concreta. Eu conseguia encostar nelas, senti-las, assim como outros conseguiam encostar em árvores e pedras. Até hoje, quando referências aos quinze bilhões de raio de anos-luz do universo e a "cordas" que são infinitamente menores que quarks já não significam muita coisa para a maioria das pessoas, os conceitos de ano-luz ou nanômetro ainda geram imagens vívidas e grandiosas na minha mente e despertam em mim um sentimento indescritível, religioso, de admiração e choque. Não sei se tenho sorte ou azar em comparação com a maior parte da população que não tem essa sensação. Mas, com certeza, essas emoções me transformaram, primeiro em um fã de ficção científica e, depois, em um escritor de ficção científica.

Naquele mesmo ano em que fiquei fascinado pela primeira vez pelo conceito de ano-luz, aconteceu uma enchente (conhecida como a Grande Enchente de Agosto de 1975) no meu vilarejo. Em um dia, choveu um volume recorde na região de Zhumadian, em Henan. Cinquenta e oito barragens de tamanhos variados cederam, uma atrás da outra, e 240 mil pessoas morreram no dilúvio subsequente.

Pouco depois que as águas recuaram, voltei ao vilarejo e vi um cenário cheio de refugiados. Achei que estava olhando para o fim do mundo.

E assim, satélite, fome, estrelas, lamparinas de querosene, a Via Láctea, as guerras civis das facções da Revolução Cultural, um ano-luz, a enchente... todos esses elementos, aparentemente sem relação entre si, misturaram-se e formaram a primeira parte da minha vida, e também moldaram a ficção científica que escrevo hoje.

Na condição de escritor de ficção científica que começou como fã, eu não uso minha ficção como um modo mascarado de criticar a realidade do presente. Acho que o maior atrativo da ficção científica é a criação de diversos mundos imaginários fora da realidade. Sempre tive a impressão de que as melhores histórias da humanidade, as mais bonitas, não eram cantadas por bardos itinerantes, nem escritas por dramaturgos e romancistas, mas relatadas pela ciência. As histórias da ciência são muito mais magníficas, grandiosas, complexas, profundas, empolgantes, estranhas, aterrorizantes, misteriosas e até sentimentais, em comparação com as histórias contadas pela literatura tradicional. Só que essas histórias maravilhosas estão presas em equações frias que poucas pessoas sabem ler.

Os mitos de criação dos vários povos e religiões do mundo são ínfimos diante da glória do Big Bang. Os três bilhões de anos de história da evolução da vida desde moléculas capazes de se reproduzir até a civilização contêm reviravoltas e romances que vão muito além de qualquer mito ou épico. Existe também a visão poética do espaço e do tempo na relatividade, o mundo subatômico esquisito da mecânica quântica... Todas essas histórias maravilhosas da ciência exercem uma atração irresistível. Por meio da ficção científica, eu só pretendo usar o poder da imaginação para criar meus próprios mundos e apresentar a poesia da natureza nesses mundos, contar as lendas românticas que se desenvolveram entre o Homem e o Universo.

Mas não posso fugir e abandonar a realidade, do mesmo modo como não posso abandonar a minha sombra. A realidade impõe sobre cada um de nós sua marca indelével. Cada era prende grilhões invisíveis nas pessoas que as viveram, e eu só posso dançar com minhas correntes. Na ficção científica, muitas vezes a humanidade é descrita como um coletivo. Neste livro, um indivíduo chamado "humanidade" confronta um desastre, e tudo o que ele demonstra diante da existência e da aniquilação definitivamente tem origem na realidade que eu vivi. O incrível da ciência é que, diante de certas configurações hipotéticas de mundo, ela é capaz de transformar aquilo que em nossa realidade é mal e sombrio em algo virtuoso e iluminado, e vice-versa. Este livro e as duas continuações tentam fazer exatamente isso, mas, por mais que a realidade seja distorcida pela imaginação, ela nunca desaparece.

Sempre achei que uma inteligência extraterrestre será a maior fonte de incerteza do futuro da humanidade. Outras grandes transformações, como mudanças climáticas e desastres ecológicos, têm certo processo de progressão e períodos inerentes de ajuste, mas o contato da humanidade com alienígenas pode acontecer a qualquer momento. Talvez, daqui a dez mil anos, o céu estrelado diante da humanidade continue vazio e silencioso. Porém, talvez amanhã descubramos uma nave espacial alienígena do tamanho da lua orbitando o planeta. O aparecimento de uma inteligência extraterrestre vai obrigar a humanidade a confrontar o Outro. Antes disso, a humanidade como um todo nunca terá conhecido uma contraparte externa. O surgimento desse Outro, ou o mero conhecimento de sua existência, vai produzir impactos imprevisíveis em nossa civilização.

A ingenuidade e a bondade demonstradas pela humanidade diante do universo revelam uma contradição curiosa: na Terra, os seres humanos podem entrar em outro continente e, sem pensar duas vezes, destruir pela guerra e pela doença a civilização irmã que encontrarem. Mas, quando olham para as estrelas, eles ficam sentimentais e acreditam que, se inteligências extraterrestres existirem, devem ser civilizações dotadas de uma moral nobre, universal, como se valorizar e amar formas de vida diferentes fizessem parte de um código de conduta universal evidente.

Acho que devia ser exatamente o contrário: que a bondade que exibimos para as estrelas seja voltada para os membros da raça humana na Terra, e que sejam estabelecidas a confiança e a compreensão entre os diversos povos e civilizações que fazem parte da humanidade. Mas, para o universo além do sistema solar, deveríamos manter vigilância constante e estar preparados para atribuir as piores intenções a qualquer Outro que possa existir no espaço. Para uma civilização frágil como a nossa, sem sombra de dúvida esse é o meio mais responsável.

Como fã de ficção científica, minha vida foi moldada pelo gênero. Saber que diversos leitores agora podem apreciar meu livro me deixa ao mesmo tempo feliz e animado. A ficção científica é uma literatura que pertence a toda a humanidade. Ela descreve circunstâncias que interessam a todos e, portanto, deveria ser o gênero literário mais acessível para leitores de diversas nações. Muitas vezes, a ficção científica descreve um dia em que a humanidade formará um todo harmonioso, e acredito que não será preciso esperar a vinda de extraterrestres para que esse dia possa chegar.

Cixin Liu (刘慈欣)
28 de dezembro de 2012

1ª EDIÇÃO [2016] 2 reimpressões

ESTA OBRA FOI COMPOSTA PELA ABREU'S SYSTEM EM CAPITOLINA REGULAR E IMPRESSA EM OFSETE PELA LIS GRÁFICA SOBRE PAPEL PÓLEN SOFT DA SUZANO S.A. PARA A EDITORA SCHWARCZ EM JULHO DE 2021

A marca FSC® é a garantia de que a madeira utilizada na fabricação do papel deste livro provém de florestas que foram gerenciadas de maneira ambientalmente correta, socialmente justa e economicamente viável, além de outras fontes de origem controlada.